陳慶浩・鄭阿財・陳義主編

越南漢文小說叢刊 第二輯 第四冊

南天珍異集
聽聞異錄
喝東書異
安南古跡列傳
南國異人事跡錄

臺灣學生書局印行

《越南漢文小說叢刊》第二輯 前言

在《越南漢文小說叢刊》第一輯總序中，我們將越南漢文小說分成神話傳說、傳奇小說、歷史演義、筆記小說和現代小說五大類。並指出現代小說「是本世紀以來，受西方文化和中國白話文學影響而創作的現代白話小說，數量不多，勉強算作一類，可以算是上四類的附錄」。因此，在談到傳統越南漢文小說時，指的是前四類作品。但在《越南漢文小說叢刊》第一輯中，我們並沒收入神話傳說。主要原因是這類作品版本繁多而且複雜，當時我們並沒有掌握到充分的資料。《越甸幽靈集》雖已排好版，但發現有若干版本還沒收集到，校對稿不能呈現全書不同系統的面貌時，就決定撤版。提起這段舊事，還要感謝學生書局同仁對學術的熱誠，同意出版這樣一套冷門書本已不易，蒙受撤版損失亦毫無怨言。我們將神話傳說作爲本輯的重點，藉以彌補第一輯未能編入這類資料的遺憾。

神話傳說是民族精神之所寄，是民族早期歷史曲折的呈現；各民族早期歷史幾乎都是由神話傳說構成的，越南亦不例外。《大越史記全書·外紀·卷之一》的史事，就和本輯收入的《嶺南摭怪》大致相同。《嶺南摭怪》部份故事採擷自古代史書，而它又是後世史家汲取的對象。但不論史書還是故事書，源泉都是口頭流傳的神話傳說。《越甸幽靈》和《嶺南摭怪》是越南現存最古老、最重要的神話傳說集，就目前掌握到的資料，編纂成書當在十四、五世紀間。書編成後又屢經後人增添補續，互相引錄，形成了你中有我、我中有你的局面。其他故事集更是輾轉抄襲，增删重編。故研究者需將全部資料集中整理，方能觀其脈絡，見其演變之跡象。爲此，我們不單輯錄《越甸幽靈》和《嶺南摭怪》最早版本，亦兼容並蓄，將補續部分同時收入。對於不同系統的本子，雖故事相同而文字有較大差異、無從以校記錄入者，亦另行刊出，不避重複。蓋研究資料，不嫌其多，唯恐其不全耳。本輯收錄未全之資料，當收入後出叢刊中。

越南神話傳說讀起來特別親切：李翁仲固是耳熟能詳的人物，神龜築城之傳說既見於《華陽國志》，至今仍有故事流傳。〈鴻厖傳〉謂涇陽王娶洞庭君龍王女，使人想起唐人李朝威之〈洞庭靈姻〉（或稱〈柳毅〉、〈柳毅靈姻〉），以及由此發展出來的戲劇《柳毅傳書》。過往之論者以出現時代定先後，作爲《嶺南摭怪》所受中國文學影響之明證。我們認爲：與其說是互相因襲，不如指爲相同的來源。蓋神話傳說爲口頭文學，具傳承性、變異性諸特徵，不同時代不同地域者所記錄的同一故事，既有相同的母題，又有相異的情節。《嶺南摭怪》中，除了上舉三篇的某些情節，和中國古籍記載相合外，還有〈越井傳〉，與唐裴鉶的《傳奇》中〈崔煒〉一篇，有更多相同的情節。主角崔煒、配角鮑姑和玉京子等都相同，故事地點越井崗也是一樣的，可以看做同一故事的不同記載。《嶺南摭怪》記錄的是古代嶺南百粵民族的傳說，越南民族是百粵的一部份，越南和中國嶺南有相類甚至完全相同的傳說，一點也不奇怪。《越甸幽靈》既有地方的神祇，又有漢文化區共同的神祇，亦是很自然的。越南位於印支半島東部，印支半島是漢字文化圈和梵文文化圈的交接處，目前越南的中部、南部，過去是梵文文化區，一部越南國家發展的歷史，從文化的角度觀察，可以看作漢文化向南向西發展的歷史。正是在這一形勢下，越南所受印度文化的影響也是巨大的。《嶺南摭怪》的〈夜叉王傳〉是古代占城版的印度神話《羅摩衍那》，也是研究者公認的事實。

本輯刊出三種歷史演義小說：《皇越龍興志》是王朝歷史，《驩州記》是家族史，而《後陳逸史》則是地區性的個人的歷史。後兩者是王朝歷史的部份放大，而又可作爲皇朝史的補充。《越南漢文小說叢刊》第一輯中，我們刊出的三部歷史演義都是王朝史。《皇越春秋》記天聖元年（一四〇〇）至順天元年（一四二八）史事，《越南開國志傳》敍述黎英宗正治十一年（一五六八）至黎熙宗正和十年（一六八九）間阮氏崛起經過，《皇黎一統志》（又稱《安南一統志》）述黎朝景興三十八年（一七七七）至阮朝嘉隆三年（一八〇四）間史事，重點在敍寫黎朝覆滅的經過。本輯的《皇越龍興志》記景興三十四年（一七七三）至明命元年（一八二〇）史事，重點在阮朝興起的歷程。這四部王朝歷史演義，幾乎將越南自十五世紀至十八世紀的歷史，用小說的形式展示出來了。

《驩州記》（又稱《天南列傳阮景氏驩州記》）寫義靜（即古驩州）阮景家族前八世史事，特別是第五代阮景驩、第六代阮景堅、第七代阮景何、第八代阮景桂在「扶黎滅莫」，中興黎朝的功績，是一部以章回小說形式由本族後代修成的族譜，開創了「族譜小說」這一特殊的體裁，就我所知，在漢文小說世界中，這是前無古人、後無來者、別開生面的創作。

早期的中國歷史演義是藝人講史的底本，經下層文人整理成書的，有較多的民間通俗性。後來的歷史演義，有的已沒有經過講說的階段而直接創作，但一般來說，創作者都是下層文人，他們的歷史觀並不等同於官史。因而，在中國既有一套官方的歷史，又有一套民間的歷史；歷史演義是俗文學。越南的歷史演義，似乎都沒經過講史的階段而是直接創作。作者又都是較高層的官吏和文士。如果說早期的作品《皇越春秋》和《越南開國志傳》是後人據早期史料重新創作，還有較明顯的接受中國漢文歷史演義如《三國演義》影響的跡象，有較多的故事性；後期吳家文派所寫的《皇黎一統志》和《皇越龍興志》，則是以史家修史的態度，用章回小說的形式寫歷史。《皇黎一統志》的作者，寫的是他們身經的歷史；《皇越龍興志》作者寫的，是家族上一兩輩人身經的歷史。這兩本書，歷史性勝過文學性。越南漢文歷史演義的作者，不論寫的是王朝史還是家族史，都自覺到在補官修史書之缺失，並在序跋中明確地說出來。越南漢文歷史演義不是通俗文學。

本輯收書十七種，分五冊。其中《驩州記》、《後陳逸史》、《雨中隨筆》、《喝東書異》、《敏軒說類》五種是越南社會科學院漢喃研究所同仁校定的。《嶺南摭怪》最早的版本二卷本是漢喃研究所陳義教授整理的，後續的本子則是臺北中國文化大學朱鳳玉教授和蔡忠霖先生校點的。其它十一種書都是中國文化大學中文研究所越南漢文小說校勘小組師生校點的。各書校點者芳名，標於該書扉頁。越南漢喃研究所參與本書的工作，是由陳義教授組織安排的。中國文化大學中文研究所越南漢文小說校勘小組由鄭阿財教授領導。越方負責的六種書，除校勘標點外，又撰寫出版說明。撰寫者芳名附於文末。其中《後陳逸史》、《雨中隨筆》和《敏軒說類》出版說明用漢文撰寫，其它三種用越文。越文出版說明是由北京大學東語系顏保教授和他的高足盧蔚秋、田曉華、雷慧翠三位女史翻成漢文的。四位並翻譯本輯各書及其作者的相關越文資料，供撰寫出版說明時參考。本輯所有喃字，都是顏保教授翻譯成中文的。巴黎的劉坤霖先生也從越文翻譯若干參考資料，於此一並致謝。本輯各書正文、校記及出版說明，都由我和鄭阿財兄審訂，並作成定稿。這套書是臺北、河內、北京和巴黎四地研究者協作的成果。

《越南漢文小說叢刊》第二輯得以順利出版，首先要感謝法國遠東學院院長汪德邁（Vandermeersch）教授。和上一任院長一樣，他贊同我所提出的漢文化整體研究的構想，接納我在遠東學院建立漢喃研究小組的建議，使得越南漢文小說研究計畫，成為學院研究計畫的一部分，因而得以充分利用該院的資料和設備。由於遠東學院的資助，陳義教授和顏保教授得以從東方來巴黎和我一道作短期合作研究。遠東學院繼續與學生書局合作出版這套叢書。

我還要感謝越南社會科學院漢喃研究所的合作，提供本輯部分資料。感謝漢喃所同仁陳義、黃文樓、臨江、范文深四位先生和阮氏銀、阮金鶯兩位女士參加本輯的工作。

越南漢文小說的整理和研究是法國遠東學院和漢喃研究所的合作研究計畫，並已成爲法國和越南文化交流的一個項目。這套書是這項目的一個成果。

《越南漢文小說叢刊》第一輯是王三慶教授所領導的，中國文化大學中文研究所越南漢文小說校勘小組成員協作編出來的。三慶兄後來應邀去日本天理大學任客座教授，得以收集日本漢文小說資料，和我合作編纂《日本漢文小說叢刊》，故改由鄭阿財教授領導校勘小組，負責第二輯的編纂工作。參加本輯工作的，有朱鳳玉教授、張繼光、陳益源、蔡忠霖先生和汪娟、吳翠華小姐。我也於此致謝。

《叢刊》第一輯出版後，得到社會的鼓勵，除了有不少書評外，又獲得當年行政院新聞局頒贈的圖書類圖書主編金鼎獎。但銷路奇差，估計至今還未能還本。而臺灣學生書局諸位執事先生，本著對文化的熱忱，明知要擔負虧損的風險，還毅然繼續出版這一套書，這是我深心感激的。

兩年半前，我以〈十年來的漢文化整體研究〉爲題，爲陳益源兄的《剪燈新話與傳奇漫錄之比較研究》寫序時，對漢文化整體研究的意義說過一段話，我覺得還能代表我目前的看法，抄錄下來供參考：

> 隨著科技的發展，世界各地已可以朝發夕至了。人類生活在一個小小的地球，歷史產生出來的國家，以及由國家產生出來的種種問題，又在新的歷史形勢下發生變化。歐洲十二國

組成的共同市場，將在一九九三年起消除國界，並可展望將由經濟的統合發展到政治統合。政治家們已為二十一世紀提出歐洲聯邦的構想。產生兩次大戰的歐洲在合作情勢下，消弭戰禍於無形。反觀東亞，歷史上有過多少次大大小小的戰爭，即到當代還沒有停止過。歐洲的和平合作，為我們提供一個榜樣。通過經濟上政治上的合作，一個東亞聯邦，是不是也可在下世紀產生出來？從國家向超國家的聯邦整合，是當前歷史發展的方向，不能順應此一形勢的，在一個充滿競爭的世界中，將被拋到後頭。而漢文化區是東亞的支柱，未來東方的整合，會從漢文化區開始的。畢竟有共同的文化背景，有同質的價值觀人生觀，彼此的了解和合作是較自然的。漢文化的整體研究，正是為東亞未來的合作，墊個穩固的基礎。這就不單是學術研究的意義了。

當前西歐在加快整合的速度，歐洲共同市場各國紛紛在批准馬斯垂克條約，西歐將由經濟的整合發展到政治的整合，有單一的市場、共同的貨幣和整體的外交政策，甚至有統一的軍隊，北歐和東歐各國，亦都表示加入此一共同體的意願，有些國家如瑞典、瑞士、挪威等正申請加入此一共同體，而美國、加拿大和墨西哥，亦宣佈組成單一市場。面對這樣的形勢，東亞諸國，特別是漢文化區諸國，又將何去何從？

是爲序。

陳慶浩　一九九二年九月於巴黎

《越南漢文小説叢刊》第二輯　校錄凡例

一、本叢刊所編小說一律選擇善本作爲底本，各本文字則據底本原文迻錄。

二、除底本外若有其他複本可資參校者，則持以相校；其有異文，則擇善而從，並出校記說明之。

三、若文句不順，且乏校本可據者，爲使讀者得以通讀，則據文義校改，並出校記說明之。

四、凡爲補足文義而意加之文字，則以〔　〕號括別之。若爲原文之錯字、別字，則於注通行正字於原字下，並以（　）號括別之。

五、凡底本或校本俗寫、偏旁誤混之字，隨處都有，此抄本常例，則據文義逕改，不煩另出校記，以省篇幅。

六、又迻錄時，均加標點分段，並加人名、書名、地名等專有私名號。

七、凡正文下雙行註文，一律以小字單行標示。又正文有眉批者，則於適當字句下加註說明。若眉批不屬於某一字句者，則於各段後加註說明。

八、凡正文中，偶有喃字，一律譯成漢字，並將原文錄入註中。

南天珍異集

目錄

出版說明……三
書影……五
南天珍異集序……一一
南天珍異集 卷一……一三
儸人范員記……一三
進士陳名標記……一六
古遼狀記……一八
黎敬記……一九
長僕阮公欣傳……二〇
進士阮秩記傳……二二
至靈阮邁傳……二四

馮尚書傳……二五
阮尚書傳……二六
裴仕暹武公宰傳……二七
探花郭佳記……二八
楊公存……二九
阮堯咨……三〇
甲狀元……三一
慕澤武族……三四
武有……三六
武預……三七
武豐……三八
武維志……三九
武維斷……四一
武暄……四三
武公道……四四
武瓊……四六
武幹……四七
黎鼎……四八
慕澤叠中……五〇

武聚……五一
陳瑋……五二
阮全安……五三
阮世儀……五四
詠橋阮族……五五
愛州梁姓……五七
鄭跌長……五九
嘉福范杜……六一
黎如虎……六三
黎景詢三子……六五
張孚悅……六八
莫狀元……六九
黎鄧佳詩……七二
阮德貞……七三
吳公煥……七四
陳公寶……七五
阮允欽……七六
阮春光……七七
范維玞……七八

阮公澧……………………八〇
阮壽春……………………八二
阮光宅……………………八四
阮公登……………………八五
阮登明……………………八六
阮貴德……………………八八
濟文侯……………………九〇
白雲庵記……………………九三
梅郡公……………………九八
丁流金……………………一〇〇
阮御史……………………一〇一
阮簡清……………………一〇二
阮公敲……………………一〇三
陶狀元……………………一〇四
阮熾……………………一〇五
李太祖……………………一〇七
陳會元　劉廷元……………………一〇八
白雲庵採遺……………………一一一

南天珍異集 卷二

南天珍異集 卷二……一一三
湖口靈祠……一一三
螺大王傳記……一一五
杜林潭記……一一七
前翊輪迴傳……一一八
四子登科傳……一一九
南華木匠……一二一
鬼母報復傳……一二三
客人埋金傳……一二五
立石得金……一二七
惜鷄埋母……一二九
演州太守記……一三〇
吳俊龔傳……一三一
天祿潘廷佐傳……一三二
陳伯敞……一三三
乂貢士……一三四
仁惠王祠……一三五

國父祠……一三六
憲副假子……一三七
縣官阮名舉……一三八
嵩陽奇遇……一三九
何烏雷……一四一
阮氏點記……一四三
桑山虎翁……一四四
犯顏廟……一四五
牛欄對……一四六
蜻蜓贊……一四七
承司姦賂……一四八
折字對……一四九
徐貢士……一五〇
經義敍……一五一
舛字嘲……一五二
無鬚戲……一五三
平灘詩……一五四
成材對……一五五
玄雲洞……一五六

莫氏降表……一五七
拋山朝鴈……一五八
麗奇山……一六〇
獨尊山……一六一
扶桑庵……一六二
大悲寺……一六三
望仙樓……一六四
崑山……一六五
鳳凰山……一六六
六頭江……一六七
高山大王……一六八
竹林禪師……一六九
得道眞人……一七〇
清華靈祠……一七一
強暴大王……一七二
下邳異人……一七四
珊郡公……一七五
崑崙三海……一七七
山君老人……一七九

光明寺……一八一
羅山監生……一八三
扶擁節婦……一八四
傑特禮妃……一八五
鄭王妃……一八六
中行武族……一八七
鄒庚陽宅……一八八
華閭發跡……一九〇
太堂發跡……一九二
左先生……一九四
洞溪放榜……一九六
古怪卜師傳……一九七

聽聞異錄

目錄

出版說明……二〇七
書影……二〇九
聽聞異錄序……二一一
聽聞異錄
眞福元國公傳……二一三
金顏山記……二一四
惜鷄埋母傳……二一五
演州太守記……二一五
吳俊龔傳……二一六
天子到家傳……二一七
天祿潘廷佐傳……二一八

山圍節義記……二一八
阮堯咨傳……二一九
南華木匠記　附：青池寺僧傳……二二〇
仙人范員記……二二一
進士陳名標記……二二三
古遼狀記……二二四
陳伯敬記……二二五
關中黎敬傳……二二五
長僕阮公欣傳……二二六
進士阮秩傳……二二七
杜林潭記……二二八
至靈阮邁傳……二二九
馮尚書傳……二三〇
尚書阮公沆傳……二三一
阮左汹記……二三一
雲耕節義記……二三三
裴士暹武公宰傳……二三四
鎭武觀神夢顯應記……二三五
阮憲副假子記……二三六

湖口靈祠記……二三七
四子登科傳……二三七
前劫輪迴傳……二三八
縣官阮名舉傳……二三九
客人埋金傳……二四〇
螺大王傳……二四一
狀元甲海傳……二四二
白犬三足傳……二四五
鬼母報復傳……二四六
阮氏點記……二四七
秀淵傳……二四八
三海記……二四九
安所李服蠻傳……二五一
陳伯堅寄夢記……二五二
黎如虎記……二五三
張巴傳……二五五
進士李陳槇記……二五六
大王杜世佳記……二五八
唐安阮文達傳……二五九

仁愛杜相公靈祠記……………………………二六〇
陳興道大王記……………………………二六三
徐道行阮明空傳……………………………二六五
柳杏事跡記……………………………二六六
妖神傳……………………………二七三
徐式傳……………………………二七四
蛇鼠酬恩傳……………………………二七五

喝東書異

目錄

出版說明……二七九
書影……二八一
喝東書異
地仙……二八七
探花生……二八八
虎父……二八八
天榜……二八九
神醫……二八九
無頭佳……二九〇
石犬……二九〇
辭甲……二九〇
确地鰌……二九一

水　塚……………………………………二九一
龍王殿……………………………………二九二
兩朝宰相…………………………………二九二
冥　婚……………………………………二九三
還　金……………………………………二九四
金顏山……………………………………二九四
湖　神……………………………………二九五
賺　神……………………………………二九五
借　屍……………………………………二九六
讓狀頭……………………………………二九七
一榜兩元…………………………………二九七
海　人……………………………………二九八
髯　公……………………………………二九八
四男讞父獄………………………………二九九
夢　榜……………………………………二九九
惜鷄埋母…………………………………三〇〇
玉皇旨……………………………………三〇〇
金　牛……………………………………三〇一
足下圈……………………………………三〇一

龜女……三〇二
禮師……三〇三
紅霞……三〇四
金鑁河……三〇五
鷄讞……三〇五
影父……三〇六
前生……三〇六
虎僕……三〇七
海鶴……三〇八
落星公主……三〇九
賣柑尚書……三〇九
山鬼……三一〇
羅漢山石……三一〇
范華堂……三一一
何榜眼……三一一
阮巡撫……三一二
白進士……三一三
陳制科……三一三
兵債……三一四

偽節……三一四
嗜烟鳥……三一五
秦吉了……三一五
阮總督……三一六
叛臣……三一六
德魚（二則）……三一七
賞僧……三一八
金鴨……三一八
御筆……三一八
淫孽……三一九
神譴……三一九
一門兩卿……三一九
黎左軍……三二〇
城中虎……三二一
鬼呼……三二一
天變……三二一
詩將……三二二
阮贊理……三二二
鯉魚墳……三二三

安南國古跡列傳　目錄

出版說明……三二七
書　影……三二九
龍眼如月二神傳……三三三
夜叉王傳……三三四
士王仙傳……三三四
乾海門三位夫人傳……三三五
龍爪却虜傳……三三六
貞靈二徵夫人傳……三三七
洪聖大神王傳……三三八
明應安所神祠傳……三三九
大灘都魯石神傳……三四〇
神珠龍王傳……三四〇
香山崗記……三四一
奇童問月傳（原文無）

南國異人事跡錄　目　錄

出版説明……三四五
書　影……三四七
范子盧事業師事跡……三五一
李翁仲事跡傳……三五三
董天王事跡傳……三五四
夜澤楮童子與仙容事跡傳……三五五
海陽人居士阮仲播敍情……三五八
連上共五傳

南天珍異集

朱鳳玉 校點

南天珍異集 出版說明

南天珍異集，不著撰者姓氏。全書二卷，卷一有七十則，卷二有六十五則，總計收錄一百三十五短篇故事。正文前有簡短序文，說明此書係根據黎永佑進士武芳堤公餘捷記及後人續編、增附，正其訛誤，詳其缺略，而重新編纂成書的，其所以命名爲「南天珍異集」蓋以斯集之中有珍者，有異者故也。其序文云：

> 珍異一集，本公餘記舊章而新之也。初，黎朝永佑進士東閣公澤鄉武方堤於公暇收拾聞見，著成一卷，顏曰「捷記」。時未及鋟梓。其後諸方家續編，或分類目；或別標題，同異紛錯不一。又諸抄本間多魯魚碔玉，難辨何篇的公手筆，何篇為後人附增，考古者不免更生疑竇。玆不顧淺陋，參閱諸本，訛誤者正之，闕略者詳之，僭加批評，分為二卷。中有珍者，有異者，名為「珍異集」。庶幾南天至寶，不費梯航，盡於席上而得之。若夫磨礱潤澤，底於精純，使無復有瑕玷，則以俟於能者焉。是序。時啓定貳年丁巳秋八月望日。

按：潘輝注歷朝憲章類誌卷四十五「文籍誌・傳記類」中，著錄有「公餘捷記一卷」，其下說明云：「慕澤進士武芳堤撰。載古後見聞雜錄，分爲十二類：曰世家、曰名臣、曰名儒、曰節義、曰志氣、曰惡報、曰節婦、曰歌女、曰神怪、曰陰墳陽宅、曰名勝、曰獸類，共四十三傳。」由序文明確的說明此集係根據黎末進士澤鄉武芳堤之公餘捷記加以改編。而由序末之題記「啓定貳年丁巳」爲西元一九一七年，可知此書之編纂年代甚晚。其編纂內容較諸公餘捷記爲詳，而各篇之下復多有評語，使斯集所提供的野史資料尤加翔實。細審全書一百三十五篇的內容，其中有三十一篇與大南顯應傳、本國異聞、大南奇傳等多同，其餘一百多篇，則多爲野史性質，資料相當寶貴。如卷一武瓊篇中有「武瓊登洪德戊戌科黃甲。博學好古，尤長於撰述。嘗兼史館都總，有大越通鑑通考行于世。又與喬富公作嶺南摭怪集，仕至兵部尚書遇害。……」，提供了有關嶺南摭怪作者的傳說。

又白雲庵記篇中有「阮文達公，諱秉謙，道號白雲庵居士，永賴中庵人。……受業甚衆，惟馮克寬、梁有慶、阮嶼、張時舉最著。……阮嶼隱居不仕，作傳奇漫錄，公多爲斧正，遂爲千古奇書。」提供了傳奇漫錄作者與成書的寶貴資料。

此書今所知見僅有抄本一種，原爲遠東學院所藏，編號A1517，現藏越南河內漢喃研究所，法國遠東學院藏有微捲。原抄本字體工整，凡七十五葉，每半葉九行，行一十九字，每葉中心有「南天珍異」四字。詳審其抄寫行款與字體，顯與天南雲籙、聽聞異錄相同，當係同一人所抄。序文前題「南天珍異集」，第一葉題「南天珍異卷集壹」（按：「卷集」誤倒。），第六十五葉題「南天珍異集卷二」。各篇題目下有編者所撰之評語，頗受中國明清以來小說評點風氣之影響。

此次整理因無異本可資參校，故僅據法國遠東學院藏之微捲影印本加以迻錄、標點、排印。

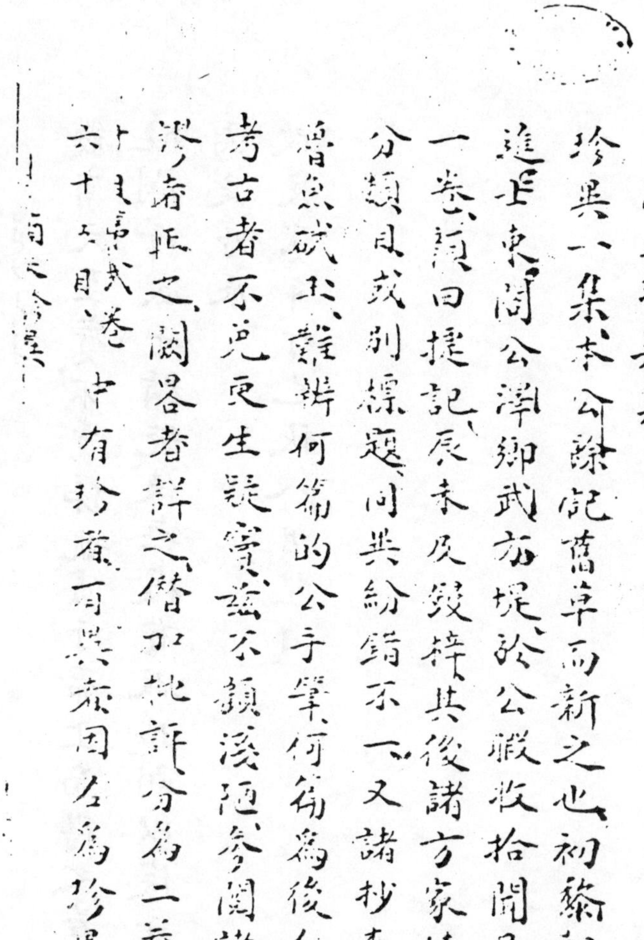

南天珍異集
珍異一集，本公隨記舊草而新之也。初，綠朝永祐
進上東閣公澤鄉武方堤，於公暇收拾聞見者成
一卷，顏曰提記，辰未及鋟梓，其後諸方家續編，或
分類目，或別標題，同異紛錯不一。又諸抄本，間多
魯魚疏於，雖辨何篇的公手筆，何篇為後人附增，
考古者不免更生疑竇，茲不韻淺陋，參閱諸本，證
從者抵之，闕略者詳之，僭加批評，分為二卷。第一卷七
十七條，貳卷六十五目。中有珍者，有異者，因名為珍異集。序
百之今晏

書影

言ラ子与

畿南亦至寶、不賣梯航、盡于席上而得之若夫磨

礲潤澤、底于精純、使無復有瑕玷、則以俟于能者

焉、是序辰

啓定貳年、丁巳秋八月望日、

書影

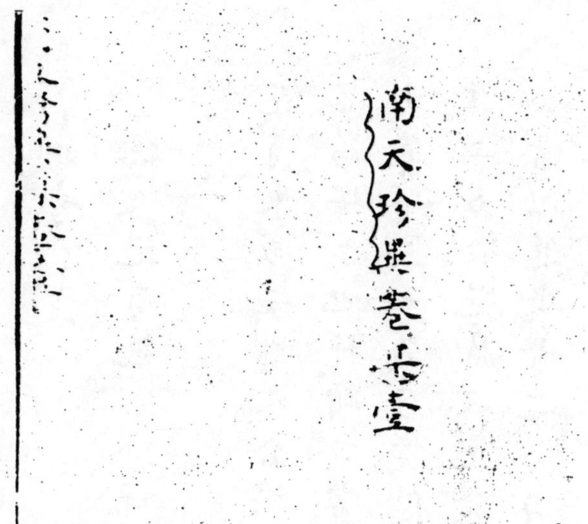
南天珍異卷之壹

書影

南天珍異集卷之二

儒人范貢記

評：登儒之榮固難，較之得道成僊猶易。范儒何不爲其易耶？地之發福，使然。

范貢來成安排人。公祖考業農，國一向爲善，長北容爲擇吉地扦，斷云：當發一代進士，一代儒人。後生范貢，三十歲登慶德壬辰科，會果仕至左侍郎。生二男，長范贊，次是公。公長十八歲，懶於學，侍郎公常以其褻責之。公曰：人生貴適志，五十年富貴，不過黃梁一夢耳。乃帶簑笠，尋入鴻嶺山採藥，行三日許，至深林中，遇一老人持竹杖，著道衣，公知共得道真人、即前來拜跪、歷叙已志、老人揖以歸、半里許望見芳屋數間、公隨入、只見屏上小書一卷、傍有一水盂、寂無一人隸役、特與公勺水、併盤款之、又投公一囊、謂之曰、歸而求之、有餘師矣、言訖、人屋皆變、只公坐日出而返、頃刻到已舍、自往至還、自指已十二年矣、是歲公三十歲、親戚鄉里奇其事、曾不覺其成仙、或寢十餘日不起、或一二日只啜數粥、侍郎公常以狂夫呼之、公有親姑年卅八、自寡居無子、公許錢二十一文、謂之曰、若買

書影

及開緘見之，始嘆曰：公真聖人也。公寫一片紙封
在小箱，臨終特交子孫藏守，不得開看，俟至某年
月日，特遞呈本縣官。迨七世孫某依期奉納縣官，
慕公盛名，聞公有遺書來，即趨出外堂接問，出後
寢室內陞下一樑，正在縣官坐卧處，及展讀，見有
字云：我救汝上樑之厄，汝救我七世之貧。縣官敬
服，親來公祠具禮拜謁，其裔孫蒙優展周給養公
之事狀詳在前記，茲畧補其所聞之一二云。

南天珍異集　序

珍異一集，本公餘記舊草而新之也。初，黎朝永佑進士東閣公澤鄉武方提於公暇收拾聞見，著成一卷，顏曰「捷記」。時❶未及鋟梓。其後諸方家續編，或分類目；或別標題，同異紛錯不一。又諸抄本間多魯魚碔玉，難辨何篇的公手筆，何篇爲後人附增，考古者不免更生疑竇。茲不顧淺陋，參閱諸本，訛謬者正之，闕略者詳之，僭加批評，分爲二卷。（第一卷七十目，第弍卷六十五目。）中有珍者，有異者，名爲珍異集。庶幾南天至寶，不費梯航，盡於席上而得之。若夫磨礱潤澤，底於精純，使無復有瑕玷，則以俟於能者焉。是序。時

啓定貳年丁巳秋八月望日

【校勘記】

❶「時」，原避諱作「辰」，今改回原字，以下皆同，不另出校記。

南天珍異集　卷一

評：登仙之榮固難，較之得道成仙猶易，范仙何不爲其易耶，地之發福使然。

僊人范員記

范員，東城安排人。公祖考業農圃，一向爲善。時北客爲擇吉地遷，斷云：「當發一代進士，一代仙人。」

後生范質，三十歲登慶德壬辰科黃甲，仕至左侍郎。生二男，長范贊，次是公。公長十八歲，懶於學，侍郎公常以箕裘責之。公曰：「人生貴適志，五十年富貴，不過黃粱一夢耳。」乃帶簑笠，尋入鴻嶺山採藥。行三日許，至深林中，遇一老人持竹杖著道衣，公知其得道眞人，即前來拜跪，歷敍己志。老人携以歸，半里許，望見茅屋數間，公隨入，只見屏上小書一卷，傍有一水盂，寂無一人隸役。特與公勺水，俾罄飲之；又授公一囊，謂之曰：「歸而求之，有餘師矣。」言訖，人屋皆變了。公望日出而返，頃刻到民居，自往至還，屈指已十二年矣。

是時公三十歲，親戚鄉里奇其事，曾不覺其成仙，或寢十餘日不起，或一二日只啜數粥。侍郎公常以狂夫呼之。

公有親姑年外八旬，寡居無子，公許錢二十一文，謂之曰：「若買二十文，則留一文，可周一身。」姑依其言，且買則暮還。纔得一年，姑死而錢失矣。

嘗遊玉山縣，宿客館，謂老婦曰：「此處當有火災大作，我許汝一甕酒，若見火起，當以酒灑之。否則，此屋延燒，終無可救之理。」已而，伊社果失火，正値五月南風，人不能救。老婦思公言，以此酒灑之。忽大雨滂沱，火隨滅，雨中有酒氣，三日不散。

常過弘化縣，見有老人乞丐，年七十餘，公憐其老，賜之一杖云：「至某處某市，則置杖于道旁，人見之，必以錢掛于杖頭，滿百文即止，又他適。」老人如其言，衣食豐足。纔得三年，老久死而此杖失矣。

盛德丙申科會試，乂安貢士赴京應試以百數，公坐黃梅館，謂諸人曰：「三科之內未有進士，諸公應試枉費往返行李耳。」衆笑其爲狂言。既而丙申、己亥、辛丑三科，並無一人登第。

常教本社一士學「桔槔」二字，比至三年，請他學。公曰：「他日富貴，只此二字足矣。」已而，伊社人寫名軍籍，更守公船，適鄭主發行經略，命籍舟中之物，至汲水一件，不知是何字號，徧問之，莫誰識字。時有參從何宗穆在焉，伊人對曰：「臣少時所學，記得桔槔乃汲水之物。」參從官以爲此人深學，即聞之于王，傳旨頒正六品官。

迨公四十歲，侍郎入侍從方，荷王上眷顧。公在家，遽命構作祠堂，粉塑祭器，制斬哀服，及竹杖封之。詣京，至纔數日，侍郎官卒，夫人治喪，將欲下船越海而歸。公不聽，造作大輦、小輦、香案，凡送喪之儀，一皆完備。期以某日雞鳴發行，纔日出，已到安柳地分。衆皆驚異，始知公有神仙妙術。葬畢，公拜母而去，自此不見踪跡。

越五年，夫人沒，窀穸甫畢，公衣歸哭於墓前，置一匣而去。明日，家人見之，啓匣觀，則有牛羊、鷄豚、臠肉、炊飯不可勝數，錢三百貫，銀一百斤，書於匣上曰：「孤哀范員敬祭之物。」

嗣後，或見公於昇龍，或遇公于神符，但叉手不交一言。保泰間，春耕人張有條開學堂于京師，士子以數百計。一日，習席上文，命題：「四皓歸商山謝表」。公衣著襤褸，傴僂而入，自請行文，衆人咸笑。一刻而文成，忽不見。先生取卷看之，大驚嘆曰：「文似仙家格局，必是范員公戲我也。」

景興甲戌科會試，東城訓導與農貢黎賓赴京試，遇於金榜地方，公執訓導之手曰：「我與君同縣，何遽忘耶？」取衣中一紙，封識甚謹。戒之曰：「莫可妄發，候入第二場折而觀之。」言訖而去。訓導如其言，至第二場出榜落名，懷憤倒醉。來日士人自場中出，問之，伊言「天下大同賦」。訓導記公言，折衣帶紙觀之，則這賦八韻便成，始知同縣之言即范公也。

進士陳名標記

評：同科進士乃在於名外孫山之門第，陳賢公亦熱心矣。名標既掛名天榜，神人安得不力爲贊成哉。

陳名標，丹鳳安所人。少時學于雲耕進士陳賢。標非穎悟，文思尋常。二十一歲中次通生徒，二十四歲能文，校官以文太劣不許入格。是夜，陳賢夢見神人謂曰：「明日早時，君當洒掃門庭以待同科進士來。」且日，公方行軒外候待。久之，忽見名標傴僂而入，問曰：「君來此何早？」對曰：「昨微應考本庥，名外孫山，頒望尊師曲爲請托，幸預一名，弟子感恩多矣！」公從之。公遂以十三緡錢之利，懇請校官，校官亦爲添取，寘之末第。問有別縣人落第，赴承司校官投單乞北，未名唱名，天忽大雨，雷打此人死了，名標遂免。

是科入第四場日，名標夢神人謂曰：「禹貢一篇，須當詳熟。」夢覺，即取禹貢九州土田貢賦盡皆細寫，投袖入場，果然御題盡出禹貢。名標做得詳盡，但文勢淡，又殊無起意，內場官不取，及送外場，提調官范謙益詳覆落卷，見名標卷文詞雖非雄偉，然禹貢句句做得詳盡，諒非深學者不能，復批中格，寘于四十一第。

癸丑年，丹鳳地方瘟疫大作，安所社人夜夢館叢中，見夜叉鬼群行百數，憇坐館中，一人披籍指曰：「此是安所地界，今以次及。但今年三月，陳名標試中進士，須當爲護此方，俾得無恙，以迎進士榮歸矣。」遂即促行他境。

至赴試期，經到雲耕橋，就館停息。時有山西貢士三十餘人，忽見一人面貌古怪，來執名標之手，謂曰：「龍德二年、癸丑科、今科三分進士，君族有其一。」言訖忽不見，衆以爲奇。入第四場日，陳賢具以往日同科之夢告陳桐等曰：「吾年已三十，而神人指示與陳標同科，今吾等五六人，當爲名標著　，幸得共誇禹門，以應同科之夢。」衆咸依其言。迨出榜日，名標以生徒二十五歲捷舉登第，是科進士十八人，而陳賢（慈廉雲耕）、陳謨（丹鳳遺愛）、陳桐（丹鳳丹鳳）、陳仲慕（上福文甲）、陳公昕（永賴古庵）、陳名標（丹鳳安所）陳族凡六，神人之言信不誣也。厥後陳名標爲宦官名僉隣所惡，年七十以翰林致仕焉。（贈東閣大學士）

古遼狀記

評：古遼狀，初生全一塊肉，一異；不學而識字，亦一異；十餘歲卽潔身辭世，亦一異。

富川古遼人，生下一男，全一塊肉，三、四月餘，漸漸生骨，命名超。不學而識字，人以難字問，如迌迵等字，無不知。

時有金洞監生往造之，出對曰：「半千名世自古寥聞。」超即應曰：「五百昌期于令洞見」。人皆奇之，傳呼爲古遼狀。

己亥，超已七歲，靖王聞之，召見。欲選爲王子友，超入拜，王出對：「李泌七歲賦碁」。超對：「成王幼年蒞祚」。王不悅，遣還。迨壬寅年，靖王崩，子榦以六歲嗣位，超之對頗有先見。

丙午年三月，（景興四十七年）超謂鄉人曰：「今年六月，黎鄭易姓，天下大亂，（西山之亂幾二十年）我欲尋避亂之所，有肯從我否？」人皆以爲迂濶，不之信，超遂別父母而行，不知所之。是時超甫十四歲耳。

黎敬記

評：碩郡公一向爲善，見於二星吏所表揚，則非獨埋鄰兒一事也。不然世之行義塚多矣，何不皆進士，公侯如黎家乎？

黎敬，東城開中人，少中鄉貢，三會試不第，遂家居教子幾二十年，無復禹門之望。永祚戊辰，鄉中痘疫大作，公鄰人有二子死于痘，其父母廢置牛欄，不使將葬。公乃命家人索席裹屍，埋于野外。是年三月，勅旨會試。公夢見那二兒來謂之曰：「公今科應試必登進士。」公曰：「我幾二十年灰心，翰墨文思艱澀，參之會文，倀倀焉如瞽之無相，尚何敢奢望乎？」二兒復謂曰：「吾輩係是星曹小吏，宿直于南曹星君之所，面見定今科十七進士，列名放榜天門，吾輩感君之恩，極力推薦，云：『開中黎敬一向爲善，不表斯人，何以勸世？』幸承許之。君名預列，實已親見，今來報喜，愼勿洩漏。」

時試期在邇，公命舍人趣治行赴京，鄉人莫不莞笑。公入試至第三場，詩失粘，賦重韻。友人見之，謂無中理，只當早早回程，免生他費。公曰：「彭祖無夭死，卿等盍觀之？」內場考點，公卷已被黜落，但糊名時，吏房寫公名于京北安豐人卷，榜出果中。明日入第四場，公看題訖，句句都自忘了，忽見二兒掇拾文辭披進遞公，乃掇集成卷，迨文亭掛榜，是科中進士共十八名，公居第十。（時四十一歲）後仕至工部尚書碩嵩侯，贈太保碩郡公。生子黎斆中黎貞宗福泰癸未科二甲進士，仕至禮部尚書侯爵。

夫公之所施者小惠，而報之如此其速，古謂：「勿以善小而不爲」信哉！

長僕阮公欣傳

評：阮公欣罵宣義神，大有膽略，至於對訟，義正辭嚴，讀之猶凜，又有生氣。

宣義祠在乂安興元縣義烈山之下。陳末明將與黎太祖死于此，稔有靈應，鄉人立廟祀之。或云明將即柳昇也。其祠最靈，錢多布地，人不敢取。驩洲風土記所謂：「宣義之金錢滿地，握取何堪？」是也。

景興戊子秋，南塘縣長僕社阮公欣應考承司，與五、六人登山浴溪，共入廟中。公欣大聲罵伊神曰：「汝乃北方憤將，南國羈魂，何得昂然作上等神，而受南人之享耶？」因毀裂其帕傘。已而，各回駐所，是夕大發熱痛，迷而不醒者二更許，衆咸懼曰：「此宣義神之所譴責也。」至鷄鳴，公欣大叱一聲，翻然而立。衆叩問之，公欣曰：「我被宣義神訟我于湖口祠昭徵大王，我懇請以明日入考先期，敢乞考後復來應訟，王應之，故得歸耳。」伊日入考，行文甫畢，忽見一人持墨硯覆于公欣卷上，墨水淋漓，字不可辨。承憲官使公欣再易別卷，後唱名預中第一。

是夕回駐所，見伊神復至迫之，公欣服長衣備筆硯，謂衆曰：「今夜乃我應訟之期，衆忽(勿)驚恐，但這訟我決得直，可保無虞也。」言訖，僵臥而逝，平旦復醒。衆人見其面有喜色，爭問之。公欣具道：我至湖口祠開外，有一人引入，見有一人狀貌魁梧，白齒編髮，衣服參差不齊，立于王左，我立于王右。王謂曰：「汝讀聖賢書，豈不聞鬼神爲德之義，而輕蔑尊神如此何也？」公欣曰：「臣讀聖賢書，聞功施於民則祀之，捍災禦患則祀之。今宣義無此數者，而濫受朝廷勅命爲上等神，不幾於行肉走屍之謂乎？此臣所以不平也。且前此陳末南國生民肝腦塗地，率是此等之由，臣若與之同時，誓當飽喫其肉，況復崇祀之乎？」王首肯者久之，曰：「彼書生所言有理，不必窮查。」宣義神黑面如土，無辭可答。王揮公欣使退，謂之曰：「罵之已甚，況毀裂帕傘，公之過也。嗣後勿復爲此。」因拜謝而去。

可見邪神不敢干正也。世之儒者，媚事淫神以要福，聞之者可不厚顏乎？

進士阮秩記傳

評：阮秩既蒙神助，庭試何難耳？提此益秩之第不於文上取，故長其無文，以示特格。

阮秩弘化月圓人，二十歲中鄉貢，家貧廢學，以販牛爲業，能奉事柳杏公主。每年春節有買牛祭者，只取本價，不求息錢，凡二十年。

永祚癸亥年正月，阮秩夢見自到天曹，百神共會，定取今科進士相與語曰：「塵世許多人，幾得似阮秩之好心乎？不表伊人，何以勸世？」乃詔以阮秩名舉請，南曹星君判曰：「吾聞阮秩廢學已久，如何做得文卷？」百神請曰：「但許中格。若第四場文已命京北人作。」乃以阮秩名填寫，凡七名，皆得放榜天門。呵欠則夢也。

至試期，束裝赴京，月圓貢士十二人相顧笑，每就客館戲含秩辦一酒筵，相與爲秩作禱科疏楪奏于天。及第三場，並預中格。明日入第四場，夜夢神人告曰：「須備薑鹽。」既入場，長打一眠，至午時方起。傍有京北東岸縣人潘解元，行文既訖，未及精寫，忽腹大痛難忍，謂秩曰：「我被腹痛勢必難免，許君草本詳寫投納，爲我扶出場門，亦一幸也。」秩如其言，即自寫投納，因取薑鹽許以助痛，即爲擡出，纔到門外，潘解元遂故。阮秩中進士第二。至庭試，秩卷只寫得「皇上制策曰」餘皆曳白。

是日，鄭主夢見婦人朱衣長髮，來就枕前訴曰：「全禮上拜，謹予『秩薦』得期。」❶如此者三次。明日考官達於王曰：「今科進士阮秩卷曳白，自古未聞，仰望裁斷。」王問秩字如何？

對曰：「禾旁失字。」問禾失何義？對曰：「義羅秩薦。」王暗想夢中相合，以爲進士天數已定，人不能違命。是科的黃榜，據會榜出，許榮歸。

秩自知爲人嗤笑，不敢以科目驕人。官至工部給事中，常訪潘解元之子，爲之報恩，後生男子十六歲，又中清華場解元。

【校勘記】

❶ 此段原爲字喃作「[illegible]皮蓮碎秩蔦𤎜朱碎買」，今譯作漢字。

至靈阮邁傳

評：天工之予奪至無定也，維視乎德而已。阮進士既得星曹之明囑，而終不免於禍，意者等斯言爲河漢乎。

阮邁至靈寧舍人也，世傳公乃莫氏後裔，故命名多從草頭。以正和辛未科中進士。夫人雙生二男，長十六歲，皆中鄉貢。既而皆病沒。公甚傷惜，乃求法門禱帖，趨至天門，見二子雙雙乘馬自門中出，遇公不問，公即牽持馬轡讓之曰：「二公由我門出，甫爾離別，何遽無父子之情？」二子下馬謂公曰：「我等列宿星曹，欽承帝命，但公調清華日，枉殺二人，彼等含寃訴于上帝，復以我等替二人命。生爲公子，死非公子，不必枉懷痛惜也。但嗣後勉以修德，訓示子孫，否則有掘塚滅族之禍。」言訖，上馬而去。

公仕至禮部左侍郎男爵，奉差鎭守山西而卒。後公之孫（名選）妄惑讖記，起兵于庚申年，自稱盟主明公。朝廷掘公之塚，而滅其子孫，果如二子之所囑云。

馮尚書傳

評： 馮公以雲耕之神童，復轉爲馮舍之黃甲宰，雲耕門福一分，馮舍門福九分也，以是見天工多秤衡人亦若試弄人。

馮克寬石室馮舍人，光興庚辰科登二甲進士。自家赴京，憩于雲耕。有老人年七十餘，每見公郎掩面大哭。公召問故，老人曰：「聾老無知，萬望長官恕罪，敢以實對。」公曰：「第言何害？」老人曰：「臣觀長官形貌手足，面傍有痕，酷似臣所生子，十分無異，是以見貴人而動心耳。」公曰：「老之子死何年？」對曰：「屈指計之，已四十年矣。」公曰：「老之子前有學否？」對曰：「臣二十歲生得一男，長六、七歲，以神童名。十三歲應考稍通，擢山西處首選，未及入試場而死。」公曰：「今有書籍頗存乎？」對曰：「尚留二篋，極心憐子，猶自珍重。」公命取來一看，則字跡與公正無差異，詩文賦六皆公口氣。公以爲奇，遂命迎回養爲義父。

公奉使北國，名振燕京，厥後被讒，竄于乂安城南角。公有國音歌曰：「南城高郭齊天地，旅途熙攘入京城。」❶後贈太宰封福神。

【校勘記】

❶ 此段原爲字喃作「𦨭城南拱坦𡗶路羅氊祝𨋣尼京城」，今譯作漢字。

阮尚書傳

評：以北宋之王執政，復見爲南黎之阮尚書，不知其時有韓絳、呂惠卿與之並生否？

阮公沅東彥扶軫人。生公之夜，其父夢神人告曰：「公當洒掃門庭，有王安石來！」已而生公。其父不識字，以此夢問人，皆曰：「此非常人，當君之門戶。」

及長有神童名。正和庚寅科，二十一歲少雋中同進士，歷仕吏部尚書太子太傅爵朔。郡公管中鋭軍營，富貴風流，當世無比。公之爲政，頗事更張，性執而偏，大類安石所爲。常於坐邊粘對句云：「三七華姓字人但知南國大臣；十八子宗祧誰能識北方正氣。」公意本自謂李氏之苗裔也，又欲開亟（丞）相府，與鄭主府相對。且陰葬九龍大地，爲人所訴，貶宣光承正使，鄭主陰使鎭官雲郡公掘穴殺之。

裴仕暹武公宰傳

評：裴黃甲武探花。宦業不負科名，則同也。但裴以書生目下先無武憲副其英氣凌凌，當遜武一秋。

武公宰，安朗海貝人，以解元宏詞士望。

三十六歲爲山西憲副，甲午年二司欽承勅旨考核稍通，時東開涇縷裴仕暹以才學自負，目下無人。適坐館舍，見憲副官騶從甚盛，人皆起立，仕暹偃然獨坐，且曰：「吾以爲憲使官，乃憲副官，何勞匍匐。」公宰聞而詰之，仕暹報名東開裴仕暹，公宰出對云：「小兒裴非衣。」仕暹即對云：「孺子爲宰。」蓋公宰以小兒鄙仕暹，故仕暹以孺子輕公宰也。及入考訖，衆曰：「公之文必在優等，誰能唾手。」仕暹曰：「縱得參政憲使進士官點正，必得高第；若遇嫩手未審如何。」公宰聞之，尋仕暹卷，吹毛求疵，欲擠之於下策，但文辭充贍，果擢首選。

裕宗永盛十一年，乙未科會試，仕暹一舉中二甲進士，使人過公宰家，大呼曰：「裴仕暹中黃甲。」公宰慚忿，遂辭職回家，極力肄習。戊戌科中會元進士，及庭試，對策中第一甲及第第三名，使人過仕暹家，大呼曰：「武公宰中探花。」

二公以言辭相激，皆能造于大成，古之致身卿相，往往回厚激而成之。厥後公宰奉北使以參從吏部尚書郡公爵致仕，贈少保。仕暹以直諫得名，贈大學士侯爵，皆不負科名云。

探花郭佳記

評：探花風疾，豈在乏良醫耶，人生前定，雖扁鵲何益。天工秤衡人，家福德，無錙銖爽，幸有偷盜人竊聽，得悟玄機。

郭佳，東岸浮溪人。未生時，近鄉有人慣以偸盜爲業。一日，就公村行盜，會人未定時，潛入伊廟祠後假臥，不覺睡熟。至鷄鳴方醒，攬衣欲起，忽聞面前喧譁，有人自廟外而入，在內有人迎，問曰：「今番何事遲歸？」聞有聲答曰：「適朝上帝，與諸曹會議，今夜命一探花郎降生伊社，有一員捧籍奏曰：『臣按福德簿伊家恐不稱此，望賜別議。』上帝命取簿觀之，良久判云：『雖然如此，但業已許之，不必改換，如他果有福淺，來時定奪，以此遲留耳。』」時此人在廟後竊聽，具聞其詳，因徧往邑中探向何家生子，見公生於是夜。次早，即詣公家，具道前事一遍，預以爲賀。

公生而穎異，人稱神童。及長，以文章名。正和癸亥科中進士及第一甲第三名，公在朝，適內閣談政餘，昭祖康王問諸侍臣曰：「韓信遺燕書有云：『白鹿抱泉』事跡何在？」羣臣莫能對。公對曰：「這跡詳見漢書。」王即命取公家書本觀之，稱其博學。時公方以事被譴，未幾除清華督同，蓋賞之也。

後仕至寺卿，以風疾不預朝，始信往年祠中對語之驗。

楊公存

評：勤開化瓊瑠之小士王，精堪輿綠楊之大和正。

楊公至靈綠楊人，文學爲時尊師，尤長於賦。時爲之語曰：「妙扛如賦楊存」，朝士舉公賦集云：「婦孺皆知其名」，蓋謂此也。中莫鄉貢，遭亂不仕，入乂安瓊瑠縣設教。其縣北接蠻獠，素不知字，得公開化，後門第胡士楊始破天養登進士。（完厚人，慶德壬辰科中）自是文風丕振，科第不絕，回祀公爲鄉先賢，世世子孫，准免調後。

世傳公晚年精堪輿，遊覽諸鎭，爲人卜遷，所至娶妻居之，號「五方師」，得公遷者多發達。又善兵法，以授胡公，（胡公從官軍南征有功，北侯日助中國討賊，由師傳之有自也。）公之子楊普，亦善詞賦。年十二，自乂安還，遊綠楊市，聞婦女謂賦翁莨（阮登），晦不之，忿然曰：「爲我語蒜公，天下陽物長大者多，蒜公能角賦，宜就我家。」其人以告，蒜公即往訪，公延入坐定，出夫子聞韻賦，公即筆云：「大人乙已斯文，在斯茲成集大，金聲王振，德行造，安行生知。」蒜公見之，推爲能手。公邀坐成篇，蒜公益加嘆獎。今賦體與秋聲賦並傳，皆公所作也。

阮堯咨

評：虧心人無有得居龍首，此篇可作逸佛經解冤文。

阮堯咨，武江人，以亥年月生，目名曰猪。生而穎悟，有神童名，人皆以狀元許之。太和戊辰科會試，仁宗夢神人告曰：「今科猪中狀元。」及唱名，乃阮堯咨，上怪其夢無驗，以問堯咨，對曰：「臣少時父母命名曰猪。」上謂羣臣曰：「狀元猪即堯咨也，果爾神言不誣。」

何世之儒者不究由來，乃謂堯咨與岳母淫，故謂之猪，而註于登科錄中，遂使千載之下，公獨受帷薄之謗。噫！狀元甲選，下界仙之極品，非文學德行不足以當之，豈有不義者而可以濫登乎。

甲狀元

評：公論婆不累於財，自甘窮苦路傍茅屋處，天已□，許狀元宰相地矣，匪媒不得，故又線引一遺金之地客，爲作合根基，復線引一貧而福之鉢場人，以立胎骨，然後這地始有受用。旣生人矣，不可無養與敎，復線引一富而善之郢薊人，爲之延師敎育，以玉其成。然無有可憑之寔跡，貴顯官何由知有貧困老婆？故於生下留一足痣，使之他日母子相見，彼天亦大費經營矣！亦幾多周密矣！數十年陶造工夫，無非爲老婆一片好心而設。

甲海（後改澂）公，母文江公論人，赤貧，構小寮路旁，賣茶水度生。有北客來歇，遺金一囊，去半日餘，復遑遽來觀，母盡付還，客人分半金酬，母曰：「妾不爲財所累，故單寒至此，不願取非其有，特留此以還君耳。」固却不受，客人深德之，曰：「先墓安在？請以吉地報恩。」母曰：「妾無兄弟，今年外四旬，縱得吉地，何時發達？」客人曰：「若認得眞，雖女亦發福。」母遂引至父墳，客人即爲擇地遷葬。葬訖，囑曰：「見有急難人，當用心救助，必獲吉報。」纔半年，有鉢場社人，業賃傭，墓回至此，忽値風雨大作，其人叩求駐足，衣體盡濕，手足戰慄，幾不能言。母爲爇火燎，少頃回醒，始道來由，且乞一飯。母與之食，家惟一席，憐伊苦寒，及寢，讓之覆。夜半冷甚，母忽耐不得，因共席覆臥，慾火逼烘難遏，須臾其人氣絕，母大駭，即曳出店後，掘土埋之，不覺身已孕矣。

居數月，客人來問，母不隱，具以實告，引宥埋處。客人曰：「這是吉地，如果有孕，必生下狀元宰相。」居朞生男（丁丑年命）風骨異常，四、五歲遊于江渚，適有鳳眼郢薊社人舟行過此，竊負以歸，母尋覓不見，意溺于水，號泣無奈，郢蓟人得公，甚鍾愛，為之求師課學，公天資穎異，號稱神童。（師出「邑蕉」詩題，令中習諸生作，公亦欲做，然初開心，不知用何字，因問：「阮聲跩聲聲用何字？」諸生示以稍字及長短字，公遂做成云：「稍長稍短短稍長，如此反覆得兒包。」師奇之，曰：「諸生皆不及此童子者邑蕉詩意，三字已道盡之矣，此兒年壯必以文章名天下。」）年二十三，中莫大正戊戌科狀元，榮歸日，邑人供後頗煩，中有識者相謂曰：「何處人到此？勞我村民。」公聞其言，不解所謂。一日，經看先墳，並無發科文底局，公甚疑，質諸所親，有以實告，公大傷感，即往公論社探問，見一路傍老母，甚是困窘，使人叩問，母具言始末。公聞之，意其為生母，後使謂曰：「年老無人省視，就我收養如何？」母曰：「蒙大人垂憐，是死生而骨肉矣！」公遂帶回，公足有赤痣，閒居露出，母頻注視，目不轉睛，家奴責之，母曰：「老前生一男，亦這痣樣，今見尊體酷似，於心有感，故不覺熟視。」奴以此言達公，公即喚母來細問，遂愀然曰：「我一生浪度，不知有母，今始相見莫匪由天。」於是晨昏勤奉養焉。

後充山西南鄉場提調，公出險題，場中士子喧譁，幾有不測，公以好言慰諭，改出別題，須臾得靜，時採察得起覺人，捉來，命驅出場門正法，那人以獨丁哀訴，乞納錢千緡贖命，公不許，即命行刑。

既而公之子甲澧、中淳福科進士，仕至翰林，年三十餘，無病而終，及公之男四女二，同時繼沒，公不勝哀痛，□水符籙帖性無一驗者，謂法門冀惑，仍奏請禁止。未幾有一道人敝袍穿履，自言精於法術，求試一擲。公即命帖之，其人請公靜坐閉目，書符念咒，須臾，公倒臥，見使者引至一所，牆宇嚴邃，內置交椅三座，傍設板床一件，有朱梏在。公問之，曰：「此是閻王所，這朱梏以待郢蓟狀元，公聞言疾出，使者復引出，至一處，見涼亭翠閣，景物可人，澧正在此與一官對碁。望見公來，注視良久，官人問公，與伊人何有戀顧的意？」澧徐答曰：「某前在陽世，曾寄寓伊家三十餘年，奈伊屈殺無辜，遽羅惡報，故我不留住，今適見其來，未能忘情也。」公聞其言，不顧而去，使者引公回，則死已一日矣。已而醒起，知是寃家孽債，而佛家報應之說亦不虛傳，即使人喚往日山南士人被殺之親屬，許以百緡錢，使爲彼懺悔解寃，自是公家得無恙。

公五踐斗階，三掌臺印，年未六十適夢致仕表，覺來只記一句云：「於敬於忠，惟求臣道所止之地；而作而息，願安帝力何有之天。」後十餘年，以吏部尚書太保策國公致仕，其夢果驗。留東詩有云：「五世于斯簡聖明，徒然玩愒歷霜星，撐持敢謂擎天力，精白惟昭貫日誠，一德罔居殷相疏，四留不盡宋參銘，喬松歲月勛華旦，象太平身開太平。」進退格 彩旗有句云：「狀頭宰相斗南峻，國老帝師天下尊。」（赴京拜賀留東云：「戇直愚衷愧不才，明時得謝免朝差，溪都供帳冠簪耀，唐律美章錦玉佳，息荷接承知有幸，情深貼仰感無涯，太平康濟諸賢力，四序閒年享福偕。」）

年八十一薨，公嘗認鉢塲社爲祖貫，嘉林縣先賢祠宇著入祀典，後阮茂盛（金山人，辛未科進士。）以公郢薊人，且仕莫議去從祀，夜見公謂曰：「我何辜？削我名。母乃晚生孟浪，而淩蔑先輩，果然，必有報。」阮公覺來，大驚而止。今嘉林祀典猶存，而鉢塲社亦春秋致祭。（公著述頗多，今只見高樓琵琶記及謝仕表、金溪玉橋諸碑文，幷修順銘，古今邦交行于世。）

慕澤武族

評：福蔭疊重科宦地，勳名顯赫北南天。

武族，先祖中國福建人，名渾。唐武宗會昌元年爲交州刺史，愛某鄉風景之美，遂卜居焉，因以唐安名其縣，可暮名其邑，中間改爲慕澤社。陳明宗時，堯佐與其弟農同登太學生，官至八侍行讃左僕射，始著宗門圖，其世次科爵，自是可考。

辰有高王七世孫，同南來，徧覓我國名地，至邑門外，指之曰：「此進士巢也。」黎盛德、永壽間春試，疊登丙申科同榜三名，已亥科四名，而二名一名者相屬同時登用至十二員，通邑皆渾後裔，原封福神，其後褒加徽號，今村後猶有古瑩存焉。陽德間惟諸公道等同奉北使，約以事濟後請福建一往，就認武家宗派，會賊徒路阻，不果。永治間，天施土黃尙書黃公寘奉北使，有武老爺在者，邀□途，問武渾苗裔今如何？公爲道其詳，那老爺極稱：「好！好！」因言：「我在天朝亦繼世科名，今方發達。」（既而告別，以銀子十笏，玄絲十匹，寄贈。）人言天南科第，慕澤爲多，由得北方正氣，良有所見。

永盛壬辰科，武延恩中進士，同縣探花武誠撰賀帳贊云：「八百年前道詠長，名公碩望世相望，高曾雲耳勳賢繼，爵祿科名廕澤光，八葉驗門應未歇，三槐王氏跡堪方，鋪張不盡君家事，筆下辰聞「翰墨香。」（俗傳武族發跡，墳在南策□處。初，北國正宗師來觀地，認得此穴在金星，夜夢神告，此穴天賜慕澤武渾之後。北客無奈，尋得武氏後武公，見伊貧乏，為買田宅，與伊同居，使治生業，久後為伊改葬先墳，用鐵鉤索懸葬，葬後聘一好妾主饋，委武公照管，田產家事，托以有事，暫回北國。數年，北客度其生得二丁，乃自北來，初至，佯為怒，武公及妾皆懼。繼謂之曰：「業如此，亦是天緣，許彼為汝婦，予亦回祖國，豈容居此，其田產悉許汝夫婦，只取一男回為膝下，樂擇取稍重者，其在北盛發，而在南者科官，亦為一州冠。聞得祠堂聯云：「與天地長存，十八魁科三宰相。」自丁黎而後，二十餘進士，七侯封，後一鐵索欲斷，伊北族有來重整者。）

武有

評：松堂爲慕澤八景之一，武族爲唐安世科之一，公爲武族發科之一，有宰牛乏耕歲松相永久。

武有，堯佐之曾孫也。父伯謙，領歸化路安撫副使，多有陰德，生下五男一女，並貴顯。生辰居宅，其後號爲「追遠祠堂」，堂前有喬松古樹，亭亭特立，松軒公（黃甲武幹）目爲澤鄉八景之一。（詠詩云：「植來遺種異凡莫，香樹堂前得地生，翠蓋參天滋黛色，怒濤千里樹風聲，高標挺特為人望，大器軒昂勵晚成，福蔭綿洪培厚澤，故家喬木永留名。」）

公有好古博洽，登光順癸亥科黃甲，歷升五部尚書。自述有云：「荏苒周年官歷踐，宰牛曾有乏耕牛。」其清介頗如此，尤精於算學，立大成算法。（時城內諸門修葺，公算磚石千數，後不差一片，皇上賞肥田百試，以旌其能。）

年七十致仕，作涼臺燠館，優游以樂太平天年。所居之庵，名曰「鳳池」，後贈太保黃甲。黎光賁（武公瓊外孫）詩有云：「唐相守文歆宋璟，晉朝博物羡張華，門庭青紫相輝映，餘慶從知積善家。」

武預

預黃甲公有之孫也，少遊長安，補典兵一職。仁宗時，范屯、潘般與諒山王宜民弒逆，公密與崇、耆二國公，假作相人術，懷刀殺范屯死，因急喚二將，引兵來，收潘般等斬之，宮庭爲之肅清。迎立聖宗嗣統，以功進封明美功臣，都府左都督知禮伯，兼賞肥田百餘畿，永爲世業。光賁詩云：「蚤負才名一代豪，唐安知禮善稱褒；（諺言唐安知禮有名。）幼承孔鯉庭趨訓，長得曹彬世受韜；許載武途曾歷踐，百年竹簡記勳勞；只嫌世道多坑坎，門望巍巍我獨高。」

按、武有之後，世生武將、名臣，永孚贈太保，豫升左府，漸升提領，沙受參督，良中進士，廷臨中黃甲，仲程、廷韶、廷恩並中進士。（皆有之遠孫也）

武豐

評：有交跌狀元，奕碁狀元，而字狀元則無之，亦可見天之豐此嗇彼之理。

豐黃甲有之弟也，相五短，少善交跌。聖宗時遊長安，見皇上御朝，有力士捧銅柱前立，氣貌陽陽，公問：「此人有甚才能？而昂然若是。」其友曰：「他於交跌一藝，當代鮮儔，以此為進身地。」公曰：「他未逢對手，故得名耳。」即具本奏請與力士較勝負，皇上允奏。鬪日，奉御駕觀，兩邊相對，公潛納沙中手奚入，尋放沙于力士面上，即用穿肘格，擲倒于地。皇上嘉其勇，即以力士職授之，官至錦衣都尉司指揮使，以平兄稱。人言唐安四狀，慕澤兼之，蓋指黎鼐為「字狀元」，又「飯狀元」；武暉為「棋狀元」；公則「交跌狀元」也。

公兄弟四人，並有爵秩，而公與兄兩人貴顯，繼世登科，為武族之冠。光賁詩有云：「一門伯仲光前業，千載明良結主知。」

武維志

評：月花陣能制雷火鎗，可稱善用娘子隊。

維志公，刑部員外郎，端表之曾孫也。

端表公晚年，于接鄰辰舉社魚村設教，性畏水蛭。一日，出村頭池上清處濯纓，五、六童生從之，纔經伊村園林處，見一堆圓暈微高，顧童生，戲指曰：「師百歲後，當此封墳，則水蛭不能近。」及卒，家人追念其言，即於伊處下葬。按此地案前有印浮水面，枕後有枕丹鳳啣書，揷耳有兩金星過耳，內堂深水坐乙向辛（一云坐癸向丁。）風水師以爲天葬吉局，子孫必有公侯之貴。

維志公母素有陰德，少時販買，有鬻絹婦，遺絹一束而去，母按數藏置，頃之，見婦來尋覓，母廉問端的，盡以付還，婦以二匹謝，母笑曰：「取此二匹，寧取一束之多也，我憐爾失物而歸，必被爾夫痛責，故見還耳，豈望謝乎！」固却不受，母夢見堂前有五色雲現，親自抱之，俄而青紅雲先散。後生五男，其一自快，少有大志，十歲遊長安，辰浮華公爲上所鍾愛，人情屬望，而弘祖陽王深自韜晦。每朝回，公輒竊視之，見浮華舉止，知非大成器，一見陽王而異之，曰：「此聖才也。」即入居門下，後以潛邸功臣進用，享年踰六袞。維志至宰相，方大至尚書，並郡公爵，相繼引年，拔萃求晦，雖出正途，而壽年不與伯仲等，始信青紅雲先散之驗。維志達於吏事，輔以文學，從羈靮間多有勳勞，（平廣南高平）以故寵遇日隆。

辰正旦節，鄭王旨文武殿朝禮訖，各仍朝服詣政府拜賀。公即啓云：「王上向來一念尊扶，今宜循青吉衣禮，用朝衣恐違首制。」王從其言，蓋有諍臣之風也。以吏部尚書少傅致仕，彩旗聯有云：「一代宗臣藺相國，兩朝元老趙韓王。」壽七十五，贈太傅公，與遼州太宰范公時。俗曰：「慕澤宰相，遼州國老。」蓋指權位之相接也。

武求晦，宰相維志黃甲拔萃之弟。與姪弼諧同登永壽己亥進士。時有北國人駕海舟百餘艘，來我國之洪潭。命公進討，公用出女子計，覓花娘、桃娘約三百餘，放下賊艘，托爲弄月醉花之狀，密教各把紅巾一幅，浸以水，乘夜索艘間銃口，取濕巾水滴入，仍各依朝從小船回去。次日，陳船排開一字交射，賊倉忙取銃應之，射不發，揚帆遁去，官軍大捷。

其後擇陪臣北使，奉改東牒公，□公與族弟公道及陶公正（會庵人榜眼）三名中格，使還，陞吏部右侍郎，後贈禮部尚書伯爵。

武維斷

評：文章名天下人，乃少年讀書，終日不記一行人，福至心靈，豈虛語哉。納勅命不納科字，固公之剛處，亦可見科名天榜，非君上所得而奪之。

維斷，號桂庵，黃甲拔萃之子也。少極蒙暗，讀書終日，不記一行。年十七未識字，欲改別藝；適夢見神人騰空而降，爲剖心，刮去其濁。旣醒，腹猶覺痛。次早，即備禮禱謝，自此心漸開豁，學業大進，叠中二元，以文章名天下。

初，康王爲王子，公居府下，適有事，僕從星散，公獨不捨追隨，迨王居節制府，公已解元，入侍帷幄，事無大小，王悉咨之，當辰謂之「內相」。後中宏詞優分。

景治甲辰，中會元，王賜之綵衣，待以不次，六載至尚書。公剛忠慷慨，嘗慕九齡之爲人，上金鑑錄，王以直臣許之，辰宮中有鬪雞戲，中官索良雞奉進，公適見，即析雞喉立斃，中官馳入具奏，王默然，爲罷鬪雞局。

陽德間有北使至，公充伴接職，與北使賡和，應答如響，北使甚敬重之。至禮部設宴，北使當筵索酒，公應口吟云：「飽吾個德眞佳味，何必江亭問一盃。」北使稱賞，輒成禮而去。後差往高平公幹，以內臣漢郡公名在公上，公抗言不奉命，公族第公道亦執奏曰：「此命若行，三都不肯秉筆。」王怒曰：「若不如命，且留此。」日向暮，使黃門督捉之。公道知上意不回，即以頭擊柱，公勃然曰：「王上殺諫臣，請即還納勅命，黃門以聞。王大怒曰：「誰殺諫臣，却如此說，宜即罷去。」隨差收公勅命，公不肯納，進士科字一道，奉差固索取。公曰：「諸勅命皆上之賜，謹當奉還，至如科字乃我才做成，不敢併納，奉差不能屈而回。

公歸田里纔四月，（公長於詩，居家時，監習出韓信釣魚城下詩，諸狀句皆不稱意，學官使人就請，公卽援筆云：濁清辨別竿方放，左右思量餌載投。」國溫官大稱服。）辰公子惟匡（景治庚戌科進士）同北鎭堪制司，王即召還，授以知水師陪從，意欲大用，奈惟匡得政不久。其後公復得召用，居職如故，而優游桑梓，無意於當世，嘗著范蠡遊五湖賦及澤鄉風景、衆家考績異聞記等作，並用國音，其銘記頗多。（世稱中興以前詠橋子，以後唐川子，恭言二人於國音得之清高也。又扶董郡狀元撰武宰相致仕賀帳有云：「相公之姪有唐川者，胸中學識呑天祿。」而吸石渠亦以其學問誘博，故爾公生辰自作祭文有云：「致君期堯舜唐虞，自任以皐夔稷契。」素蘊胸中平治，欲大展施，至玄機裏盈虛，最難宣泄，其盈虛一付之玄機，壽六十四，贈左侍而不流於怨，亦得古忠良之意。郎公三世登科，為武族世科之始也。）

武暄

暄進士武惇之子也。天庭有一骨突起，形如棋子，及長，精於碁。時北使以善碁自負，求與我國王角勝，期以連輸三局，即動兵端，王密求能者自助，羣臣以公名應，召試的係高手，因用計備過他，約至日中於丹墀對局，各留把帕一小的，餘悉屏去。北使依允，我已於帕中微穿一小孔，可通日影，暄把之侍傍，有勝勢，輒以隙影引碁子，王以此累勝，北使不覺嘆服。王重其能，號曰：「鬬碁狀元」甚見寵幸，諺言：「黃梅酒，慕澤碁。」正謂此也。

武公道

評：地脈兩首科，天庭展會試，卒之與人事符合，寧非前定耶。不避權要，不犯色戒，公道能易人之所難，眞不愧科名矣。

公道，進士公亮之兄也。公父富安侯，少聰睿，鄰居有裵老儒，指庭前甘蔗叢，出對云：「庭前有蔗，皆著紫衣。」即應之曰：「地下生蓮，同張青蓋。」裵老儒大稱賞，識者知其子孫必有科第同登之兆。後生公與公亮並以俊爽稱。

盛德丙申科會試，公亮赴舉，辰村內有一老姬醉而搖身躍然曰：「我是仙人，不慕澤文星正旺，天帝簡知，故來相告。」村人奇之，環視叩問，今科進士有六，而慕澤居其三。請姓名，曰：「登龍中。」再問，曰：「卓犖中。」又問，曰：「公亮中。」人皆莫信，後卒如其言，始識科名前定，而天門放榜之事，亦不訛傳。

却說乙卯年，有北地師經過武登龍祖塋，看視良久，曰：「我纔到月益社宥阮氏舊塋，以爲來科必首選，今這局不讓；月益地脈來春亦當得首選。」人嘲之曰：「龍虎假眞都亂說，豈有一榜二首科之理。」至是阮庭桂（月益人同楨第）中解元，登龍第二，（是科策問：君道、聖學、敬天、用人、開國、紀綱、保全、功臣、法度、國用、治道、禮樂、冰帥、賞中、興業國費九十四目。）既而入拜王府，見登龍貌勝廷柱，命立廷柱之右，故時稱廷柱爲字首科，登龍爲貌首科，方信地師之言，亦有高見。

公道未第時，被孝服，偶他適，鄉試日欠點，心中憂悶，夜夢至唐豪縣無碍社，行過寺外，聞在內有聲喚進士何之。公馳至三開，見縉者二人執鞭，因叩之，閽者曰：「正中黃衣乃玉皇帝，兩傍赤青衣者南曹北斗。」公進跪請曰：「敢問臣進士何科？」聞有聲曰：「許茲春科。」公曰：「來年衰絰，何能望此？」聞有聲曰：「展。」再問臣業欠點如何？聞曰：「許免點。」喜不自勝，急出，跌于地，見在內老人調清水一杯灌之，既而覓口猶有香臭。

永壽年己亥春闈，果以事展，至春冬試，又先是各處貢生士，往往潛入鄉場代試，多致欠點。至是，昭祖判云：「凡諸爲人代試，必是有文學者，應一切赦之。」公以是得應試。是科，公與親伯求誨，族弟弼諧，同邑黎公朝（光貴曾孫狀元鼐玄孫）四名同榜，自有科目以來，未之有也。

公在朝，不避權要，有諫聞鷄文奉進，昭祖深嘉之，居御史臺，執奏維斷與漢郡公事，王不從，公以頭擊柱，凛然有彤庭折檻之風，時稱直御史，仕至尚書致仕。公外似風稜，而內行純質，雖貴顯不買孥妾，嘗與兒孫言：「我雖不逮古人，而未嘗犯色戒，是亦人之所難也。」（山南督同辰門下，有進一絕美歌兒，欲其買寵，公曰：「我自少至長，春嘗淫非己之色，汝以尤物移我乎！」拒而遣之）平生教育多得英才，如東鄂榜眼范光宅公、丹輪探花武誠公、楊柳會元阮名譽公，皆公門弟也。

武瓊

評：國編留墨，家榜疊金，眞是天上仙人間佛。

武瓊，（黃甲公幹之父）登洪德戊戌科黃甲。博學好古，尤長於撰述。嘗兼史館都總，有大越通鑑通考，（自鴻厖至十二使君為外紀，自丁至黎順天初年為本紀二十六卷。）行于世。又與喬富公作嶺南摭怪集，仕至兵部尚書遇害。婿黎鼎，（狀元亦慕澤人）祭文有曰：「洪德間策舉進士，時則先生峻擢危科，馳名臺諫；景統初詔求遺逸，時則先生首應義旗，蜚名史館，通考紀元舊史，得經中史之規模；耕籍傳學諸編，得史中經之體段。蒞東海，則以恩信撫輯乎邊氓；刺北平，則以恬靜鎮寧乎邊患，其入侍經筵也，堂堂焉。輔成之程頤，其爲裁國史也，孜孜焉，志修春秋之胡旦。」光賁詩有云：「天上癯仙稱骨格，人間活佛見心頭。」（傳奇言唐之武無是也。）

武幹

評：松軒公，清貧而怡然自適，觀其詠松堂云：「高標挺特爲人望，大器軒昂勵晚成。」則生平可概見。

公幹（瓊之子。），生而穎異，博極羣書，登景統壬戌科黃甲，性愛松，以松軒爲號，家素清貧，而恬然自適，遇物即吟，與永賴中庵程國公相善，其唱和往復，如：懷鄉紙鳶艾虎（見白靈庵集）、瀟湘八景（見品彙詩集）等作。又有松軒集、四六備覽傳于世。仕至禮部尚書禮慶伯。光賁詩有云：

半千載上扶興運，三十年餘歷要途，鼈冕躬圭聯好爵，青燈冷雪舊寒儒，清貧誰識為家計，恁地詩書有道腴。

黎鼎

評：狀元尙書生下黃甲子，正是舊鉅發宏處，腹笥弟以神童名，而激發未除，宜其避乃兄公三舍。

黎鼐，慕澤人，（公朝之遠祖）少劬于學，二十四歲解元，同邑尙書武瓊以女妻之。出贅後，終日不以書籍爲意，武公怪之，以問於公父，曰：「某子異夫人之食，相公食之，母乃有不備處。」武公聞言，令每飯加倍，始見公讀一二篇，尋加至五歲堝，自是讀書終夜不輟。嘗自贊曰：「慕澤先生，以食爲名，十八鉢飯，十二鉢羹，魁元及第，名冠羣英，蓄之也鉅，發之也宏。」登端慶乙丑科狀元。（會試四場俱第一）仕至戶部尙書左侍郎，子光賁（統元丙戌黃甲）詩有云：「曾將名望魁天下，又把詩書澤萬民。」

公鼐之兄，兄弟同朝，鼐神童名稱藉甚，少年激發之氣，公每抑之。乙丑科，入第一場，有遺忘處，以問之公，公曰：「今正與弟試，若以相告，更試與誰？」鼐怒出，即日歸，乘夜而行，到家已夜三鼓矣！不敢叩門，因憩臥于軒外。是夜，母夢神人謂曰：「軒前有黃甲在竟。」試開門視之，果有人熟睡，喚起之，乃鼐，愕然問故，鼐具以告。母曰：「由爾學未到，勉再加工。」鼐即點燈看書，母笑曰：「纔落第歸，故爾憤激，恐此志難持，尋復荒怠。」鼐自是手不釋卷，既而公中狀元，爲胄監講官，鼐尋赴京，邀諸學徒，謂曰：「經笥是我的，如有問書旨，合從我咱講。」學者素聞其名，挾策來問，鼐隨答之，滔滔不竭，人皆驚服，爭來觀咱，曾監爲之一空。公謂鼐曰：「叔才何憂不高選，不宜如此孟浪，邀學士叢談，使黌宇鐵講，這事有開風教。」鼐即輟歸，洪順辛未科登黃甲，嘗以不魁元爲恨，仕至吏部給事中，姪光賁詩有云：「九重莫謂三光備，已選文星入夜臺。」

慕澤疊中

黎聖宗朝永壽間文運大享。

海陽慕澤每鄉試領解多者八、九名，少者不下四、五，連名疊中，率以爲常。朝中有阮文澧，（香山楊齋人，廣德黃甲）性頗廉直，以慕澤多中，必有私巧者在，丙午科，乞爲提調以察之，朝議叶焉。至第四場，公命掘地爲穴，今士子坐穴下，籠蓋其上，防守甚嚴，又嚴飭考官，詳察文理，全篇無帖玷，方得批取。覆考官擇得十卷，公親閱評，止取六卷，既而糊名，優分一名，武卷登顯纔十八歲，乃慕澤人，第二、第四亦慕澤人，其三名乃古庵玉局樂寔人。中數有六，慕澤居其來，同院取卷視之，三卷文理各殊，不相蹈裏，公深加嘆獎，始知慕澤爲世出名儒之地，而文衡公器，初果非私，其後登顯宏辭優中會試中優分，十科衆中三場，嘗以未遂青雲爲恨，仕至參議，以親老辭歸養，及門者多擢大科云。

武聚

評：廉節二字，標衣領穿葩，眞稱花笏綠袍之選。

武聚，唐安穫澤人，洪德癸丑科黃甲。性廉直，居官清儉，時多賂遺，帝用唐太故事，使人遺絹試之，諸官皆受，公獨見拒，固請，公驅而出之，其人回奏，帝嘉其有暮夜辭金之操，特賜「廉節」二字，許入朝粘于衣領，以旌異之。

仕至刑部左侍郎，家無擔石之儲，而怡然自適，所有薄田壹高，不以遺子孫，臨終囑本社以爲祀田，邑人重其義，香火不絕，至今猶存。

陳瑋

評：國舅敢爾撲殺大科公眞有大膽略，貴戚大姓猶如是，何況么磨賣菜傭。

陳瑋，唐安穫澤人，弘定甲辰科進士，初爲義安憲察使，本處有國舅恃勢驕橫，肆行不法，人多苦之，訴章堆積。每有公到，輒遭淩侮，從前諸官，皆無奈。自公下車，他凶孽愈滋，訟諜交至，公潛差撲殺之，他黨欲爲報仇，公即倍道至京，脫冠頓首，謝曰：「臣職忝憲司爲朝廷守法，而國舅玩弄肆行，臣一時憤激，不覩過手，今伏闕待罪，斧錢是甘。」皇上詰問，備知其事，仍奬諭不之罪，公拜而出，再歸任所，自是豪強畏懾，境內肅然，奉北使，仕至吏部左侍郎，贈少保。

阮全安

評：中秋月暗，仙娥其留貯桂枝，以待阮另兵攀折采，脫戈矛而簪笏，蟾宮穩步，都自詩囊脫穎出來。

阮全安，唐安辰舉人也。洪德初充另兵，適中秋夜朝侍，時月色昏霾，御題中秋無月詩，列班中，索吟未竟，見全安跪上一律，在坐笑曰：「另兵亦能詩乎？」命取觀之，落句云：「莫把今番閒視月，來秋望月月彌高。」舉坐嘆服，仍具奏得免兵，回貫肄業，隨中鄉試。壬辰科中榜眼，時始二十三歲，榮歸後，未幾丁憂。辰國律孔嚴，係憂中妾婦孕者不齒其須，公守制三年，不敢近閨房，服闋，尋卒無嗣，上聞而憐之，自是居喪產育之禁始除。

光賁詩云：「粹然美玉出塵河，莫狀良工妙琢磨，辛苦十年劬力學，夤緣一舉擢危科。」

阮世儀

世儀，慕澤下村人，中官儋國公之弟，駙馬世賜之叔。爲人不循禮法，而高尚志氣。十五歲領鄉舉。時貢士拜謝場官，皆用烏紗帽、青吉衣，公獨著紅色衣、馬尾帽，場官怵乃兄勢，仍免覆問。平日與登庸善。

統元僭位，時公落魄出家，居長安寺，登庸加以官，辭不受，惟願一得爵，因請以「大興」二字爲號，登庸許之，封爲大興侯，任行其志。公常浪吟國音一句，題于大興門左云：「英雄埃乃戎仍吊埃到𦤾大典極倫。」（自謂己在上而人在下之意）後莫氏荒淫，公著樂昌分鏡傳，（國語文）舉陳、隋奢欲事，以寓箴規。又作玄光逘宮女賦（國語文），人多傳誦。

迨明德間，有北使至，途經南門，聞門之字題，係國內臣子名號，輒停車不進，要以架梯從上而入，尚書武惟斷公（充接職）佯應如命，却生下一計，陰取逸象來，從後痛刺，象大吼衝突，北使吃了一驚，即慌忙走過，自知墜計，不勝慚憤，至今猶傳其事。

詠橋阮族

評：二十餘年得銀奉還之好心地，眞當享福。其子惟願世出文儒之地，眞當延福。至地師認出蛇耳微斜之穴，眞當種福。堪稱三絕。

阮文徽，東岸詠橋人。先祖福遇公，平生樂善，築居安豐縣東妻社，業釀酒。傍有善提古樹，爲風所拔，因買供柴爨，掘至樹根下，有銀穴約三樓許，即收回貯之，已而撤店去，經二十餘年，時北使來取銀，見存空穴，叩諸傍人，知爲公所得，遂尋至其家，出舊記示之曰：「某爲先人遺貨，跋涉而來，不想天已與公，今早歸程，所望少資盤費，受賜不淺。」公自得銀即藏之，不知多少，至是炤銀數，與所記不差，即款待其人，謂之曰：「這銀係我取的，原收貯如故，既是公家物，當盡付還。」客曰：「既爲公所得，是公家物，倘蒙惠顧，只願路費錢足耳，若盡以付還，豈敢如命。」公曰：「這銀非我之財，天使我爲公守耳，故留此以待，勿復牢辭。」客人願領其半，公固執不肯，客領銀，辭謝而去。歸國後，常以其事對人說道，未知以爲報，有風水老師曰：「難得如此好心人，我若年少，即當往安南爲之擇一吉地，其人懇請，使二門弟往至詠橋社探問，公已於年前捐館矣，即辦賻禮，致祭而去，二月餘復至，謂公之子曰：「我佩先公德，無以相酬，今邀正明師來尋吉地以謝，有一處群山拱伏，可做一代帝王，一處詰軸花開，可保七代駙馬，於二者何擇？」其子曰：「我家何敢望此，所望者世出文儒之地也。」二地師曰：「苟如此，在貴社有之，何事旁求。」按這地，自錦章社來龍屈曲如蛇形，至詠橋社入首處，突起二小阜，一阜稍大坦平，一阜差小勢微斜，師二人一認在稍大阜，一不依，就面前潭處伏臥水際，側望良久，起曰：「果然穴在小阜。」爭辨不決，遂畫圖，伻人北還，呈老師取正，老師曰：「這局是黃蛇咱蛤，氣在耳，兩阜即兩耳也，大阜必聾，小阜微斜有氣，穴在是，即依教移葬，坐艮向坤。」

三世至文徽登莫明德己丑科探花，仕至尚書。三子仲焖登永定丁未科黃甲，亦至尚書。達善登光寶乙未科黃甲，仕至都兵科。顯績登淳福乙丑科進士，仕至都兵科。其孫教方登端泰丙戌科（會元）探花，（對策內批云：「教方之文如河漢之水，愈出愈奇。」）四代德望，登黎陽德癸丑科會元，再中東閣，仕至都臺。六代名儒，登黎景治庚戌科進士，七代公垣（永盛戊、戌科中）、國益（丁未科中）三兄弟相繼登科。今相傳族中諸科中人，面必微穿斜，蓋氣之所鐘也。

却說顯績少領鄉養喜酒荒廢學業，見充海陽隨號，嘗往浴珥河津，見有字紙在竹筏上，觀之，乃是賦篇，目熟記，每酒後輒叩盂吟哦，習以為常。乙丑科，一場得親朋助，至二場攜酒入，酣飲，不覺睡著。日向暮，忽狂風驟至，驚起，見有字紙效片飛至，收認乃四六文體，依樣寫之，至三場賦題，乃往日所得舊賦。迨四場文，不能措一辭，因取留侯傳（國語文）凡諸鄙俚，換以新聲，乘醉吟咏，采察官見之，謂：「天晚矣，何尚浪吟乎！」遂塡寫投納，時同考官有知吾者，見其詞調清逸，戲筆圈之，因送諸院，看皆大笑，及遞中卷侯旨，上嫌少，命增取之，惟存留侯一卷，未有抹筆，餘皆抹落，中官回奏，判云：「留侯不取，更取何人？」即傳考官批取，反遞卷呈見之，業已取中，輒藏不宣露。（按：自有科舉以來，諸預中格，必文理可取，玆以國語取中，頗屬訛傳。或是時取士無章，故有此異事。亦以見為學在人，而中否有天數存焉，他日亦有寫國音新語，投納場官，以無行論，寧非效顰之娛哉。）

愛州梁姓

評：奇事業多，歷奇辛苦，榜眼公父必遞知之，不狀元於僞朝，而功臣於中興，梁家地其得正龍脈，款覺於子謙亨與梁寘諸公皆登於後黎可知。

梁姓，在愛州豐富爲一方甲族。先祖生下三子，陳、莫兵火間，一支漂居北國雲南省，幹立大功，世襲王爵。一支移居玉山縣曹山社，生下梁寘（己丑光興進士）諸公，（梁宜癸未福泰進士，梁乙未永成進士）繼世登科。一支寄居弘化縣會朝社，生下梁得朋，登景統己未科榜眼。以有族人居中國，多得奇書，遂精于術數之學。年外五旬，媵妾懷妊三月，公忽病劇，謂妾曰：「汝來日果生男，必能立奇事業，長當就學于永賴程先生，（字秉謙公門弟）庶不失我家鉢。」言訖而逝。

既而生男，命名曰「有慶」。十歲能屬文，長而善飯，母嘗忽飢，以食之，因語母，許任意所之，隨方取給，庶免慈圍掛慮。母潸然下涕，公辭母而行，就傍縣儒家，以詩賦爲資身計。

一日過三岐江渡，逢僧壇自齋壇回，椀菓蒲篋，公見有飢色，因予數碗品，公却之，曰：「貧仗幸遇大菩薩，乃爾少予，何堪潤吻。」老僧笑曰：「好漢既稱爲仗，當做儒僧同舟詩，期以到岸詩成，即當盡予。」公即吟曰：「棠中經史篋金剛，爾我今同泛一航，會侈瞿曇卿酒落，位隆臺閣我趨翔，遺編我尚尤韓愈，往事吾猶恨始皇，一旦相逢隨餞別，爾成善菓我榮昌。」老僧傾囊與之，公即連喫六、七十個，僧甚奇之，再贈一緡錢，徐揖曰：「郎君如此才調，今雖坐埃中會，見昂霄　壑，記取他時烽火，須避菩提境界，方沐善緣。」公謝別。

時兵荒交荐，公所至，無人供給，或三、五日始得一喫，遂身作傭。見一老嫗，雇人治田草，當五畿餘，公曰：「嫗回家整十人頓，幷傭功錢米齎在此，我當喚人來助。」公遂取大刀就田間刈草，日來向午，五畿餘一望無翳，公即就樹下憩睡。既而老嫗將飯來，喚公起，連吃俱盡，領錢米而去。

年十八記父遺命，遂負笈于程先生門，時種堂三千餘，惟薊溪公獨擅赤幟，公至便能壓倒。時僞莫開科，公本無宦情，只爲家貧親老，故雖勉應舉，三場並第一，薊溪公第二，及第四場亦第一，糊名見公清華人，仍黜第二，以薊溪公第一，遂不入廷試。（薊溪果中狀元）僑居行幾處，莫差人誘以百端，終不肯仕，自是母子萍浪，辛苦不能盡述。

時安場府義旗初起，素聞公名，屢次弓旌路阻，莫能致，後數年，薊溪公得政，尋得公于京北陸岸處，以歸，敍平生之好甚歡，屢以微辭諷公仕，公知蔡氏當典，決意向明，薊溪公見其志確然，一日佯言，公奉旨賦，弟公冗不暇，煩兄代筆，即於袖中出秦關□□題，公微知其意，即密囑母從，弘烈渡先回，潛將表表達安場府，乞以某日差兵，邀接在神符海口。數日後，寫賦文置床頭，即倍道行。迨薊溪公朝回，造書館尋公不見，於床下得賦，篇中有留客翻成出客之句，愕然曰：「此子去矣，朝廷必然旰食。」差人追之不及。公到神符，我朝已差兵一千，船五隻，候迎。公纔登舟，莫兵尾其後，公大呼曰：「寄謝薊溪公，來日當有拜賜之舉。」公至府，王上喜慰，擢爲侍郎，委以參贊，信任無叱。公記僧人語，見賊寨廟近禪林，即卷甲不戰，以避烽火，後屢立大功，爲中興名臣，仕至兵部尚書，子謙亨登光興己丑科進士，著少微詩集。

鄭跌長

評：鄭榜眼，才俊底人；阮狀元，大底渾厚人，北試之讓，固是美意，然科名自天工，不讓不得。

鄭跌長，安定東里人。生而潁異，少時與諸童子戲作土象，公以蝴蝶爲耳，水蛭爲鼻，田蟹爲足，宛如象形。適有府堂過，異之，出對曰：「五、六童無如爾巧。」公問：「大人當古何職？」曰：「今太守，即二千石。」公即對：「二千石莫若公。」曰：「何欠一字？」公曰：「請賞。」曰：「汝對不整，何請乎？」公曰：「莫若公貧。」命予一緡錢，即改曰：「莫若公廉。」府官大奇之，因喚公母曰：「此兒才俊，當勉以學，必中魁元。」母依教，勸公讀書。及長，以文章名天下。

大寶壬戌科，中同進士，使人迎母赴京，母曰：「我望帶得魁元二字來歸，今却在人下，任汝自爲，我決不往。」公即辭歸再學，登太和戊辰科榜眼，後與狀元阮直（青威貝溪人，大寶壬戌科中）同奉北使，適天朝會試，命諸國陪臣與中國同試，公行文漸半，私謂阮公曰：「今奪得先籌，惟我與兄耳，況我文有起鳳騰蛟之勢，兄未易爭，弟在本國，兄占龍頭，今壓倒得兄，國王必有掄擇不精之誚，兄意如何？」阮公曰：「兄如有遜讓之誠，須減却文力，俾我第一，公復第二，庶存國體。」公首肯，既而行文有「南之舟，北之馬」句，却塗內馬字，傍改爲馬字三點，迨有行咨，鄭卷宜狀元，阮卷宜榜眼，但鄭以北馬三足爲蹶馬，似有輕中國意，乃許阮公兩國狀元，鄭公兩國榜眼。使回日，頒賜錦袍金笏兩軸廐馬，用侈榮光，命阮公先道登程，鄭公既白馬字，所頒馬仍繫一足，使上鞍進程，否則責留上國，公即生下一計，急命造一木片，狀似馬足，尋加以鐵策穿下，用黑條纏之，撐起縻足，仍痛加鞭打，這馬三足奔馳，一足與之相依，賴以不墜。行過一里，天朝嘉其有應變機，略許解所縻馬足，與阮狀依次而行。歸國後，二公皆尚書致仕，名聞北國，顯我文邦，莫挺之公後，二公其次焉，馮克寬公又其繼歟！

嘉福范杜

評：杜得妖玉精，范得神童助；范德優於木，杜才優於德；魁元位望，豈才勝所得爭。

嘉林縣盆橋范鎮、段林杜汪少相善。

舊傳汪邑內有女精，往往與妖作祟。汪夜臨窗讀書，見一手自窗外伸入，汪知其妖，預藏五色線。來夜復然，汪以線繫妖手，天將曉，哀訴曰：「公當大貴，我直戲耳，何忍至此極？」汪曰：「我才能做狀元否？」曰：「狀元已有范姓公，當次之。」汪曰：「汝有甚靈物，却與我觀，我便赦汝。」俄聞嘔吐聲，忽見精光似玉，在妖手心，汪取吞之，即解其繫線，自是邑中不聞作怪，而汪學日精通，吐玉噴珠，聲譽常優於鎮。

莫光寶丙辰科中榜眼。（年二十四）庭試日，策問，汪全憒熟，自謂：「首選屬我，無疑矣！」辰范鎮彷彿見傍有兩人，一稱東方朔，一稱韓琦，附耳讀以助鎮，鎮寫不及，聞朔語琦曰：「須使杜病以緩之。」俄見汪抱腹伸吟，不能下筆。迨鎮寫過一段，汪病隨愈。以是汪文力稍減，既而驢唱，鎮狀元，汪榜眼。鎮語人曰：「吾今壓倒汪矣。」汪深惱之。榮歸，杜聯轡行，不肯讓范，至穫澤社蓮溪橋，人素聞二公大名，請詠橋一首橋屋十餘間，二公相約限過七間即成。詩體用一句一會，先成者讓先行。鎮如約立就，范吟云：「鶯聲婉轉迎賓客，利舌尖嘴唬關公。」❶杜吟云：「翠柳陰中盼客迎，古槐樹下待人招。」❷馬上讀之，人皆驚服。汪曰：「這作若生平素熟，非臨辰所能。」又齊轡行，至明倫社，有伊社人新搆屋，當途邀拜，乞惠佳句，爲敝屋光。鎮應口云：「年年增富貴，日日壽榮華，昔人有此語，今日賀新家。」杜況思曰：「賀美之辭，此句盡矣，無以復加，而鎭矢口輒成，非神助鬼吟，疇能若是。」自是始讓鎭先行，後杜潛至藍橋，看鎭祖墓，見兩土堆在旁，汪指□□□從來勝我數番，以有那神童附耳。用腳跟叩土堆各一，俄而鎭瘴病，醫治弗效。有以汪擊土堆事語，鎭即以告于朝，論汪謝鎭祖墓。鎭病尋愈。後東閣科命題文武竝用詩（五言十五韻）鎭詩稱高豐自起，滅頂鼎能扛，鎭中第一，汪又第二。始鎭微時與汪對飲，半酣戲作酒贊，汪先唱曰：「有黃用黃，有火用火，所用咸宜，施無不可。」鎭應曰：「酒黃則飲，酒火則絕，有違此言，天地日月。」識者以是知其立志之殊。

後皇黎中興，汪出首仕至戶部尚書，以不從回鑾被殺，（封福神）鎭辭歸不仕，終於承政使。

【校勘記】

❶ 此二句原為字喃，作「呬揾袻鶯嘲主客，帕尖喋鵂切官公」，今譯作漢字。

❷ 此二句原為字喃，作「𨁪柳離卑除客遠，塘槐唭哪待英嘲」，今譯作漢字。

黎如虎

評：黎公文科中人，何健飯乃爾兩國尙父之封，或者地脈使然，究之亦無大奇異勳業。

黎如虎，仙侶仙州人也。身高八尺五寸，材大過人，家貧好學，素善飯，及出資，輒懶讀，岳丈問於公父，公父曰：「公飯之如何？」曰：「一飯五歲堝矣！」公父曰：「兒在本家，七歲堝飯仍嫌少，岳翁聞言，即加倍飯，自是始讀書一二聲。泰母嘆曰：「擇得一婿，只善食，雖勉強讀書，做得甚事？」翁解之曰：「他必有兼人之力。」泰母曰：「今田草蕪，試使他一刈。」公聞之，次早即取大刀，出村頭榕樹下假寐。迨晚，泰母回市見之，甚嗔，即歸携翁手往視，比來，則教畿田草，芟刈殆盡，翁母嗟訝不已。穀熟辰，泰母使公喚雇獲夫，在家已整二十歲堝飯以待，公乍出輒回，取食殆盡，泰母惱甚，公曰：「今番銍艾，公請獨當，遂取苗芽二段，幷大繩以往，纔半日，穫完二畿，禾束爲四擔而回。泰母由是愛之，仍許飽食就學，遂以文章名世，登莫廣和科辛丑進士。

時有同年阮清（弘化泰人）與公共話家計，公戲曰：「兄家資僅足公一月之頓。」阮公曰：「請備三月頓。」公曰：「暫許一頓，如何？」阮許諾，約以某日，公如期與僕徒往，不意阮公有事他適，公使達于阮夫人曰：「我與兄有舊偶，因公事往過，有隨從三十餘人，煩許一頓，」夫人即喚家童，養十歲飯堝者三，整五、六盤進之，公佯謂僕急喚諸從者來，既而公取吃都盡，致謝而去。暮，阮清歸，夫人曰：「今日有一事好笑。」具道云云。清曰：「此我同年仙州人，昨日有約，故惠來也。」

公官歷左侍郎，奉北使同縣安照社屠人有口辨公吏之從，至燕京，北人聞其善食，作一俱十八層，召赴宴，架梯而食，公喫盡至最後層，見有人頭在，即以兩箸穿其兩目，高揭之，大聲喚從者曰：「大皇帝許我食北人頭，最爲佳品，汝取醋來，我吃了。」北人即挈頭去，（蓋這頭乃人魚頭，與人頭無異，世所罕見，故以此怵公，今見其不懼且有紀語。）故他挈去。尋托以他事，漆公兩目，使人牽之，自宴所而往，經一二日復就這處，因問公：「知何處否？」公已默記，即答曰：「乃前日所賜宴處也。」北人謂公能神知。辰上國久旱，因令諸國陪臣，修疏祈禱。公料知未有雨徵，奏曰：「臣小國，乞讓諸大國先禱。」歷禱皆不應，即命公，公對曰臣有一從者，學得武侯遺法能呼風喚雨，可使召之。」從者跪奏曰：「臣有一法，須擇得吉日方可。乃潛往視檉木根，（俗名𦬼槎）已見脫白鷄頭草，（俗名沽鴨）有白點知雨期將至，奏請設法壇，禱後果雨，皇帝與國國師，封公爲兩國尚父。

公善於辭命，皇帝欲留公使教皇子，公不敢違奏，請別創新堂，并整鞭樸教具，皇子有過，輒痛加箠楚，謂之曰：「先學禮，後學文，太后酷愛皇子，奏請別擇教官，公以是得歸國，仕至尚書春江侯，封少保俊郡公。致仕壽七十一。世傳公卒蒙頒銅棺，上國亦差人會葬，今村內有遺塚存焉。其從人自北歸，國王命築室于本寺側，沒後，置庵號國師寺，至今香火猶存。

黎景詢三子

評：萬言之書，心地亦可原，天故引二子於黃尙書，大讐可復，狀元黃甲相繼篤生，以享忠義之報，地脈果驗，天意亦可知。

陳朝黎景詢，其先祖汝猷，淳祿人，爲諒江知府，娶慕澤武族女，因以要鄉居焉。

公少與青沔扶、內裴伯耆相善，胡季犛篡，陳伯耆如，燕京乞師伐胡明，遣張輔、沐晟等分道而來，伯耆爲參議，詢即上萬言書于伯耆，略曰：「立陳後爲上策，僕願爲籠中藥物。辭官爲中策，僕執邊荳奔走，任所用使。若貪其祿位，策斯下矣，則僕釣寂耕閒而已。」伯耆不能用。及伯耆犯法，明人藉其家，得詢所上書，詢變姓逃匿。後明人設立學舍，詢復出，明人見詢才學，以爲教授，既而知萬言書乃詢所作，即捕詢北去，其三子太顚、少顥、叔顯從行，送至開門。公曰：「一長當從，二次回奉祀，以報君父之仇。」衆子慟哭拜別，詢與太顚至北京。明人詰之曰：「爾教伯耆立陳後，陰圖不軌，何也？」詢曰：「我南人，志存南國，又何問乎！」明人怒，因于金臺獄，父子皆卒獄中。（按萬言書與朱先生七斬疏皆忠心所發，故胡公越鑑有云：「萬言之書，忠貫日月，七斬之疏，動鬼神。」）脫軒咏史云：「上庠琴酒一書生，三策拳拳許國情，萬里虜庭終終不屈，父忠子孝兩成名。」（裔孫光賁詩云：「趨庭詩禮講明諳，自負懸弧壯志酣，蹇蹇匪躬誠叶一，拳拳許國策陳三，綱常自任他奚恤，鼎鑊如飴死亦甘，累世亦蒙忠義報，光前事業振天南。」）

後明差尙書黃福鎭我國設場教學，以收人才。少顥兄弟竝往受業，黃福愛之，認爲養子。忽一夜雨雹，牆屋皆壞，黃福誦云：「昨朝風雨，家家頹壞舊宮牆。」（以喻南國被侵，必致頹壞。）顥顯對曰：「今日乾坤，處處發榮新草木。」黃福聞此句，望天嘆曰：「安南已有聖主出未坤方，我不久且歸矣！」二子盍往從之，以寸簡立功，顥顯遂依教尋訪，見我太祖、藍山奮劍兄弟皆來歸附。未幾，大破北兵，黃福等投降，及北還，顥顯餞至交關，因跪請曰：「僕等蒙教育久矣，今日回程，未審何辰復得面候，乞指陰墳吉局，歸葬先人，是師父之厚賜也。」黃福曰：「我非忘了，試觀二子之志耳，前者留心一穴，在爾邑總邊，枕幞頭，向金帶，日月扶肩，出使馬在西，穴正在子午，我已埋下木版，歸而尋認，囑與子孫後有往，使遲歸，便可鑿這馬足。」即當返轡，二人拜辭而回。

時太祖已定天下，擇充北使，無敢行者，顥以父兄故，毅然請往，太祖許之，拜審刑院事，奉陳情表于明，並代替金銀軀各直百月，至燕京，闕下懇訴，明人恨我邀殺柳昇之故，輒唾罵不問，拘少顥於門外，漆其兩目，不許飲食。辰黃福見之，知其為少顥，常取麵餅藏襪，每過即投之。少顥得以療饑，三月餘不死。明人以為神，始受貢禮，使歸命。少顥因尋父兄，不知沒處，至僧寺，見一書囊存焉，始知葬處，即將回本鄉遷焉。後諫太祖忤旨，降禮部員外郎。（顥顯皆有佐太祖定天下功，由一日回家不得封功臣。）

顯初為長安知府，往祭丁黎廟，見楊后與二夫君同坐，因具奏斷楊后還後夫黎大行。太祖嘉之曰：「卿之忠直，不畏神靈。」始遷大行、楊后于別廟，累陞諒山鎮宣撫使，知軍民簿籍事。

其孫狀元黎鼐，生下光賁，五歲好學，人號神童，登黎統元丙戌科黃甲仕，歷戶部侍郎，奉北使。辰有中使輔行，專掌貢物，假作金銀替代，潛取原物去，公不之知。比至南寧府總督官啓發，見其非眞，遂以事聞。皇帝怒其無禮，命拘留于此，用蛤蜊殼覆公兩目，以漆粘之，謂羝乳馬角，方有還期。公恬然自樂，不少□心。嘗於炎天日中，臥一小床，曝於日下，明人問故？公撫其腹曰：「我曝腹中經笥也。」使讀大學演義，公讀畢篇，不差一字，明人大奇之，即去其粘目，甚加敬重。公客旅中，有撰本靈詩集，顏曰：「思鄉韻錄，寄歸辰有舉。」人鄧洪震與公從人由充湶爲友，見公學優長，即入門受業。己未科中進士，除廣東知縣，陞燕京主事，念其師淹留不返，即具本奏聞。明帝原其情，因召至慰問，三日遣還。洪震即設宴歌席，幷絲銀致錢，公出使凡十八年，在家憶黃福言，始鑿馬足。

至是歸國，陞吏部尙書蘇川侯，贈燕郡公。人言公爲蘇武後身，蓋以其事之相類焉。

張孚悅

評：張公目下無登庸，草禪詔則不能，若作討莫檄則勇於從命矣。

張孚悅青沔金兜人，登端慶乙丑科黃甲。公性剛直，統元末，登庸篡，時公爲吏部尚書，使作禪詔，公張目叱之，竟不能屈，後公歸鄉里，閒中適旅館，乘涼野服村粧，與常人無異。時縣令經過，人皆起立，公獨靜坐，從者叱其無禮，將欲打之。縣官望見公美髯，急止其從者，試出對句云：「縣官青沔，見無禮而欲攻。」公即應曰：「進士金兜，幸有鬚而得免。」縣官始知其爲公，即惶懼拜謝，公笑而釋之。

公不附僞莫，蓋在節義之列焉。

莫狀元

評：公與阮貝溪公同兩國狀元，公則尤表表者，王井蓮眞上品，皇華答賦，瓊苑留芳。

莫公挺之字節夫，至靈隴崗人。（史記作旁河社人。）李朝尚書顯纘（公以廣祐丙寅科第一名，弟達覺號吳□亦進士尚書。）之孫。

世傳鄉中有大陵阜，林木鬱茂，猴居之，其母嘗刈薪，爲所脅，歸語公父，公父遂服婦衣粧，帶刀往，猴狃故態，遂揮刀擊殺。晨往視，見土蟲已附猴屍，培成一墳，母尋受胎生公。（甲申年六月初八日申時生。）公姿相卑陋，人以爲猴精之驗。公父臨終，遺言葬於猴墳之上，蓋亦默會天機也。（公沒後亦附葬于下，今猶存。）

公生而穎悟，年既冠，登陳興隆甲辰科狀元。陛見，英宗嫌公質陋，公作玉井蓮賦以自況，（見國史）帝悟，後往北使，與北人訂日交開，風雨愆期，爲所拒，公婉請，北人命對云：「過開遲，開開閉，願過客過開。」公立對云：「出對易，對對難，請先生先對。」北人服其敏，開開賜進。

至北朝，元人鄙公卑小，一日，宰臣召入府，俱坐，有薄帳，繡黃雀在竹枝，公以爲生雀，趨就捕之，元人笑之，公即碎裂其帳，衆皆怪問，公答曰：「聞古有梅雀畫，未聞有竹雀畫者，竹，君子也；雀，小人也。今宰相繡此，是以小人加君子上，恐小人道長，君子道消，故爲聖朝除之耳！」衆服其能。

及進朝，適外國進扇，元帝命公與高麗題贊，高麗使先就，其辭曰：「蘊隆冲冲伊尹周公，雨雪淒淒伯夷、叔齊。」公未定體，遙望他筆管知之，却因他意而演之曰：「流金爍石，天地為爐，汝於斯辰兮伊、周鉅儒；北風其涼，雨雪載塗，汝於斯辰兮夷看餓夫。噫！用之則行，舍之則藏，惟我與爾有是夫。」草筆進呈，又先高麗使。元帝取末句，封兩國狀元。

一日，與北人遇于途，公乘驢觸其馬。北人云：「觸我騎馬，東夷之人也，西夷之人也。」公曰：「遇予乘驢，南方之強歟，北方之強歟。」北人謎字云：「一面兩眉，一瘦一肥，一年一月，一日三期。」公認為八字，北人嘆服。又出對云：「杞已木，杯不木，如何以杞為杯。」公對云：「僧曾人，佛弗人，云胡以僧事仙。」出對云：「安去女，以豕為家。」公對云：「囚出人，立王成國。」（北人批云：「後子孫當有王者，但嫌單字，國祚不長。」）出對云：「日火雲煙，白晝燒殘玉兔。」公對云：「月弓星彈，黃昏射落金烏。」（北人批云：「後子孫必有篡國者。」）出對云：「魑魅魍魎四小鬼。」（蓋譏公卑小也。）公對云：「琴瑟琵琶八大王。」（北人批：「後當為血食神。」）又：「鴃叫牆頭談魯論，知之為知，不知為不知，是知。」蓋以鴃舌譏南人也。公以類蝸聲者譏北人即對云：「蝸鳴池上讀鄒書，與少樂樂，與衆人樂樂，孰樂。」又：「洛水神龜單應兆，天效五，地效五，五五二十五效，效效混成三大道，道合元始天尊，一誠有感。」公對云：「岐山靈鳳兩呈祥，雄聲六，雌聲六，六六三十六聲，聲聲透徹九重天，天生嘉靖皇帝，萬壽無疆。」又值北朝后妃喪，臨祭，命公讀祝，公展讀，但見空紙四一字，公矢口讀云：「嗚呼！青天一朵雲，紅爐一點雪，上苑一枝花，廣寒一片月；雲散雪消，花殘月缺，今若之何，匪儀載設。」北人驚服。元人察公相貌無一可貴，乃偵公出厠，潛窺之，見其便糞方，謂公心中隱相最貴。

及公回，北人因往我國認風水，至公父墳，嘖嘖稱嘆。今按其地甚佳，俗眼亦知爲貴格。（詳見和正書。）但水不瀦蓄，故貴而不富也。公居官廉潔，明宗體其情，差人將錢十鏹，暮夜置公門內。公明旦入朝，以聞。上曰：「錢無主，任卿取用。」其清操如此。脫軒詠云：（鄧鳴謙德黃甲山圖人。）第一魁元早致身，居官不改舊清貧，扇銘又重燕臺譽，使節方知國有人。」仕憲宗朝，官至僕射，（著作甚多，其傳于世，如：贊文、祭文、對聯、詩咏、見越音集，謝文一道，見國朝表章集。裴公木鐸神道碑記在武仙知來，碑今在焉。）貴而能貧，故慶流後人。世豪冬夏官員外郎，孫迪遂，遠遭胡氏篡，有爲陳振雠之志，從明人向（嚮）道（導）有功，明人授以官，（遂參政事，迪指揮使遠鹽鉄使。）後吳平，亦不及難，遂子孫移居青河摩溪，三世又移居宜陽古齋，生登庸（篡黎號太祖）實公七世孫也。莫帝追封公爲惠越靈慶大王，（以公所居隴峒社故基，爲崇德殿，父墳爲陵，今社中號馮陵處，公講堂故處，一在高堆舊縣，一在宋舍橘林寺，遺跡歷又可考。）至今永爲本鄉福神，北人批語無一不驗。

噫！學冠羣儒，名魁兩國，公眞殊絕人物，豈可以後世子孫而少玷哉！

黎鄧佳詩

先豐青梅尚書黎英俊，少有才學，（出將入相文有云：「外攘夷漢印猶持，腰問雙羽箭，內宅揆盧庭兼總，頭上進賢冠。」）長登正和甲戌科進士，以文學入陪政府。辰爲之語曰：「文章黎英俊，政事汝廷賢。」（廷賢亦同在政府，以政事稱。）蓋以所長稱之也。監肆三傑詩，公有句云：「一范難扶亡楚國，百參孰與創劉基。」監生莫不嘆服。東閣鄧時舉（良舍縣人，段汝諧之友。）仕至憲副，應士望科，光武太子陵高詩落句云：「唐虞著德箕山節，帝以之，先生以之。」考官同稱賞。

阮德貞

評：大德配乾坤，三一幼年何等襟量，一甲高弟可於此一句卜之。

阮德貞，青林（原海陽）安界人也。幼甚穎異，常從母往拜，外家忌，母不許，公強從。適有差人，見公容貌穎異，問汝曾學否，公答以既學，出對云：「小兒隨父母。」爾能對，許從爾母行。公應聲云：「大德配乾坤。」其人驚訝。

二十五歲，登光順癸未科一甲第二名，（是科梁公第一，郭公第三。）奉御製聯云：「狀元梁世榮，榜眼阮德貞，探花郭廷寶，天下共知名。」當世榮之。

吳公煥

評：榜眼自有天定，非由祝神而得，死忠死孝，蓋公所願，不架橋之報，想未必然。

吳煥（青林上答人，登洪德庚戌科榜眼，預騷壇。）洒掃夫，（名在二十八，學士之四）仕至尚書。世傳公赴京試，過江上河，祝江神願得大魁，請架橋以表靈貺，旣登第，不架。公從光紹帝幸哀牢死義，公二子家居，莫遣使殺之，尋馳驛傳赦，驛使至河，日暮不得度，明日至，則已殺了，人以爲違祝不架橋之報。中興後榜公節義，加封福神。

陳公寶

評： 英才多出公門當文範伯名矣，善堪輿術則又當地學正宗名。

陳寶青林開山人。少失怙，耕穫狀元公携養，長歸父貫，應舉不第，夢斬馬頭，解曰：「馬即午也，乃南方之象，遂赴山南試，領解元，登莫廣和辛丑科進士；再中東閣，居官清白自守，安於屢空，爵文範伯，（辰以公為模楷，碓溪狀元賴上榜眼皆其門弟。）又善堪輿術，碓溪范狀元祖墳，公卜遷也。（曾孫春榜登永壽辛丑科黃甲。）

阮允欽

評：棄來而讀書，科登黃甲，掛冠不應召，跡隱懸釘嚴山侯亦莫一忠臣也。

阮允欽，至靈傑特人。少業農，一日，見承司官行過，騶從甚盛，公問何由得此，衆曰：「由讀書所致。」公曰：「我應爲之。」不事耕，乃從師學，登莫光寶己未科黃甲。公垂手過膝，有才力，善交跌，官至尚書嚴山侯。莫亡，隱居懸釘山中，黎中興召用，公托疾不仕，壽八十餘。

阮春光

評：確土豈無鱔魚，書田自有菽粟，諉於氣質與風土者，亦當自強矣。

阮春光，至靈突嶺人。天資極鈍，而勤於學，每讀熟終身不忘，讀書晝夜不絕聲，聲粗大，鄉里共笑之，皆爲掩耳。（坐椰園讀書，所坐株皆枯槁。）其姊憫公勞苦，謂曰：「確土豈有白鱔魚，何自苦如是。」公不爲止，久之，變化氣質，遂成名士，登光寶己未科進士，再中東閣榮歸，饗其姊食盤置一大鱔魚，謂姊曰：「確土固無此，若有之，其大若是。」乃相歡笑，世傳書中粟賦一篇，乃公所作。

范維珠

評：阮業師與開心兒同榜，陳地師視俗眼客更精，究之魁元天定，先生不得爭，確溪地錢人謀適相合，莫非陶鑄使然。

范維珠，至靈確溪人。少失怙，八、九歲，時有青淮阮克敬公未第，設帳於其邑。公母詣請，許幼子受業，敢問禮物如何？青淮公曰：「厚薄隨心。」母曰：「入學重事，家有耕牛，請以禮先師，擇吉宰牛爲禮。」訖，公母言：「兒姓范，俗名珠，其父族於姓名中常加維字，願先生量此命名。」效日前，青淮公夢登第，榜中第一名范維珠，及覺，暗思同時文士無此姓名，至是聞言，不覺驚異，自忖：我與此兒同榜，遲至何辰？及授之學，見公明敏殊常，喜曰：「我登科不遲矣！」淳福壬戌科，公與青淮公同中會，庭試日，青淮公謂范公曰：「狀元須讓我。」范公唯之，唯忽青淮公腹痛，連至日午，不能行文，忽憶前夢，仰天嘆曰：「狀元不敢與維珠爭，願神靈保護，完文卷足矣！」祝訖，痛止。乃命筆寫卷，已而公果中狀元，青淮公中黃甲。

世傳公乃陳文範公（陳實）門第，嘗以大科期之，爲遷一地決科，言來科必發，預立穴向而歸，公再請北師覆視，更別立他向以葬，陳公不之知，嘗自神其術，宣言今科狀元乃僕門弟，及會試落名，陳公復主穴所，細認眞的無疑。怪問之，公拜謝，以實對。陳公乃于穴上臥，命公依向更葬，且言：「依此向，若不驗，我即焚其所讀書，免致誤人。」是科公果魁元。按這局辛來巽應，九曲朝前，穴居小溪，溪前一堆卓立，午位去穴甚近，北人別立他向，雖合俗眼，不及陳公向法之精，可見其術難矣哉。此地舊有鉗云：「確溪之山東繞，科第有期。」此其應也。

又傳公少時，有人出對云：「丈夫氣志相持期，勿以小嫌介意。」公即對云：「帝王施爲氣象，必有大過於人。」其科名事業，概見於此。仕至左侍郎東閣大學士確溪侯。

阮公澧

評：科則子名上於父，宦則弟位高於師，天工多撩人，以試覽其處置。

阮澧，至靈傑特東村人。公祖（贈屋懿侯）墳葬寺後，開正中，世傳爲公發跡地。公父鄉貢，贈太保，生三男，（長知縣，季衛尉。）公其次也。

生而穎悟，四歲聞兄讀書，一皆暗記。七、八歲善屬文，時遷家墳，兄試今公草祭后土文，公一揮立就，曰：「董坤輿厚載，稟兌氣鍾靈，包容體物，正直聰明，求之必應，感也遂成茲，因擇得此山，欲萬刼永營窀宅，設奠聊將菲禮，買一區最勝地形，仰后土鑒臨歆納，俾亡魂墳墓安寧，後嗣享和平之福，子孫達卿相之榮，家傳家，家繼家，常存福慶，相出將，將入相，惟盛挺生。」十四歲領鄉薦，好遊，仙鄉中七十二峯無不遊陟。有詩云：「吾無何愛愛惟山，不遠烟霞遠世間，擧目有天雲色老，擡頭滿地草花間，梅嘲曉日知春煖，栢立冬風識歲寒，雷雨不迷橫海志，葉舟寧待泛長瀾。」二十一歲登崇康戊辰科進士，再中東閣優項，仕至左侍郎。莫亡，與同鄉嚴山侯，（阮允鐵）隱居懸釘山。（侯登保靖山口占云：「漫漫前路須洞開，子孫後代卽可來。」❶公和云：「萬里長路已洞開，子孫後代卽可來。」❷後侯曾孫阮廷俊紲登進士，向公之後未有聞，人以為詩意遲速不同，於此果驗。）

光興十六年，大駕東征，俘獲莫宗室朝臣不可勝數，公以隱居得免。後公門弟尚書阮實（東一雪惟人，光興黃甲）薦公於上，且使人就山，勉以向明，公不得已應召，仍舊爵錄用。愼德年，以刑部尚書美溪侯首冠朝班。

初，公與父同領鄉薦，公名在父上，諸貢士就坐，公獨長立，欽差官怪問之，以實對，乃爲之易次。至是阮寔亦以位在公上，懇辭不拜，乃命公首班，人以爲孝順之報。致仕陞少保泉郡公，於後園鑿湖，湖中築渠島，雜樹卉木，建小庵賞玩。有詩云：「一壺山水一茅庵，草木魚龍一二三，天下有天春不老，窗前尚記滿河南。」公文學有餘而讀書不輟，辰人爲之語公曰：「壥公獨，群學爲之。」壥即公沅也，獨即公也。

【校勘記】

❶ 此二句原爲字喃，作「堆些些𦖻天荒𠃣，女女猑𤠄踆𨂲蹺。」，今譯爲漢字。

❷ 此二句原爲字喃，作「意准青雲些買𦖻，女猑𡞕仕跳蹺。」，今譯爲漢字。

阮壽春

評：八月遺而一甲，一奇；二十餘始生妻，九十歲尚生子，亦一奇；到老未成名，夢之奇；書壁能除病，筆之奇；至於有過而佯為不聞，則又寵遇之奇。

阮明哲，（賜名壽春，後避諱改厚春）至靈樂山人。少與穫澤神童齊名，（時為之語曰：「神童穫澤，秀才樂山。」秀郎公也。）文學甚優，而苦於遲暮。

五十四歲始中會三場，及第四場，策問長至十二目。過午，始出題，諸皆相題足對，故多不充贍，公止對四目，極充贍，場官不敢決取，置之留儲。及遞中卷御覽，奉問：「向尚有何卷可取否？」考官奏：「惟有一卷，四目甚好，而八目遺，故不敢取。」上曰：「詩一句，賦一聯，一句之善尚可取，何況四目。」考官奏，這卷已取，則宜置之首，曰：「可首則首，又何疑焉？」乃中會元。庭試，登探花（德隆己未。科庭元）。

公少詣香海寺，（在至靈傑特）祈夢，神語之曰：「讀書到老未成名。」覺不悅，其友解之曰：「未乃支名，必未科登第。」至是果驗。

永壽年，陞工部尚書潁川侯，年八十餘，以尚書少保錦郡公致仕。公年不老衰，九十歲尚生子，八朝上，以布□呼之，九十六壽終，賜謚文斗。

少甚艱屯，二十餘未娶，夜讀假寐，見神人謂之曰：「汝妻生矣，覓訪鄉中。」是夜，有一女生，後果娶此女，更為樂道社土豪所奪，生一女，土豪死後，始歸公。公文章蓋世，懷抱探花阮公，（登縞）不可一世，獨推公一人而已。

世傳公好內色，不離侍女，某科充義安場提調，帶二婢，著男服入場，事覺，采察內臣以聞，上罵內臣妄訴，（意以公有過，宥之則法不行，罪之則情猶憫，寧使不聞，故惡內臣洩滿，斥之。）其得寵類如此。

又傳公友人被病久，公往省之，因書于壁云：「馮去病霍去病，病疾去除；韓延壽杜延年壽年延永。」其人病瘉，更享壽鈴，亦可謂神筆矣。

阮光宅

評：三名必預，公言其成讖乎，亦可爲二子登科之應。

阮光宅，至靈傑特人。年七歲，有父執者，出對云：「七歲神童子。」公初學夏史，即對：「八代黃帝孫。」其人驚異。甲辰會落弟，公父怒曰：「今科進士，取至十三名，而不預，尚望何日成名？」公曰：「十三名不預，三名必預。」景治丁未科取進士有三，公果居其一，仕至刑部都給事中致仕。壽七十餘，二子（光皓正和辛未科進士，光暘永盛庚寅科進士。）俱登科第。

阮公登

評：蒜公長於賦，然猶遜綠楊公父子一通。

阮登，桂楊大蘇人，登弘定壬寅科黃甲，長於詞賦，嘗作修身治國賦，刺唐太宗、高宗，曲盡其意。夜夢太宗謂曰：「朕父子何負於卿，而卿齒口相罵。」其文之妙，感格鬼神如此。

時有名士三人，詣公家，請與作賦，出鳳凰巢阿麟麒遊苑賦，公援筆寫云：「龜非負洛，龍不出河圖，繼治若有熊之世，定鼎于涿鹿之阿。」三士見之擱筆諸服。

阮登明

評：除妖女一陰功，敬狀子一雅事，至解屠人縛，則左迥出尋常。

阮登明，仙遊懷抱人。（探花登縞之弟）少有異才，而拓落不羈。隣廟有妖，嘗化爲美女惑人。公往逼通之，問以前程，妖曰：「公乃天神謫降，當中大科，僕既犯禁條，條又洩天機，必有重譴，願公憫之。」言訖而變，妖廟尋爲雷火所焚。（後公貴顯，常於飲食祝之。）

公登福泰丙戌科（與兄登縞同科）進士。時清帝發詔使來，今我國人皆薙髮，上以爲憂，命公迎接。公作解諸俗惑文以喻之，清使乃止，出對云：「老大落毛，猶向庭前吠月。」公對云：「小蛙短頸，漫居井底窺天。」清使稱嘆。

長子登遵，登陽德癸丑進士；次子登道，少時公甚鍾愛，每抱置膝上，未嘗一日離，側側探花公撫其背，謂客曰：「廷臣惡我，不許我狀元，若此子不許不得。」後正和癸亥科登道中狀元。（仕至參從禮部尚書。）

公未嘗以父道自居，每下拜，輒遜讓不受，行逢車蓋引避之，詣登道公家，使閽者先達而後入，或問故，公曰：「此公魁科天使托生吾門耳，敢不敬乎。」平居敝履惡衣，出必步行，見者不知其爲朝士，有誤犯之，未嘗校。一日，回朝過南門肉肆，有屠人見公容貌酷似昔時負債社長，出而執之，公與辨，不聽，縛於門前，時副都官汝廷賢適朝回，肩輿上顧見公，倉皇趨下扶起。公語以實，汝公執屠者奉公與歸，抵家，請公上坐，入內室更衣，公親解屠者縛，今速遁去。公亦去，汝公出，公與屠人皆不見，使追之不及，稱嘆而止，其德度如此。官至祭酒致仕，壽七十歲，一家狀元一，探花一，進士二，同科同朝，猗歟休哉。

阮貴德

評：魁武名相名矣，惟公得夢接聖人，眞是希有，三代大王福履之監，亦是希有。

阮貴德，慈廉天姥人。少遊學，一日講罷，與諸生閑坐，公告餒求退，有一人出對：「食無求飽，安居無求安，君子志。」公應曰：「招之不來，麾之不去，社稷臣。」其人驚服。後登永治丙辰科探花，入政府受顧命，輔新王不動聲色，而措天下於泰山之安，可謂社稷臣矣。

一日坐明倫堂，會肄多士，見堂穿柱蠹，穿一隙口，古云：「開通九竅賢人智，化育昆蟲造化仁。」其氣象見於此，尤善誘後進，文體取渾厚，升浮薄，辰命題「光武徵嚴陵詔」，名士阮懋賫文有句云：「裘輕輕，車簇簇，魏闕希共敝之朋；雲蒼蒼，水泱泱，桐江少交遊之客。」閱官大稱獎，公獨云：「此非王者語，爭尙此態，難於上榜。」仍撰一體，有云：「彼一時，此一時，無徒慕巢由之避世；出是道，處是道，盍尙師伊傳以輔王，休將蠱上獨高詎，忍屯初見下多士。」以爲矜式，其後懋賞不弟，人皆服公識鑑。

與彰德鄧國老往勘河堤，乘輿吟公落句云：「斜陽未已滄浪興，更溯新沙縱步看。」鄧公落句云：「夜深更演留春訣，水自無波月自團。」較與公作，其雍容閑雅，殆爲勝之。未幾，公以首相致仕，壽終。而鄧公歷司空，再致仕，壽八十六，福祿壽考實過於公，其兆見於詩。（公與西姥、尚書阮當廷同坐，西姥焰目鏡，公以交鈴食美善，因相笑，卽事西姥唱而公續之：「同窗共事已有年，君喜寫眞且寫全。旦旦明月普天照，文憑一把手中搏。明察秋毫非易事，除姦鎮佞志難圖。呶呶婦幼宜牢記，世事紛繁勿有偏。❶又洪德肎詠陵母送使者詩：「路遙快馬復加鞭，母女情深萬緒牽。思漢丹心呈一片，念陵白髮又加添。圓缺吾心自知曉，君臣大義掛中天。」❷其論句皆未好，上特命公補之，公筆云：「箴皮忠孝坤二院，返會功名易汆吝。」上大稱賞，頒賜銀子二笏。（公陪政府日，嘗與諸公休□遊山寺，適朝士阮舍德助祭面，見諸公在坐，阮樸實以，所得祭肉邀諸衙一飲，諸公皆唾出不顧，公獨喫一杯酒，幷肉味嘗之，人皆服其德度。）

公初知國子監，以我國祠宇只襲其衣冠，荒漠遐陬，非聖人陟降之所，其奉事頗疎略。一夜，夢見先聖來臨，語北聲，謂曰：「安南文獻國，我亦時嘗往來，且命由求守之，其勿疎略。」公跪應諾，觀起驚異，晨入大成殿前謝過，乃以事上，請大興工役，經二年告竣。規制宏廠，費殆萬計，奉頒得壹千貫，餘皆家貲所出。冑監成，公致政家居，嘗以朔望日赴謁，噫以塵俗形骸，獲接聖人於夢寐間，公亦非常人矣。贈太宰，追封大王。（子貴思科登乙未永盛科黃甲，封中等神大王；孫貴愍進朝，仕至尚書，並封福神。）

【校勘記】

❶ 此段原為字喃，作「共饒扮事卮㝵等，翁適錄眞翁錄尼，日月堆東熗熠粗，樞櫳艾撰凭勸秞，察尼毫末吊兮律，壓几奸頑卮易瑄，㹴雉彈𡢐停㗂唓，彊槃彊重吼未能。」，今譯為漢字。

❷ 此詩原為字喃，作「亭舖蕩蕩馭移蹎，餒嬟㹴尼㗅使君。攸漢念羣腧艾㤕，傷陵鬆遠卮鉑进兮，論鈌命嬟耍鑛油蒙蒙，衛時㗊份義君臣」，今譯為漢字。

濟文侯

評：蕊溪地脈科，鉗記有之，紙上血臍中鱗，何若與地局暗符者，雖然金榜標名石牌記蹟，復留一嗚武，在可見天心。

阮薦，上福蕊溪人，殳飛鄉，（初名應龍）登陳隆慶甲寅科黃甲，官至司業，娶陳元旦女，生公，公聰敏博學，二十歲登胡聖元庚辰科進士。時明兵來伐，胡獲殳公殳，携歸于擒蘭山店，公及諸第莅之。飛卿謂公曰：「我年老，今既在此，任汝弟從，百年後得骸骨歸葬，足矣！汝當還本國，予觀天象，我國二十年後，西南方必有眞主興，汝當委質事之，庶得雪國恥，復君讎，成父志，是爲大孝，豈區區不離膝下爲孝耶！」示之再三，公流涕不敢仰視，不得已，拜別而回。一日，祈夢于夜澤祠，得顯應，遂依夢往來，到瀘江，得遇黎祖諱利，叩軒門入謁。黎祖曰：「我於前夜，夢神人告，來日賫以一良弼，今子來，宛然如夢中所見。」特授承旨學士，與之定策伐明，時帝構層樓於瀘江岸上，菩提營高堆，日御樓上，睇望城中，視虜所爲，賜公侍坐於第二樓層，領旨單往復文書，凡義安、順化東都西都諸城，作書開諭，不戰而下，及軍中機務、講和通使，挺身入城者累次。經營殆十年餘，却得明人歸，平大亂而成大業，公之贊助居多也。

平吳大誥文（戊甲，帝卽位，命公撰。）有云：「遂使宣德之狡童黷兵無厭。」（蓋深惡明人擾害我同也。）明人批云：「作此文者，子孫必不全。」其後因氏路染禍，人以爲驗。公以功封冠服侯，賜國姓，凡憲章制度，禮樂刑政，一皆典定粉飾。歷官開國功臣特進金紫榮祿大夫，入內行遣，門下省左司，知西北二路軍民簿籍，諫議大夫，兼翰林承旨學士，入侍經筵知制誥，行樞密院事，掌五經博士，兼中書御史，知國史三館事，提擧崑山資福寺，賜金魚袋上護軍封冠服侯上柱國。（公之事狀詳抑齋集）

却說公前娶鄭氏，生扶賚繼娶陳氏與阮氏路，後被氏路案，公與諸子兄弟族屬皆抵刑，（時公年六十口）惟妾陳氏懷胎遁脫，隱於盈蠻國，生男，名鸚鵡。及長，陳母道述其事，云公微時教學在本社，學舍前兩土阜，舊有皀再大樹，株中空朽，公門謂人來早剷伐，以廣學舍。是夜，夢神女告：「乞相公許留產育，六、七日後，始伐。」清晨，公尚寐，門人依命剪伐，見樹內有三卵，觸刀打破一卵，存二卵携入呈，復打破一卵，視之似蛇樣，一卵留置七日，果生蛇子，日益奇異，放之，公夜觀書，見一血點自屋脊滴下，書紙浸透三張，嘆曰：「彼怨我三世矣！」後見氏路賣席於道，姿色殊美，公謔之曰：「姑娘何鄉人，來此賣涼蓆，涼蓆如今可有餘？姑娘風華正茂，芳齡幾許，有否夫婿，幾多子息？」❶氏答云：「奴家住西湖畔，來此賣涼蓆。緣何君問：可有餘。奴家今朝十五月圓早已過，待字閨中，何來子息。」❷公悅而娶之。十餘年始覺臍中有鱗，知其龍物疎之，及太宗繼統，公已歸休，帝屢幸第，見路意悅，密召入侍，公作詩責之，曰：「天厚高地厚四時成，可責何人道不明，鏡面雖清塵已染，德心方銳欲隨爭，仁聲曾效周王德，誓指相眈漢帝情，幸得天人相半助，必然社稷更春生。」氏答云：「丹心懇懇事由成，誰謂綱常道不明，日火何憂雲寸點，木樛豈負葛纍爭，英雄勉大英雄志，女子非兒女子情，福眷天緣琴瑟合，驗諸孫子聖賢生。」後帝幸荔枝園，與氏路賞，暴崩，廷臣密召公處，擬加族誅，次及氏路。他乞就江一濯，即化爲白蛇，入水而逝，始知公爲蛇報之寃。

迨聖宗推恩勳臣，累詔求公詔遺迹，時鸚鵡雖聞命，猶恐寃情未白，回本國改姓陳。秋試，領鄉解，聞諸生談及故事，方悟累詔訪求，果出宸衷惻怛，乃應詔赴京，蒙擢知相職，奉加贈公特進金紫榮祿大夫，濟文侯上柱國，給田供祀。鸚䳇生祖鏊、祖鋆、祖鑾三男，祖鑾仕至承政使，奉北使，船過東海，忽起波浪，以完使事祝得靜。及回，故態更作，祖鑾仰天嘆曰：「不圖怪物如此深怨，乃整冠服，赴水宮而遊。」（黃福地鉗云：「慈溪之山短脈，禍慘誅夷。」）

【校勘記】

❶ 此段原為字喃，作「𠫾於兜些半廡葟，極能庶意歇能羣，春秋做𠃅包饒些，𠃅固𠰉𣗓諸特汆琨」，今譯為漢字。

❷ 此段原為字喃，作「碎於西湖半廡葟，餒之翁晦歇能羣，春秋𠶋𠃅腠蹫襪，𠰉羣𣗓諸固晦之琨」，今譯為漢字。

白雲庵記

評：大政獻忠，高平延福，在莫固然，然黃穀啓鄭以大義，橫山示阮以開基，敕馮梁等佐黎中興，而且白雲寄興，玄識開來，則又有大功於天下後世。

阮文達公，諱秉謙，道號白雲庵居士，永賴中庵人。祖廕封少保，資郡公文，靖祖妣廕封正夫人貞慎，始卜陽宅，山水迴環，暗合高王鉗記，考贈太保嚴郡公文，定道號衞川先生，有學行，克太學生。

母慈淑夫人，先明安子下尚書汝支瀾之女，性明霄，通經史，善文章，龍精風再術數。當洪德盛時，逆知四十年後炎運當微，慨然有大丈夫改物之志，擇對不嫁，幾十二年，一見文，定知其有貴兒相，遂配焉。後遇一少年，過雪江寒渡，愕然嘆曰：「初年胡不相遇？今到此何爲？」令採訪，是莫有登庸姓名，知他有帝王相也，公以洪德辛亥年生，軀體長大，容貌英偉，未週歲能言。一日，昧爽，公父抱公出巷，忽語曰：「日出東方。」公父大驚異。四歲，太夫人誨以經、傳、正義，即自爛熟，總非時遊于寒渡商舶，北客始相之，曰：「王禘視久，謂可惜皮粗，只做得狀元宰相。」

既長，聞榜眼梁公（諱得朋弘化會朝人）文學名世，負笈從之，以太乙神經授公，（梁公北使，得神經於族人，朗陵王汝忽之後。）公既造玄理，易道遂東。後梁公病篤，囑其子有慶於公，公撫之如子，教以成名，公隨居教授，抱道自樂，不求聞達。

統元初年，鄭綏莫登庸有挾天子令諸侯之意，頻年搆兵，境內大亂。公感興云：「泰和宇宙不虞周，互戰交爭笑兩讐，川血山骸隨處有，淵魚叢雀為誰毆，重興已卜渡江馬，後患應防入室貙，世事倒顛休說著，醉吟澤畔任閒遊。」（蓋知黎氏將興，始難偏安，終必復國，而室貙其隱語也。）既鼎章，親朋多勸之仕。年四十五，始就鄉試，領首薦，連中狀元，（莫大正乙未科五場皆第一）授東閣校書，陞吏部左侍郎，兼東閣大學士。在朝八年，疏請誅弄臣十八員，其志啓使萬物各得其所，微而跛瞽亦皆授以醫卜業。值壻范瑗貴橫恐累連姻，遂托致仕，時廣和壬寅年，公年五十二。

既歸田里，起白雲庵於鄉之左，起迎春風、長春等橋，歲時遊憩，築中津館於雪江之津，作碑記實。又修葺佛寺，携老僧同遊，時或從泛舟金陵，郁海觀魚，安子、臥雲、敬主、塗山諸名勝，皆杖履登臨，適意處嘯詠往來，或徜徉終日。每遇樹木青齒，時鳥變聲，輒欣然自得。公雖家居，莫事以師禮，國有大政，即遣使就訪，或時徵至京，詢以大計，從容規畫，裨益弘多，尋復還庵頤志。後以功臣封程泉侯，累陞吏部尚書太傅程國公，二代祖妣，皆蒙廕封。妻妾三人，（正夫人楊氏，號慈愚左侍郎，韓德額之父，序夫人阮氏，號永清東大人，阮氏號啓倩）子七人，並以次受封。

景歷三年，舒國公阮倩及二子倦、俛，歸順國朝，公寄倩詩云：「顧我存亡孤知義重，知君處變豈心忠。」又云：「氣運一周離復合，江山豈有限東南。」倩得詩頗悒快，倦有將才，屢戰屢勝，福源懼，以問公，公曰：「倦父倩與臣有舊，昔曾遊臣門，現今出守天長，正在發疑信，用計擒之，囊中物耳。」遂將壯士百餘人，先伏沂北，移書與倦，約就船話舊，酌酒講歡，乘醉徑越北岸，伏兵卒起，因諭以家義國恩，倦感泣，遂携歸夏，卒為名將，數十年賴以維持。時阮太祖義兵大振，數戰神符謙王敬輿兵敗，太祖因進兵，由山西略京北，中外皇皇，公進虛實計，境內漸寧。

延咸八年乙酉十一月，公寢疾，茂洽使，使慰問，且詰以國事，公但曰：「他日國有事故，高平雖小，可延數世福。」他無所言。後七年莫亡，乾統、隆泰、順德、永昌退保高平，歷三、四世，七十年而後泯，言其無不驗，類如此。

是月二十八日卒于家，壽九十五。學者追尊爲雪江夫子，葬于鄉之原，公博學羣書，深明易道，雨暘水旱，禍福存亡，無不前知。時有門生裴姓，安陽（中行人）曉明吏事，公謂晚年富貴。及年近七旬，猶落魄不偶，竊言先生奇術猶有誤處，公聞之，笑而不答。一日，合借漁舟十隻，泛萬寧海之洪潭，告以某日時逢物取回，當獲重賞。裴欣然領命，果於海中獲一衣巾老媪，尊事如母，俄而廣東使使來言，大夫人泛海漂風觀星象，落在南土，鄰邦之義，祈爲搜尋。莫以重賞購求，公命裴奉車以獻，裴得重賞，後蒙封韜郡公。

我朝順平八年，中宗崩，無嗣，鄭祖有遲疑意，使馮克寬賫厚禮，潛往海陽訪之。公弗答，但顧家僮曰：「方今不稔，在於穀種不實，爾等可觀舊穀種。」又命駕遊寺，使僧洒掃焚香，餘無所及。蓋微示以事佛啜碗底意，馮具馳告，鄭祖悟，迎立英宗，永奠我臣宗。又端郡公阮潢，以昭勳靖王之子，內懷危懼。母范氏大夫人，（尊稱全老）原籍四岐范舍人，與公有同郡誼，嘗使人請公，爲子求一生路。使者以銀子一包爲贄，奉獻於公前，拜祈不已，公適策杖後圃，圃有數十餘石塊，蒼古宕齒，疊作假山，橫遶山前，有羣蟻方緣石而行，公徐目蟻而笑曰：「橫山一帶，可保以身，使者悟其意，歸以告橫潢，潢遂以計求領廣順，至今蟠據爲阮氏祖，常與門弟。裴時舉卜易得乾象卦，知八世之後起干戈，其妙泥，奧不能盡述。

受業甚衆，惟馮克寬、梁有慶、阮嶼、張時舉最著。馮、梁逐數學爲中興名臣。初，馮假館遊學，既卒業，公夜叩其門，語之曰：「鷄既鳴矣，夜既明矣，堅臥何爲？」馮悟，遂潛入清華、阮嶼隱居不仕，作傳奇漫錄公多爲斧正，遂爲千古奇書。其成就人才，我國多藉其用。

公勝懷洒落，天資極高，而行義純粹，不露圭再，人不問則不言，言必有中，從容就事不見其所爲。居家四十四年，而心未嘗忘志世，憂辰憫俗，一發於詩，文章出於自然，天口輒成，不事雕琢，簡而暢，淡而味，皆有開於世教。嘗有詩云：「清潔誰爲天下士，安間我是地中仙。」蓋自言其志也。

子十二人，男七，女五。長子（某），自號寒江居士，廕授忠貞大夫，官至憲副。次（某），自號醉庵先生，廕授朝列大夫，爵廣義侯。次子（某），廕授顯恭大夫，爵義川侯。次純主，爵勝義侯，皆以管兵有功。寒江生功德，功德生道進，進生道通，通生登瀛，瀛生時當，當生皆，（當年六十五始生。）八世孫也。

永佑乙卯年，鄉人追思公德，即公故宅，建立祠宇二連，闔總同崇仰，歲以春秋奉祀焉，族人至理等，恐其譜系湮沒，徵序於余，余自洪州出本，與先王同郡，時相去又一百十九年。少時聞諸父師，已略知先生盛名，既長，聞諸大夫評論，又得其一二，每欲親造閭邑，一詳焉，有志未能。景興辛酉，奉命蒞洪州，咫尺仙居，恨不能就。壬戌春，因築河堤，始克覺中津館碑，字畫湮沒，不可辨，詣祠拜謁，求行狀於七世孫時當，奈不能作片語，欲詢之故老，亦皆零落。近有隣邑陳伯珧，稍知述前事，並示中津館碑文，國音賦及白雲庵詩集抄本，因得以訪長春、迎風等橋，諸舊蹟，及觀諸故宅，樓屋數間，時當及其子孫十餘人居之，仍徘徊顧望。庵之南有澤，前四、五聚窩，可數百畝，倣一丈許，潴而折，折而潴，回光灰照，靈秀鍾萃，宜其達人者出焉。古鉗云：「硯池水映。」豈不信然。間欲爲公作一譜記，奈公冗不能援筆。迨癸亥冬，奉討塗山水寇，駐師雪江，再謁公祠，今時當等出諸譜系，僅見爛紙數張，寫先人名號而已。爰裒集衆見，並平日所聞，以爲之記，至於搜拾遺文，彙成篇以帙，垂示後世教，將有俟於能者。余惟失麒麟鳳凰，固宇宙之不常見也。然必遊唐宛鳴周藪，方以可瑞世。

公以明睿之資，抱聖賢之學，使其得明時行道，必能笙鏞至治，黼黻皇猷，變慢易之風，爲禮義文明之習，乃法宜輔王，而偶生霸世，所學弗究于用，惜哉！雖然用舍行藏，於先生何所損益？余竊有慕焉！生於莫土而試仕，欲公往之心，知其不可而亟歸，從赤松遊之智，即其玉色金聲，祥雲瑞日，浴沂風雲之趣，愛蓮採菊之娛，有若親身見之，而集之堂上，豈惟精於學理，藏往知來，百世之下莫之能違已哉。噫！先王傳至七、八之久，近而士夫民庶，山斗仰貼，千古如一日；遠而清使亦謂嶺南人物，理學有程泉筆之於書，而傳之於中士，公誠南國聖人哉！（武欽鄰所撰，初名欽鎮，丁未保泰進士，改欽璘，四岐玉執人，子武瑾，登景興癸未進士。）

梅郡公

評： 杖策從龍，運籌平莫，爲中興功臣，至於北庭詩賀忠悃蒙嘉都統辭討，耆老見重，黃甲公不負黃華命矣。「青翠」二字，轉回芫鶺 星，社稷倚重有如此。

馮克寬，石室馮舍人。父任東蘭縣尹，贈敦教伯，封大保公。以戊子年生，年九歲，乍戒色挽詞。十六歲，已擅詩名。順平庚戌年，杖策從龍，在內星奉侍鄭世祖運籌帷幄。辛亥，舉大兵攻莫。壬子秋試，中三場，甲寅丁丈，報寓居眞定隆中村。乙卯，徙居中拜。丁巳試中四場，奉侍成祖。先興庚辰科登黃甲，（時五十三歲）參軍國重事，密謀掃除逆莫，（六十歲空馮克忠，）僞莫滅後，奉準給本社爲隨行寓祿，榮封忠義內星竭節宣力功臣，特進金紫榮祿大夫，淸華處贊治承政使。乙未，授兵部左侍郎。丙申，奉差侯命，交關對勘。丁酉，奉往北使，歲貢求封。遇延壽節，公獻賀詩三十餘首，大皇御批，嘉其忠悃，即命刊刻頒布。又撰使程詩集。戊戌，再奉使賫貢，抗言不受都統職封，北朝重之，稱爲耆老而不名。（時七十一歲）庚子年，使回未至京，聞逆計，逆美與莫乾統稱兵，至聖駕後回淸華。即日夜兼行，時官軍勢屈，被圍在橋江市，經十日餘。公設計解圍，入淸華，奉迎聖駕回京，收復境土。辛丑年增給石室之鄧舍安山之虬，山等社爲寓祿及內星功臣田，並使臣田土慈廉之下姥，安山之黃舍等社共千畝，奉旨授吏部左侍郎，再授戶部尚書。壬寅，祇受梅郡公爵，公回貫重修柴山寺日月仙橋碑文，有人誣告濫相貴地，被迯流芫鶺處。（芫鶺，俗呼城南，在義安襄陽，夾哀牢，時公有撰林樂挽詞。）

時北朝占天星，相位有鐵，御頒青緞一匹，內著「青翠」二字，遣使牒送本國，朝臣會議，經十餘日不辨，奉旨差官就花鶻處召還。公奏云：「我久居深山，樂與禽獸為伍；多年不問國事，羞于入朝見君王。」❶再奉旨差官載回，公即辨「青翠」二字為十二月出卒字，北國知其我南有人，由是得安。

癸丑年卒，壽八十六，贈太傅，準給本村為皂隸，並使田。壬辰，再贈太宰，加封上等福神。

公微時有詠蚌詩云：「一介鱗蟲浮水上，非螺非　其名蚌，含珠勢武文才，吐霧吞波河海量，既倒狂瀾出力扶，方升紅日傾心向，江湖魏闕總知名，彼謠勢孤安敢抗。」又秋夜旅懷云：「對與秋霄編正遲，萬般心事有誰知，弓如白月窗前轉，箭似寒風帳下吹，愛國有懷頻八夢，讀書得句更吟詩，四方自古男兒志，肯戀重衾伴女兒。」公北使時，偶侍御駕出遊，因命公詠漁樵耕牧，即矢口云：「釣罷提筐山下過，一犁春雨傍牛眠。」大皇帝奇其才。（公為兒時，見一老人牽牡豕，詠云：「身瘦如柴露齒牙，平生性氣好貪花，通鄉續穀皆歸主，滿眼兒孫不叫爺，後屋未還叫前屋，東家牽引過西家，年年不了人情事，鐵索繩麻莫怨嗟。」）

【校勘記】

❶ 此段原為字喃，作「碎於𠢞悁𨖲狆犭，役國事拯羣固別，極監點朝」，今譯作漢字。

丁流金

評：馳馬拾地箴，打球祝聖壽，丁探花亦異人也。

丁流金，青林安逸人。十九歲登洪德丙辰探花，多才能，善騎射，技藝無不精諳。嘗馳馬，放一緡于地，再馳過，垂手拾之，不遺一文。

端午日，上御視競渡，百官多進詩，公辭以不能詩，乞打球以祝聖壽，如球之數，上愕然色變，強從之。公以手刺船，以左一足踏球，八、九十次，上始開顏，命少停，頒御酒，拜飲訖，復打百數十次，上笑曰：「如此足矣！」賞田三百畝于武崖州，公拜謝而歸。是辰，騎都尉三人，並有名才，管都力士公父爲之長，吳登庸名在第三，上嘗夢三都得天下。旣覺，疑公才名爲之長，且有令子，乃幷與第二都，並賜此，而不及登庸，不知三都乃第三都也。公因家變，逃入占城，不知所終。（仕至東關大學士。）

世傳公祖墓有神龍戲石球，故善打球，亦或有理。

阮御史

評：士豪累次得直公論斷以西，公誠廉直，人乃旣以回被屈，而復迎公、頌公、敬禮公，直道在人心，其不泯也如此。

阮茂，清河遊邏人，景純壬戌科進士，居官廉直，發摘如神，天下無寃民。嘗有士豪與鄉人爭訟，累次得直，公獨以曲紛之，其訟遂止。

後朝經日案，公不樂仕進，謝事東歸，辰監賊縱橫道路阻梗，公冠蓋堂堂，略無少憚，回至嘉林地方，見一簇軍馬遮迎，舉首視之，乃昔日士豪，僕從相顧，不知所爲，豪近前，請公下顧，公不得已從之，入其家，見几案整潔，熟猪炊酒，具置堂中，甚怪之。坐定，豪使三妻出拜，因言：「當今惟公當官耳，僕在村閭，聞朝廷官悉以爲廉正，乃固意爭訟，到處納賂試之，僕理甚乖，而各衙斷以爲直，惟公貨賂不行，分別是否，僕心甚服，今日至迎，蓋以相報耳。」公笑曰：「我秉心本無適莫，卿能諒之，多謝多謝。」豪留公宿，禮意款洽。次日起行，請以門下一百，奉迎至家。

後登庸受禪，以公留職，頗有廉能，再起復居臺長，仕至尚書。（贈太保禮郡公。）

阮簡清

評：天籟自然，眞有坦步登雲氣象。按：公爲黎朝侍書，兼東閣大學士，再仕莫至尙書，忠輔侯爵，是亦溺人底意，盡但女色累哉。

阮簡清，東岸翁墨人，（進士簡庶之子）登端慶戊辰科狀元。少遊學，一日講罷，天雨不得歸，師出對云：「雨無鉗鎖能留客。」公對：「色不波濤易溺人。」師批云：「此作大魁氣象，但爲女色所累。」又一生對：「月有鐮弓不害人。」師云：「此才不及阮生，而功業完美。」後皆如其言。

阮公敲

評：讀書何從，眞有聳空凌乎氣象魄，天生公已定登龍仙選，豈毋田閒捕魚。

阮敲，東岸扶軫人。既冠未學，捕魚田間，適見進士榮歸，問何以得之，人曰：「此讀書得之也。」曰：「讀書何難之有？」乃捨漁從學，年三十餘，登洪德庚戌科進士。（會元仕至承政使。）少時作貸，江州陳覺粟詩有句云：「不與涪陵春一斗。」師大奇之，以爲登進士，後果驗。

陶狀元

評：「遇女」是戲語，「進士何足第」是實語，古禮公胸中已把握魁元二字在手矣，豈但待馴諸人口爲。

陶師錫南眞人，陳隆慶甲寅科赴會試。出門逢女子，呵之曰：「我應試，乃遇女。」其女聰慧，即應曰：「公應試則第進士，婦人何干？」公罵曰：「進士何足第？」女曰：「不第進士，則第狀元。」公曰：「可！」是科登狀元。（自鄉舉至庭試並第一仕至內行遺）

近代東岸扶軫有一貢士，作鎮國家撫百姓賦有云：「堪嗟恩少高皇，忽負功多相國。」人皆傳誦，稱爲嫩聖。會試日，渡河舟子夜夢神告，來日有新進士過，可預船以待。是日，見貢士至，爲道前夢，且曰：「公今科必中進士。」貢士辱罵之曰：「進士何必中。」舟子不曉所謂，默然而已。後又有一貢士繼至，舟子曰：「似曩者公乎，僕方被了一場罵辱。」因語其事，貢士笑而當之，伊果登第，而罵之者終身不中。

又有一朝士，祈夢，神報以歸問村婦，得何語便是前程，朝士料婦人悍甚，問之必不好話，因用計。運婦以進士呼之，村婦不知進士何名？大怒曰：「君進士不可乎，乃以呼我？」朝士即應之曰：「可！」是科果中。豈非口舌亦有驗耶。

阮熾

評：禪師修積多年，買猪放生，慈悲一露耳。虎將公乃前日賣油公，和南父虎葬地，發福亦速，十二子郡公，發福亦大，若無斷傷龍脈，未知福力當如何。

阮熾，眞福泰舍人，先父値陳亂，住持本邑寺，作和南禪師。每夜鷄鳴即擊鐘，焚香誦經。有屠人居寺傍，據聞鐘聲便起宰猪。

一日，伊買禮猪，不覺懷孕，是夜，禪師夢見一物，哀請曰：「願公今夜勿擊鐘，救我父母子命。」禪師從其言。屠人不聞鐘聲，及起已平旦矣，此猪隨產八、九子，禪師奇之，盡買猪母子，生放于山。數月，禪師爲虎負去。明日，家人追尋山中，已見一大堆塊，有識者諸謂得虎葬大地。

時阮熾年十七，家計單寒，迻就清華方賣油爲業。至東山縣，天已暮，傍無民居，望見山上有一廟投宿。夜二更，聞車馬聲來，邀廟神同上朝玉帝，今夜有立安南眞主事，百神悉集，無可欠缺。廟神曰：「我爲有貴客寄宿，請諸尊行駕，但有所聞，許得知悉。」四更末，聞有聲報曰：「今已立安南帝矣！其人即瑞原縣藍山社，姓黎名利，許以申月日時起兵，十年而天下定。」已而鷄鳴，熾急起，尋至藍山，具告以事。

時黎祖手下已有三、四百人，方在養晦，聞熾言，七月起義旗伐明，後熾以功賜國姓，封元國公，（爲創業功臣第一。）歷仕太宗、仁宗朝。又以誅宜民屯般功，後賜中興功臣第一，子十二人，皆受郡爵，位望極盛。聖宗忌之，陰使風水師還蔡舍，開禁江，以絕龍脈，龍身出血三日，五中尉同日暴死，後子孫漸弱。

李太祖

評：李以前詩界未開，所學放寺僧，想亦騷壇未築，這吟可見帝王氣象，又可見天才。

李祖，少時有小過，其師縛置之地，吟云：「天爲衾枕地爲氈，日月同窗對我眠，夜深不敢伸長足，只恐山河社稷顚。」帝王氣象，見於此矣。

陳會元　劉廷元

評：劉狀元，而官居鄧陳下，陳會元，而庭試又居劉鄧下，官則下於鄧上於劉，任昂斤兩豐嗇銖錙，天工秤衡人，微露玄機於夢矣。

黎玄宗景治庚戌科會試，四場畢，掛榜日，諸中場及詣觀榜，憩門肆。肆婦忽然語曰：「適見貢士，復憶夜間夢矣！」共應聲曰：「何夢兆？當爲說明。」肆婦曰：「妾夢見皇上御殿唱進士，名此中有公派（青休航苛人）名乎？」公派曰：「吾也，汝見中第一乎？」曰：「願公無責，妾見一人首唱阮公派，一人在旁秉筆抹之，謂此子無行，宜削，遂唱別名，乃陳世榮。誰姓陳名世榮？即今第一名也。」陳公躍然曰：「吾是榮也。」婦又曰：「妾見唱名甚久，今科進士所得必多，諸公第驗之。」未幾榜出，會元果陳世榮，（先園相州人，及庭試中同進士。）所取共三十一名，視中興以來諸科爲最，而公派更終身不弟，後以奉講王儲，有功進朝，仕至左侍郎，致仕，壽八十餘，贈尚書。

夫阮公官階福祿，求諸大科，中亦不多得，而造物更靳於甲第之榮如此，可見科名最重，豈易得哉！及庭試前一日，有人夢見天官在坐，較定名次高下，先已取鄧廷相（彰德良舍人）狀元，適劉名公（青池芳烈人）在前，乃更議，以其見面爲狀元，中有一員曰：「狀元已許鄧，復許劉，得無不可。」坐中議曰：「第許劉，當別以他物贈鄧。」其人覺而誌之。庭試日，鄧公文宜第一，但白字舛字最多，降三甲同進士，而劉果中狀元。未幾早謝，鄧仕至太傅國老致仕，起復歷大司空十餘年，再致仕，壽八十六歲，子孫四尚郡主，朱紫瀚朝，福履之盛，近代無北。

噫！以鄧公如是之福祿壽，僅足償狀元名耳，名者古今之美器，詎不信然！

有尚書官，未第時，祈夢，神謂曰：「汝六十始登進士。」覺即題云：「讀書萬卷事無疑，三十折桂正適宜。聖人不知此中道，六十尚書應可期。」❶是科果登進士，時年未三十，六十歲果至尚書，夢有以反說應者，神理因微妙也。

又有朝士會試祈夢，神報云：「爾三十方得第。」覺亦題云：「今科進士我爭先，奪魁何需而立年。神明雖知此中道，成事在人豈在天。」❷是年年果中進士。

探花武䁍（廣安丹鑾人，登正和乙丑科。）獸師門內有二人同鄉者，應試日，以名次高下相爭。公聞之，偏寄一人詩，有云：「風餘萬里天猶挾，肯與鵪鶉覺一枚。」後此人連登，而所不寄詩之一人則流落不偶，遂有（大□□之別。豈非詩讖耶。）

海陽唐豪婦人，以柒工為業，生一男，夫早喪。有北明師許吉地云：「這局三年內天子到家，大發富貴。」

洪德年使北來册封，令坊庯外家，一新粉塑，各掛對聯，以壯觀瞻。夜間，帝微行，見染工家獨無對聯，入其家問之，伊婦對曰：「老身只有一男，遊學他方，借人甚難。」帝曰：「我為汝代草可乎？」曰：「敢不如命。」遂命索筆紙，寫一聯，云：「天下青紅都我手，朝中朱紫總吾家。」明日，梁狀元入朝，見之，詰問是誰做此，老婆以實封。梁公入奏曰：「今聖人在御方，德祚方隆，臣觀對聯，的是天子氣象，不審如何？」帝笑曰：「此夜間朕所作也。」

梁公謂天子到家，白屋發公卿之象，梁公遂以女嫁于老婆之子。至肅宗朝，老婆子中進士。

有朝士天資最敏，童時遊長安，見一達官女，拍抱其頸，由從者執詣達官。謝曰：「僕見女甚好，愛之，不覺誤犯。」達官見其容貌異常，問：「爾已讀何書？」對曰：「讀大學。」達官曰：「爾既服罪，可作供詞，方得赦。」即援筆供曰：「但爲氣稟所拘，物欲所蔽，則有時而昏。」達官驚訝，以女妻焉，後登進士。

有一伶人，在李朝。帝將遊幸，嚴裝已畢，羣臣諫，皆不聽，其伶人諫，亦不聽。曰：「陛下不聽言臣，臣願投水中死矣。」言訖，即投于河，隨後出，上問之，對曰：「臣入水中，遇三閭大夫，謂臣曰：『我逢暗主寧先去，汝遇明君盍再來。』」上悅，爲之罷幸。此其俳優類東方朔，惜史氏之不載也。

尚書武脫，顯（嘉福褒中人，登吳大正戊戌科進士）有敏捷才，矢口成文。一人求墓誌，文公問其父腳色如何？曰：「殳業材棺。」公應曰：「生爲材棺，死入爲棺材；生其也榮，其死也哀。」命其人依寫而還，其嘲謔類如此。

黎中興後，文勢日劣，士子入試場，羣聚行文，鍊成一體，皆依此寫入，合體者考官撮取，不泥重見，只以一字之異，置之優分。又閱文，以白字舛字爲重犯，全篇文體優長，而一字舛誤，亦見斥。有一卷，今體寫：「上有可爲之君，下有可爲之君。」拷官謂可斥無疑，一官戲曰：「上君字，皇上也；下君字，王上也。」考官聞言愕然，更取中格。嘸！榮進有定數，非偶然也。

又一科應制五言詩齊字韻，有一卷，時欣逢一治臣幸娶三妻，當時傳以爲笑。然辭雖樸野，氏則忠厚，其視時粧文體之浮薄，正所謂亂世文之者，何啻千萬，文章司命者，豈可以鄙俚藉口哉！

【校勘記】

❶ 此段原爲字喃，作「冊熟文能事拯疑，勔𠀧进歲杜時皮，神人拯別麻哏丕，典老进時包尚書」，今譯爲漢字。

❷ 此段原爲字喃，作「進士科尼些𥘷解，事之麻待𢀨𠀧进，神人拯別麻哏丕，掝於得些罰於丕」，今譯爲漢字。

白雲庵採遺

程國公，深於易理，預算四、五百年後未來之大氣運，具存識記，事至無不應驗。餘如小說，傳播人口，亦皆見其術之神焉。

公正祠在白雲庵居址，公生辰所築也，二百餘年，至本朝明命歲癸巳，有海陽匪渠，冒稱公後。事聞，旨下毀公祠祀。時護督官阮公著奉命來，見碑文有：「毀我祠者，不得預於斯文」等字，河漢視之，及毀至屋樑，上有題云：「明命十四，繩著破殿，破殿時吏吏殿，塡弔埃坋勢爭權之埃。」即停毀，具實陳奏，後拿獲伊匪，訊之，則非公後，復命修還原祠。

又公豎一碑在墓間，碑背刻云：「布踞繩可打我碑騷，罰古陵三貫。」後果名可，父子掘鼠獸，穴在碑側，碑遂覆，鄉民來看，見有字云云，無不驚駭，罰責三貫，命起豎如前。

昔公卜遷，（某）墓墳在平田之左，其右邊亦開下，虛置一小棺，內藏一磚石，刻云：「此地三百年前脈行于左，三百年後脈行于右。」何謂聖人無眼，平以土不封。本朝紹治年間，有北客地師爲人擇地，看認此局，笑曰：「傳聞程狀元聖人，乃點穴猶娛誤，可謂無眼，」遂遷于右邊。及開深見之，始嘆曰：「公眞聖人也。」

公寫一片紙，封在小筒，臨終時交子孫藏守，不得開看，俟至某年月日時遞呈本縣官。迨七世孫（某），依期奉納，縣官慕公盛名，聞公有遺書來，即趨出外堂接問，出後，寢室內墜下一樑，正在縣官坐臥處。及展讀，見有字云：「我救汝上樑之厄，汝救我七世之貧。」縣官敬服，親來公祠，具禮拜謁，其晨孫蒙辰辰周給焉。公之事狀，詳在前記，茲略補其所聞之一二云。

南天珍異集　卷二

湖口靈祠

評：河內還，義安數劉地下擲國宦三連，護焉嫉邪，聲靈赫赫。

祠奉昭徵大王也。王乃黎太祖之姪，欽差義安鎮守，有政績，人思其德，立廟于義安興元縣湖口社之江滬，號「昭徵大王」（或謂後降生于嘉福縣段松社阮復。）乃南國上等最靈祠，義安瓊滔香芹聖祠居其第一，而此祠則第二也。驩州風土記所謂：「湖口留召伯之棠，皇姪德永垂于萬世靈。」也。

景興丙子科開鄉試科，五月節興元福田士子自京回應試，天已暮，欲投宿于黃梅館。忽見一團車馬，自京都出，士人將屏避之，聞轎中有聲，問曰：「汝輩甚處人？暮夜獨行。」對曰：「某等乃義安興元人，考期在邇，爲此匆忙，以應選耳。」曰：「汝與我同縣，當隨我同行。」士人應諾，遂隨轎後而行，未曾交一言。鷄初鳴，謂士人曰：「汝姑宿于此，不必勞隨我也。」黎明急起，則湖口地界也，驚惶背汗，已而至家，因言其事，莫不嘖嘖稱奇。即宰猪具酒，詣廟拜謝。

甲午年，內監快忠侯奉差公幹，至湖口撥取社民丁夫，往過天祿地分，大王大怒，直御下船，過浮石江，船無棹而疾行如飛，頃之，快忠侯來拜伏罪，若有人執縛之狀，王大罵之曰：「汝以閹宦刑餘，藉以奉差之勢，擾又安之民，復來擾我皂隸乎，死有餘罪耳。」乃使部下捉擲快忠侯于地者三，快忠惶恐，登辰即放還丁夫，宰牛具禮，詣祠謝焉。

螺大王傳記

評：陳楊以監生能，戲封得螺神，螺以上等神不能保舉進士，可知大科天以待大德象，私恩不得而奢望。

昔黎聖宗洪德十二年，乂安宜春陳監生，天祿楊監生，赴京會試。至玉山壕門，得一大螺，戲作敕封「螺大王」，置壺中，放于水。

是年，二監生入場，皆落名，留京三年。及回，到伊處，見殿宇崢嶸，廟貌巍峩。憩于館，問老人曰：「此處三年前只見一堆平地，今遽見一簇樓臺，何昔無而今有也？」老人言：「三載前有二士人，獲一螺，戲封爲神，數日餘，最著美異，故伊社立廟以祀之。」言未訖，忽見一童女致辭于二人曰：「吾奉主命，迎兩官人。」二人隨至伊廟，螺神方御正座，下堦迎接，二人坐于左，神坐于右，曰：「妾以南海龍王之妹，偶因他事遠行，遽爾迷路，從水潮來，幸遇二公之靈筆也。」乃命守祠人整備酒筵嘉殽貴品款待。二公曰：「大王最是英靈，凡諸士人應考之事，可前知乎？」螺神曰：「定取進士，乃天上之事，與龍君不相干，但三年一期，玉皇敕委星曹，下水府取士人簿，察其文章德行，觀其祖父陰德，然後榜放于天門，這事妾固知之，二公如欲識來科應舉之事，可於來年正月到此，妾願以二公保舉，庶可報萬分之一。」居數日，二公辭歸，賜之衣一襲，錢百緡，曰：「乃潤筆之資，可供行李而已。」

尹辰洪德十五年正月，二公踐其言，往謁伊廟。螺神請二公姑寓此，俟妾報信。螺神乃往謁上帝，正是公同取進士始得十五名，螺神以二監生保舉，南曾命取簿觀之，宜春陳監生之父，家資巨富，用心堅密，不曾救一人之貧。天祿楊監生之祖爲知縣，顚倒案詞，出入人罪，但以二人努力讀書，皇天不負，應至縣令矣。伊神歸，具以報告，且言今科甲辰進士四十四名，狀元乃嘉平平吳人阮光弼，二公不與焉。後出榜，果如其言。厥後二人皆至知縣，果如神之所報云。

杜林潭記

評：女色傾國傾城，亦傾靈祠廟宇，朱冠神雖能興波漲水，猶難逃霹靂之誅，況藉小小威勢，以漁奪人婦女，不顧天刑乎。

乂安興元縣杜林社，本是平地，忽然突出一潭，廣濶四、五十畝，最著靈應。鄉人立廟祀之，敕封上尊神。每年春祭，府縣官欽命就祭，時擊鼓三通，則潭水漲溢，蛟龍魚鱉亂掉水面，不可勝數，祭畢盡退。

景興戊戌年，京北人偶優名帶玉，就倡歌於杜林亭，其妾甫二十歲，姿色甚美，夜半水漲至亭前，襲取伊妾而退，其夫不勝憤惜，齋戒三日，作檄文焚之，奏于上帝，頃刻間，雲霧四集，風雨雷電大作，霹靂聲振數千里，打於潭內，大小魚鱉盡爲浮死。雨霽視之，見蛟龍大十圍，長十五丈，頭戴朱冠，抱伊妾而死。帶玉負其妾歸葬焉。此潭嗣後不復靈應矣！

前劫輪迴傳

評：鍾情鬱結，此魂魄耳，何皮間字跡，亦現于來生耶，化工之巧，令人莫測。

尚書吳致和，東城理齋人。少辰遊學京師，舍于另兵之家。家之隣，乃仁睦社兵番，有女年十八，見公而悅之，遂有朱陳私誓，伊父母曾不之覺，嫁于本鄉人，女不肯從。至聘日，夜三鼓，女到公家自縊，公惶恐，不知所行，暗掘床下，以硃寫于妾之右臂，曰：「此緣今未了，再結後生緣。」而埋之，夜深寂寞，無人知者。

自後公托以他寓，而兵番之家亦不知其女安往，迨光興十五年，壬辰科，公中第二甲進士。六、七年，公爲山西參政。門外有女十六、七歲，賣芙蓄，公家人常見伊女右臂有此詩二句，入以告公，公命召看，則宛然公之詩句字跡也。公乃喚伊父母，具述緣由，以幣聘之，納爲繼室。辰仁睦兵番爲山西丞司長吏，聞公道來，始覺其詳，公以事出希奇，頗亦敬待長吏，有好事者，呼長吏爲「假婦」翁，公爲「假女壻」。

又參之良才縣良舍社尚書武瀵，少年初中監生，娶東彥翁墨掌六部尚書譚琚之女，甫十六歲，結髮半年，而譚女沒。公甚哀痛，以硃書于臂曰：「尚書之女，監生之妻，子其曷去，予懷之悲。」光寶丙辰科，公中第二甲進士，十年爲山西參政。安樂人有政，安樂有一女，始嫁，琴瑟不調，伊女告背其夫，歷府縣復翻于參丞司，公之家人見此女有數硃字，問之，伊女母言，女初生辰，已有此痕跡，農夫面牆，不識是何文字。彼密記之，以告于公，公曰：「此我妻沒時我手所書之詩句也。」命看，果然，公遂爲納次室焉。

四子登科傳

評：公剪一荆棘，種得丹桂四株，天假公以虛禍，正表公以榮封，有此線針始能織東西南於四□袍，爲一家領袖。

清花農貢有一人，少辰任情豪俠，不爲小節。鄉中有郡公之子，挾以功臣之勢，凌轢鄉人，強娶人女，白奪人財，鄉中苦之，無所控訴。伊人不勝懷憤，夜入彼家，懷刀刺伊郡公之子而死。明日，辭別家人，遠赴山南，至天本，寓富翁家傭作。富翁女見其人伶利，私與之通，已而有娠。三、四月，富翁窺覺，即逐去不容，後生男，遂編已姓名、貫址，留遺這女。而之海陽居安陽市，以商賈爲業，娶陶氏之女，再生一男，而琴瑟不調。去之京北良才，復娶伊社人女，亦生一男。數年又去之山西石室，娶潘氏之女，又生一男，且以不習風土，去而居京師，以傭生涯。及後四男長成，皆中莫朝進士，不知其父之蹤跡處，存沒如何，但私記母氏所言，知具姓名、貫址而已。

迨伊人年近八旬，被他人嫁禍，繫于御史獄，是時，南天本人爲都臺官，安南陽人爲副都官，良北才人爲僉都官，石西室人爲監察官，皆出公堂勘問，見伊老人，相謂曰：「吾觀案內，此人必是被誣，且老耄底人，情屬可憫。」君問老人：「春秋幾何？生有幾子？」對曰：「臣少時放浪江湖，周遊四鎮，曾得四男，已久不復往伊處。今年近八十，只記縣社而已，不覺諸子做得甚麼藝業。」四官命詳言貫址，及所娶之妻在某處，老人一一歷陳，具以實道，四官駭愕，相顧而視，並抱老人大哭，曰：「此實吾輩之父也。」以其事聞于莫主，莫主召問，賜以衣服，封三品官，數年而卒。

南華木匠

評：構殿必求巧匠，誦經必求僧寺，水府與陽間一理，何必文華然耶。

青漳南華社，有木匠最巧，構作南華亭，既成，規模制度，向背如神，觀者輻輳，稱爲南國之魯班、離婁。

一日，升坐堂中，見二人前來，致辭云：「吾奉龍王之命邀君。」匠人將欲推托遠避，二人曰：「龍君見召，縱然不來，其禍不淺，且新殿構成，復得返回，何苦辭避，枉招深害。」伊匠遂囑付衆工，修備器用，即日隨行。終至江次，二人撥開水面，引匠人入江，如履平地。不半刻，已到殿門，王坐殿上，喚謂曰：「朕欲構一殿，材用已具，聞爾巧思出倫，當爲朕製成規矩，落成後必有重賞。」乃卜日工築，命構正殿十五間，皇后宮三十間，太子宮二十間。此至三年，工役甫畢，伊匠即求還，王賜以一盒，封緘甚是固密，且謂之曰：「陽間陰府，境異情殊，龍宮之事，愼勿輕洩。」遂令二使送還。少頃，已至家貫。先是妻子，自見被邀入水，想無復還之理。三年衰絰喪制甫滿，將擇日，潭祭矣，至是族屬鄉里，聞者咸就質問，匠人亦默然不敢露。及開盒視之，則明珠三十顆，伊匠即日帶珠采京，平價發客，辰有波斯國人來商，見珠謂曰：「此老龜脫殼之珠，非塵間所有，必是龍君貴物。」定價每顆五百緡，匠人順賣二十顆，得錢萬貫，存留十顆，私自珍藏。從此家資富盛，爲一縣之甲。迨匠人七十五歲，卒與妻子具言前年入水作宮之事，一一明白，訖言而死，盒中之珠，無故盡失矣！

因以此傳，參之青池縣裕泉社有僧住本寺諳通佛戒，龍王遣鬼卒迎至水府，設壇場齋戒，誦經七日夜，方得放還。時亦贈黃柑一菓，回到寺視之，則是十成黃金矣，値價數千，遂成巨富，買田一千二百畝餘爲伊社后神，又捐錢一百貫，以供寺中香火，二事亦相類焉。

俗傳水漲時，多見稠木大筏，順流於江，上有草識，蓋龍王所取也。又娶陽間女，則夜暴漲水至女家，即迎女下水去，且見金芙椰置在家祠上，爲婚禮，噫！水府又別一世界哉。

鬼母報復傳

評：母雞子鴨，俗諺，口門鬼母常情。大抵皆是然，未有獅子吼之。陳氏者，施報即在眼前，可作蘆花一鑑。

鬼母，即繼母也。（周尹吉甫娶後妻魁氏，魁氏鷙捍，待前妻子伯奇甚孽，伯奇謂人曰：「吾當具此。」鬼母蓋借魁寫鬼也。）昔羅山阮監生，娶前妻，生下三男，年漸長，皆不廢箕裘之業。前妻沒，娶鄉中女陳氏爲繼室，陳氏妒而鷙，監生不能制，所言皆從，人皆笑爲獅子吼。陳氏謂監生曰：「家有男子，不早爲之料理，而焚膏繼晷，兀兀多年，倘遇凶歉，將何所賴。」命撤其學業，長長另入山採薪，次男入水捕魚，季男爲人飯牛，兄弟不勝辛苦，一惟父母是承。採薪者具身黑；捕魚者其髮赤；飯牛者其體癯；不曾爲蘆花之憾也。

數年陳氏生男子，伊兄弟相謂曰：「吾父已有嗣，吾輩可以逝矣，不然廩仄井泥，噬臍何及。」乃相與逃於山南之外，居於膠水市，晝則傭借以共食，夜則兄弟讀書，深更不輟，鄉人叩其所行，以則秘而不言，莫不奇其事，而愛其行，人爲之構效間茅屋以居之。一年間，錢飛入室，得三、四十萬，鄉中富翁以女妻其兄，伊兄弟同居，營立家產，大開園宅，瓦屋效十間，田有五、六畝，爲縣中巨富家。

却說陳氏生男之後，監生沒，家貲罄竭，無所依靠，携子乞丐於山南膠水，入于伊富家，自乞爲奴，以澣濯子牧牛以糊口，富家許之迅於灶室一年許，富家兄弟不曾適厨灶，莫之識也。一日，陳氏澣衣，遺失絹衣五領，富家之妻性鷙酷，治以負打之衆，適富家夫就灶，見而問之，其妻以實告，富家夫聞其言語則乂安之聲，看其面酷似陳氏，心頗疑之，乃使釋其罪，甘言撫謝，細問根由。伊言：「乃乂安羅山人，原嫁阮監生夫君，前已三男不知何所之，二十年來沒無音信，妾生獲一男，不幸夫沒，家計單寒，故捐身至此。」遂覺陳氏。明日，命妻賜十貫，衣一襲，任使母子他適。陳氏不測其故，問伊社人，道來始末，始知伊乃夫之子也，慚憤而死。

富家兄弟，始聞父喪，裝載財貨，歸行喪禮焉。

客人埋金傳

評：北客用生人為財神，宅心祀大忍哉。監生妹家福基洪設，忘出其檻穽。

北國廣東人，姓黃，居山南金洞來潮灘，財貨敵國君，第宅甲公侯，金銀珠玉以億萬計，聞縣內有監生之妹，頗有姿色，年甫十八，以百金買之。

三年，伊女歸省家親。監生問曰：「汝嫁夫三年來，子息何晚？」妹言：「自于歸之以來，彼別設一床，未曾與之言語交合，凡魚肉葷菜，不許之食，只惟三月一新衣服，獨居而已。」監生曰：「此人他日將以汝為守財之神，定無疑矣！但汝所見，伊客家人所做甚事？」妹言：「前此暮飯訖就寢，而今數月來，夜見伊父子，持錘擡磚而行。」監生曰：「期已近矣。」即遣妹還，密以麻子與白芥子一封，授之曰：「係見將汝行埋，宜密播此麻芥于地為誌。」自是監生往往到客人之家以探之。

後十日復來，妹不在家，問之，則曰：「前數日命彼赴京討買行貨。」監生默然潛出後園，看見麻子芥子已孳矣。即入鎮守官，具以事訴。鎮守官即率員兵五百，迅行拿捉。監生先導，入其後宅，認麻芥跡，行至五十丈許，見一庵，泥塑甫完，必是此處無疑矣。客人爭辨不肯，鎮官命兩邊作供詞，客人強固不從，鎮官即命開掘，上面見覆以木版，大倣一間，外用鉢塲磚，泥以石灰，融液堅固，員兵開破具中，果見兩燈火尚未絕，女人坐于石椅上，緘其口，內含高麗參，絹縛兩手于石椅；女之兩足踏兩大盂，題曰：「壹千斤。左邊大盂十，右邊大盂十，每盂題曰：

「五百斤。燈檠二架，純用金銀。問伊女人，被埋幾日？曰已二十日。鎮官以這銀財一分許伊女，存納入官，重罰客人。

立石得金

評：馬騏所藏皆不義之金，金自埋中，欲躍出矣。三足白犬，豈難索哉！既富矣，又求郡公，卒富貴不祥，可爲不知足者戒。

山西立石縣，兄弟二人。家極貧，居于山下，日賣柴爲食。家有犬，生出白犬三足，人皆以不祥之物，命棄之，伊不肯。

一日，有北客人，土木形骸，乞丐于其門，兄弟以飯款待，頗有眞誠。客人曰：「我乃守財神，來試君耳。前者，明馬騏於此處埋藏金壹千斤，銀叁萬斤，使我管守，期以百年內來取，今已滿期，無人來認，吾欲去而歸，但惜郭家金穴不知屬誰家？今見爾兄弟有心敬我，我願以此財許之，但得白犬三足，然後可。」伊兄弟出犬以示之，客人曰：「此天之所以賜汝也。」乃命宰肉，指於某處以祭，已而客不見。忽見石門析，金銀山積，兄弟取之以歸。

辰莫登庸始僭位，二人懷金百斤，銀千斤，因內臣以上進，爲賀新君登極之禮，登庸大喜，封二人爲郡公。二人既得封，大開園宅，營立貲產，富敵公侯。二年後，見北國五、六人，就埋金處僵臥大哭，二人問之，彼等曰：「吾乃馬騏之後，昔年吾祖埋藏金銀，現有識記遺來，不知今被何人掘取盡了。」二人曰：「我輩得之也。」客人曰：「取此必有白犬三足，方可得之，公輩安得此乎？」二人曰：「我家前生白犬三足，人以爲怪物，欲殺之，我固不肯。」客曰：「然則實天之所予也，三足白犬，惟廣南有之，今產於公家，非天予而何？」已而北人歸，二人以金叄十斤，銀壹百斤，贈客等爲行李之贐，客拜謝而去。

厥後黎氏復國，鄉人訴以二人得財進莫之事，朝廷封識其家，田產財貨盡沒入官，其子孫仍復飢寒本色。

夫陳末失馭，明人來占我強土，盡掠我財貨，崇積私藏以遺子孫，而莫用之於前，鄭用之於後，南國之財貨，復爲南國人所有，天道安可誣哉。

惜鷄埋母

評：重雞不知重母，埋母不覺埋身，八字篆形可當春秋斧筆；一聲雷舌，可當勸孝千萬言。

昔有海陽清河人，居于京師之侍中後軍坊，家養一鷄，本是善鬪的物，十分珍重，飢必飯之，寒必衣之。

一日出外，囑付其妻：「爲我愼保此鷄，否則汝之命即鷄之命也。」不意鷄入排灶，婦持小刀擲之，偶中其頸而死。惶恐泣，謂姑曰：「妾不幸打死此鷄，良人決意不容，但妾有娠已三、四月，安得保有母子之命乎？」姑曰：「汝無憂，我以身當之，子必無害母之理。」

越二日，其夫歸，甫入家未坐，即問鷄何在？母以翁言誑之，此人怒氣勃勃，面色如藍，謂妻曰：「汝早養飯，乃許伊婆飽食。」食訖，手持揷先行，遣婦以繩牽母而去，出鎭武館塢門外，掘開一穴，將以葬母。掘穴甫畢，天大雷電風雨，霹靂一聲，打死伊人于穴邊。京城駭聞，觀者壁立。時有古都進士，尙書阮伯璘，自家赴京，過此，謂家人曰：「天高聽卑，信有之乎，但吾常觀洗寃錄有云：『凡人有被雷拳者，以醋洗之，則輩後見著其罪如篆字。』」即命以醋洗之，果見輩後有形樣，曰：「惜鷄埋母惡不容。」

噫！異哉！可不爲愛物忘親者之戒哉。

演州太守記

評：霹靂舌環，□得十七年貢士，然觀指罵之辭，則前生與守公爲讎可知矣。後之生兒多製金銀環，本此。

太守公，羅山人也。娶妻楊氏，產下六、七番不成，及到演州任所，妻復懷娠，已七、八月，夜夢神人告曰：「明日許汝霹靂舌，來月生男，可用此鐵鉗其兩足。」且果得之，已而生男，命工作兩環以鉗之。

長五、六歲，穎悟非常，命名金錫。十七歲，鄉舉中貢士。一日，訴于父母曰：「兒今已弱冠，又得濫預生員，豈有前刼輪迴之事，而長帶鐵鉗，如囚人之狀，以取朋友之笑耶！」父謂其言有理，即命折去，自然金錫僕臥于地而死。公不勝哀號，爲之服父母之服。前此金錫在時，村之鄰有一女賞芙蕾，往來甚熟。一日，太守往過此處，女見公著服制衣，怪問之，公曰：「新監生死已三月矣，汝不知之乎？」女曰：「僅數日來，監生現在公，何言之異乎？但今監生已有車馬童僕，殊非前日，不知作何官樣。」公以爲誣，女言：「後二日早時已訂再慾，公可於是日預伏家中觀之。」至日，公依約來，伏一更許，見金錫果來坐此，女因謂金錫曰：「有太守在此等候多時，」金錫見公，指其面大罵曰：「汝縻我十七壓世，惟恨不斬汝，又何面目認父子爲也。」言訖，忽不見，公即於此解却衣服靴笠，盡焚而還，自此不復哀痛矣。

吳俊龔傳

評：月下放虎，猶爲天門所不取況，使二命之啣冤耶，薄情與解元虛負一生神童名矣。

吳俊龔，膠水堅牢人也。少有神童名。二十一歲，中山南鄉試中解元，以善文鳴名京師。長安有「俊龔俊異，天下無二」之謠，人以爲金榜可指日而取也。

俊龔寓于同春坊，旁鄰有知府之女，聞俊龔名，頗有相親相悅之情，女貌郎才，兩無禁忌，山盟海誓有百有長篇，遂與之私通。女有娠，周歲而生男。來年，俊龔結婚于管軍之家，而伊母子不復認焉。伊女入則父母痛楚，出則鄰里譏嗤，伊母子不勝懷憤，遂投于珥河而死。

是年會試，俊龔對策文理宜第一，主考官永治丙辰科黃甲福壽，南安人，阮進朝方睡，見一婦人抱子，謂曰：「此卷乃堅牢吳俊龔，但伊薄行，殺我母子之命，若此人得掇科高，非天門放榜之意，而惡者亦無懲矣。」考官驚起，見伊卷已被墨淋漓，字字不可辨。乃以事訴于提調貢舉官，糊名觀之，則膠水堅牢吳俊龔矣。於是，俊龔無復有科舉之志，居家營產，子孫亦僅幸足焉爾。

天祿潘廷佐傳

評：「千古罪人」對與「兩朝宰相」固佳，或去原句，改作「來生乞丐」尤佳。有云：「欲試前生緣，看今生之身；欲試後生緣，看今生之心。」信哉！

潘廷佐，天祿芙蕾人。中黎憲尊景統二年已未科黃甲，歷仕憲宗、威穆帝、陀陽王、襄翼帝、恭帝，官至吏部尚書蘭川伯。

是辰莫登庸迫恭帝禪位，乃賂廷佐金百斤，與武江狀元黃文贊陰作禪詔。登庸僭位，以廷佐爲相，官居一品，每出外，則匾題「兩朝宰相」四字，使人持之先行。辰有士人，教童子造作紙鳶，於紙尾寫「千古罪人」四字，每伺廷佐之出，則使童子持鳶隨後。

廷佐死後，閻王論其賣國罪，奏知上帝，定復降生作馬，廷佐自思，作馬被人驅鞭大辱，但天網無可逃之理，自請爲乞丐，閻王許之。時芙蕾老人以販椰赴京，泊舟于章陽社渡，有一人著衣襤褸，詣船乞食，見老人謂：「公非芙蕾人耶？」老人怪問，曰：「原與公同鄉，名潘廷佐也。」老人曰：「君前日官居鼎鼐，何乃著此模樣？」其人揮淚答曰：「我以舊朝尚書，死後天庭論其叛黎從莫之罪，降生爲乞丐。今遇鄉人於此，想亦得一飽。」老人認其形狀，酷似廷佐，厚賜錢米，其人謝而去。

陳伯敞

評：身居塵世，職預天曹，朔望日死期，廿九年貢士異人異事難測玄機。

陳伯敞，天祿土旺人。年長不娶，惟耽心翰墨。時遊京師，屢屢夜死而旦復甦，家主疑其中風，邑再化風，每爲薰灌。敞乃實告曰：「我本無病，惟每月朔望日，上朝帝闕，公同議天曹事，自援見臣復然，但須著衣冠，燃燈候醒耳。」家主信之，自是月以爲常，不復驚懼。

每朋友來看，多問以天上事，則秘而不宣。或問：「吾兄歷遊天曹，則已身功名，國運隆替，可得知乎？」亦云：「天機秘密，不敢洩漏，惟我於二十八歲領鄉考，二十九歲復還補天曹舊職，鄭亡于丙午，黎忘于戊甲，存我身之後之事，不必贅，至景興戊子科鄉試，中一舉已丑年三月而卒。

乂貢士

評：借親黨之資財，以買取袍笏，靜香閨之獅吼，以決志登龍，二人之用心，示良苦矣！

乂安去京甚遠，貢士每至點試期，行路多費，常爲之語曰：「二年死三牛。」言所失多矣！有貧士屢舉不第，自度來科力不能行，乃生一計，除夕待人定辰，把銅鑼潛工高樹，擊三連，大聲曰：「我是天門放榜使，府縣社姓名，今科中進士。」聞者咸異，明日各來報喜，貢士佯言：「任是天榜，我資用窘乏，奈何？」人皆勸之行，至期，各資以行賭，是科果中進士。

又有一貢士甚貧，其妻許以只應一科，不第則罷。及試，落名。夜回，至三更，潛上家屋，帶甕語喚的妻名曰：「我乃土神，爾可伏前聽教。」其妻驚訝，整衣就堂前拜跪，謂之曰：「爾夫今科中進士，則爾死，俟來科中，則夫婦雙全，爾意定何？」其妻請曰：「願遲至來科始中。」拜謝訖，就寢。貢士潛下，就他處宿，來晚衣家，其妻見回，急問，其妻貢士作悶不答，再問，曰：「落名矣！何問。」爲欣然曰：「好！好！今科落，來科中，何悶乎？」因語以土神明告事，貢士亦佯爲之喜，來科果中進士。

仁惠王祠

評：兵變屢經，鐘簴無恙，王雖貪鄙，亦得太堂卽墨之靈。

仁惠王祠，在至靈縣靈江社，祀陳慶餘王（初被譴居家，迨聖宗幸至靈起，復大用。），俗傳王屢著靈異，前代常於祠旁考試士子，策問國史，有譏刺諸臣，或問當何所指？一人謂總論有云：「陳慶餘之貪鄙，此公可譏。」夜夢見王責曰：「我何負於卿，乃以爲刺？」其人覺而驚異。近日地方經亂，廟寺多被撤毁，凡近大江，無一存者。王祠在江滸，有奸賊侵犯，登祠即昏倒而下，繼登之亦然，舉大銃射之，兩次皆不發聲，遂不敢犯而去，至今靈祠巍然獨存。

國父祠

評：江南亢高，非新雨澤也，顯神靈也，此與桂州祠半雨半晴相類。

祠在至靈傑特社，乃陳朝國父上宰公陳國瑱故宅也，宅近大江。（世傳公有異術，朝參日，暮在家，旦已至京師。蓋是時天德江小路常通，公用輕舟棹可達，故人以爲神矣。）公沒後，鄉人建祠奉祀，後著靈異。陳明宗駕幸，爲黃蜂螫于左臉而崩，（明宗惑於誣告，公殿鑿死。）至今祈晴禱雨應之如響。傳說時遇大旱，鄉中釀傍總，廣津社供錢以禱，廣津人以祠係別總，且隔長江，乃不以應，及祈，只自大江岸以北得雨露霈，其江之南亢高如故，人皆駭異云。

憲副假子

評：草綱流兒隄，八冠紳嗣天，蓋預定爲東床選矣。副憲公此夢，視飛符帖性爲更眞。

阮憲副，弘化人也。夫人產下五、六番，全是生女，公以年外五旬，未獲生男，居常挹挹。日者由保舉將除乂安憲副職。及赴任，夫人有娠，臨盆日，復生女。公以官事他去，而是夜瀛江人之妻生男，夫人密令親人厚賜金銀財帛，以已女而換取彼男，他亦利其財而從。數日公還，夫人誑謂生男，公大喜。

週歲，名維羆，長六、七歲，睛赤，髮朱，惟好涉水，頗怠於學。公以老蚌生珠，十分珍愛，不曾加箠楚，故不強使之學。

迨十八歲，值公父忌日，公偶感微恙，不敢當風，命維熊代行拜禮。公在睡中，忽夢見家中具饌列陳，又見一團漁人，朱髮赤睛，或執罩，或執網，群坐而食，而公之考妣只在旁。夢醒，回思維熊形貌，酷似漁人。乃私喚夫人道以夢意，且詰以前日，或曾與漁人私通，當以實告，夫人不敢隱，遂以換易之事詳衆。公即使人就乂安任所，尋訪漁人，看認爾女，果見容貌姿質與公形狀無殊，乃命漁人以此女配維羆，具問貫址，則其人亦是弘化人也。

夫不孝有三，無後爲大，人而無子，當於兄弟族屬中養之，養他姓之人，則非我氣血，殆類鵲巢而使鳩居之。觀古者孝經之傳，而參之此傳，可不謹哉！

縣官阮名擧

評：阮名擧，所施於人何如，身上事亦復如此，北工湊合巧矣！奇矣！貪官有此，當急早回頭。

昔黎保泰年，扶康人，（今扶寧）監生阮名擧，爲立石知縣。設心狡險，多出入人罪，上司官莫能發其籠罩。

縣內有二人相爭田界，殺死三人，苦伴乞府縣來勘，名擧陰受原伴所賂三十六貫，夜深陰使家人潛到屍所，一屍盡割其髮，一屍割其陽物，一屍割其鼻。明日，官衙前出屍排驗，編按既成，名擧曰：「這命與苦伴呈諸單，兩不相叶，必是伊陰殺僧人宦者刼渠以嫁禍於人，無疑矣！」陰復誘屍之親屬，賜之以錢而和休之。

迨滿任，陞慈山知府，有安豐縣老人，家資巨富，前生一女，嫁于村內之人，老人七十五歲，又娶小妾，生獲一男。其壻欲兼幷婦翁之滋基，與老人爭訟，謂這男非眞老人子，覆至府衙。名擧受賂百銀，斷其果非眞子，顚倒按文，息其覆鳴，遂使老人無嗣。

名擧自滿任回家，錢累巨萬，田三、四百畝，生下三男二女，皆已長成。長男不嗜學，剃髮出家，次男自割陽物而死，季男酷酒，被儺人割其鼻，數年亦皆泯迹。只存一女，嫁于東岸之豪強。名擧年近八旬，别娶一妾，周年生一男，其壻謂：「人近八旬，無復有生男之理。」乃訟之于官，勘官亦陰受賄貨，援以安豐老人之故事，斷其非眞名擧之子，而家財田產，遂爲女壻所有，卒至無忌臘焉。

可見天道好還，出乎爾者反乎爾，如名擧之事，可不畏哉！

嵩陽奇遇

評：岸翁亦有仙骨，彼胡生者塵心未淨，故不得從赤松子遊。

黎永佑年，有一生名胡寔，避亂于輿化道，到嵩陽山麓（今山陽）居焉。夜聞山上有吟云：「人情似紙張之薄，世事如碁局局新；厭看世上紅塵，任他漢楚晉秦交攻。樂觀三友四翁，精神頤養從容安閑。」又云：「宋朝弓劍輕鑿草，晉代衣冠賤古丘，鐵石有天羅壁面，金戈無地到城頭。」餘咏頗多，不勝記憶。人謂此中必有仙客在，安得身親見之乎？

明旦，攀木上，一層又一層，日至午，望之猶萬丈嵯峨，恨無羽翼，凌此絕嶺，倦甚，憩坐良久，沉思曰：「弱水無地到，張騫必不乘桴；蓬島絕人來，范蠡何從舉棹，今或天假之緣，不可失此奇遇也。」復奮身步上，半嚮間，漸漸軒豁平敞，其間瓊樹錦花，鸞笙鳳笛，別占蓬壺世界。生喜得佳境，復放步行。晚辰，深入，見一石洞，中有老翁危坐，龍髯鶴髮，體貌端莊。旁有兩童侍立，厲聲曰：「甚麼人敢爾唐突？」茼翁曰：「此闢地人也。」召之入，生前來拜伏，命之坐。茶訖，臾須庖君進飯，牢醴山殽，滿前羅烈，茼翁以牛紙畫龍虎符，呪訣一遍，即刻降來，各具五色，或舞或躍，茼翁以手揮之，各散去。生大奇之，宴飲畢，生跪而進曰：「敢請神仙秘術，點化塵心。」茼翁曰：「人生貴立功揚名，救斯民於水火，彭祖喬松於時無益，何以問爲？」生喟然曰：「方今塵寰擾亂，用之何從？」茼翁曰：「蜈雖有足，行不及蛇；鷄雖有翼，飛不及鴉。彼鼠竊狐潛輩不足道，吾夜觀乾象，黎家曆數，猶得半百賚族，此後西北妖氛南方，壯氣循環剝復，理數之常，但時事猶可為，子其勉之。」生拜曰：「謹受教。」居數日，辭別。

苘翁贈麗水金十斤，葛蒲酒一甕，許佩身印，轉瞬即到平地。

生遂從鎮官平亂，有功，受一小職。後顯宗享國五十年，黎亡，果如苘翁山上語。

何烏雷

評：烏雷以淫生，還以淫死，呂仙嗤之聲淫配之耳。

陳紹興間，有鄧士贏，羅麻人，妻武氏，有殊色。時士贏奉使北國，鄉神名羅麻，素其出外，化爲大人，肖士贏言貌，深夜冒雨來。武氏怪問之？答曰：「帝已遣別使，召吾奉侍左右，不得回家，以夫婦情故夜間潛回，寫其恩愛，昧旦復在帝所，不敢少遲。」至雞鳴去時。自是暮晨出，眷愛彌深。武氏疑之，而不能解。及士贏歸，已懷胎滿月矣。以事聞，下武氏獄。是夜，帝夢一人來前，奏曰：「臣羅麻神也，娶妻有孕，爲士贏所爭。」帝覺，明日，召武氏判曰：「妻還士贏，子還麻羅神。」居數日，武氏生一黑胞，胞開一男，皮膚似墨，因名烏雷神，無姓，以何字爲姓。烏雷雖黑，然體潤如膏。年十五，帝召入侍，甚信愛之。一日，出遊，遇異人，自稱呂洞賓，謂之曰：「好兒即意欲何求？」烏雷曰：「惟好聲色而已。」洞賓曰：「爾之聲色，得失相當。」乃張口默定，使自呑之，呂仙忽不見。自是烏雷精神覺爽，辨敏過人，每於寺館閒吟，去後餘音不絕，人無不樂聞。婦女屬女，意尤厚。時仁睦鄉宗室貴人郡主金謹娘，姿容絕美，年二十三而寡。帝欲求幸不得，謀於烏雷，烏雷裝作牧馬奴，賂入主園，盡削茉莉花。守園人以告，郡主怒拘之，烏雷時作逸客吟以傾人聽。一日，即主坐庭中玩景，聞烏雷歌聲，恍若鈞天曲調，精神頓移，即召烏雷入侍左右。烏雷日夜歌吟，主心不覺搖動，遂成齒疾，得烏雷當便解，因與之結緣，烏雷願得金陵粧玉冠試之一戴，主許之。烏雷戴冠，暗行以見帝，帝令召主入幸。

自是烏雷甚蒙寵愛，多以歌唱溺人，常私通王侯之女，莫敢殺者。一夜與威明主妹通，爲家人所獲，王拘之，入奏帝曰：「烏雷夜入臣家，誤殺之如何？」帝臨時曰：「格殺不論。」王歸，置烏雷于石，杵殺之。烏雷臨死，嘆曰：「呂洞賓謂『爾之聲色，得失相當』，至是其言驗矣！」

阮氏點記

評：以香周如許才名，不能堂堂作正命掃，名爲造物所妒，信夫。

阮氏點，海陽唐豪監生阮卓倫之妹也。五、六歲讀外史，周歲習作聯，兄出聯云：「禹之心從可識矣！」對曰：「堯之功顧不鉅乎？」又出對云：「白蛇當道，季拔劍的斬之。」對云：「黃龍負舟，禹仰天而嘆曰。」兄以是大奇其才，命之專習翰墨。

十五歲，文思大進，常坐窗前照鏡，兄出對曰：「照鏡畫眉，一點翻成兩點。」對云：「臨池玩月，隻輪轉作重輪。」二司考稍通，先期有絳衣大冠詩，氏點假作捕蝦，爲鄉人草一狀，句云：「霞蒸海島三千丈，日出扶桑九萬班。」由是氏點之名鴻于京師。辰瑞原黎谷人杜輝琪（辛亥科，探花）、古庵陳名賓、先豐古都阮伯璘、（辛亥進士）天祿武遂以善文馳名京師，人謂之「長安四虎」，欲挑與賭博詩，氏點出聯云：「庭前少女動檳榔。」四人不能對。

常遇尚書阮公沆（庚辰進士）於途，公沆使作獨行詩，氏點口占曰：「談論古今心腹友，周旋左右股肱臥。」公沆賞錢十貫。

純宗龍德年，北使册封，皇帝命氏點具衣服，立于端門，以俟北使。正使見而戲云：「安南一寸土，不知幾人耕。」氏點應云：「北國兩大夫，皆由此途出。」正使慙滿面。又常作傳奇新傳，人傳誦之，後嫁慈廉富舍尚書永盛已未進士阮翻爲側室，生得一女焉。

桑山虎翁

評：山君非禍此翁，孽君禍之也；孽君未常爲禍，此翁自禍耳。

桑山縣有虎翁者，性倜儻好奇，常入林中，得一虎子歸養之。其妻曰：「妾聞狼子野心，非可馴之物，君何養此爲？」翁曰：「彼雖惡獸，亦有一點知識，我能恩養，彼豈無恩報。」遂日加豢養，虎亦善解人意，每行輒相隨，邑人慣見之，親爲擾獸，亦不驚駭。翁常於溪間置魚笱，囑虎夜守，以防別偷。翁時來，必先出聲，虎聞之必掉尾來迎，與之偕往。忽是夜，乘醉至笱處取魚，虎疑其盜，突出噬之，此聞其聲，已無及矣！虎即負至岸上，歸就主婦之前，流涕悲咽，若有所言之伏。婦驚曰：「主人何在？莫是有緣故否？」遂亟尋之，見翁臥在溪傍，頸流血，果虎所傷的痕，遂將回，泣曰：「諺云：『袖裡藏蜂，家中養虎』，即君不聽妾言，更罹其禍。」因目虎謂曰：「汝忘而翁豢養之恩，乃爾反噬，今我家不欲見汝之面，汝可亟去。」虎即垂淚低尾而逝。

至成服一日前，見一豬置在庭前。迨遷葬日，又置一牢。每享祀期，常爲禮物。後於諱日，（翁以是年三月終）數月前，那虎輒嘯侶呼朋，群然而至，咆哮跳躑，將邑中產畜搏噬殆盡，晝伏夜動，連月不止。邑人震怖，即禱城隍問故，訊及諸日者，皆曰：「這係山君欲報主人之德，但世人肉眼難知，故顯示耳。今當加以名稱，歲時香久，自然無事。」邑人依言，相與定約，保翁爲后神，遞年於忌日，即備禮置祭如約，呼爲「虎翁忌」，至今俗例猶存焉。

犯顏廟

評： 塵婦多虧心，特於伯靈僻手，然有陳大王制命犯顏，鬼焉得肆淫。

廟神阮伯靈，父北國廣東人，商寓我國，娶東潮縣安排社人，而生。登元朝進士，善符水法，入宮治病，與宮人通。事覺獲罪，將刑，會元人南侵，因請向道贖罪，元人許焉，戰於白藤江，與烏馬兒等，皆爲興道王所擒，將戮之，請刑於母館，因於安排行社刑，投于江潞。有兩漁人拋網，屢得其首，漁人祝之曰：「如有靈，護我輩多魚，即行埋葬。」果然得魚數倍，遂於江上葬之。二漁人往市，過其處，每戲邀與同遊，久之慣習，神遂攝之，與神爲三，故俗號爲「三魂神」。既葬後，俗人因其故態，戲指婦人挑之，無不即驗，遂立廟在伊社清涼江側祀之。

先是伯靈臨刑，請於興道王曰：「當許奚食？」王曰：「許汝食產婦血。」其神遂徧行國內宣淫，遇產婦即囁之，如有人道，其婦纏綿臥病，醫治不效，惟詣萬却祠祈禱，將新席替取神祠坐席，布病人臥所，及取祠中香株，燒灰調服，無不立愈。被其囁者即驗，否則不驗。遠近詣祠替席，更迭相接，有將席纔入其家，而病已愈者。其應驗類皆如此。

舊傳犯顏祀典，名上等大駕省方，住後宮船不進，上怒，命以銃射之，點下等，至今因焉。

噫！一簇淫祠，得保百年香火，世無巡撫狄仁傑，噫！可嘆哉！

牛欄對

評：憲司前足，乞食亦前定耶？命得顯官，必無餓死，何無資身家，乃甘如是。

海陽有貢士，微時過京北道，入鄉村中乞食，見其家夫婦共坐，既出，題一對句于伊家牛欄上，曰：「海陽今日猶寒士，京北他時作憲司。」其人不知，後登策，果仕京北憲使司。其人因訟，入謁，貢士識之，爲道前事，今歸其家，看牛欄上字跡，果存。事有前定，非偶然也。

蜻蜓贊

評：諺云：「目不識丁，口好文評。」亦當以做聾二十下贈之。

有一貢士，未第辰，至達官家乞食，適堂上有蜻蜓飛，乃命作蜻蜓贊。其人贊曰：「蜻蜓，蜻蜓，首形似虎，尾似鐵釘，飛來飛去，飛到門庭。」達官稱賞，惠以米十餘年，其人收領，纔得一邊，即續語曰：「一邊重，一邊輕。」達官復加賞，其人擔歸。同舍一生問知其故，亦詣達官家行乞，適坐上，見一猪過，命之作贊，其人即誦友人前贊之句，達官怒，命打右膝頭十下，其人起，復誦曰：「一邊重，一邊輕。」達官復命打左膝頭十下，乃俯首而出。此可爲做聾者之戒。

承司姦賂

評：巍巍然衣冠以詣盜也，衣冠而盜，當遜富豪人一席。

有一人，其家富豪，故與鄉人非理爭訟，到處納賂。府縣承司等官，咸回護之，並得直伸，其人以實告，鄉人與之解訟，計所損錢賠還，且曰：「我生於閭閻，見朝廷官長，意其清廉正直，不料如此，平日以爲天上人者，今乃一衣冠盜耳，何足畏哉。」因至四季祭日，往偵之。

是日，府縣承司官咸在，八行禮，豪亦入，立觀。典儀官唱百官就位，豪在側亦唱云：「踵奸就位。」百官錯愕相顧，觀其面，乃昔日納賂之人，無敢出聲者。噫！其人可謂豪矣。姓名不傳，惜哉！

折字對

評：七歲兒能對，的是文家血脈，不有旅館女之還，當失袍笏種，不有貢士緡之鏗，終同柴爨奴。

有貢士，往北使，至開上，與旅館女通，一宿而去，其女遂娠。後生一男子，及貢士回，女使抱以授之，曰：「此公之子也。」貢士不以爲眞，雖收養之，猶視僮僕。六、七歲，與群兒學習，適有他貢士，乃其父之壻者，至其家，出對云：「春風得意馬蹄疾。」兒對曰：「秋雨失情牛腳病。」蓋折字而對之也，壻貢士覽之，大笑曰：「若非大人血脈，安能有此心機，僕觀此兒，狀貌瑰琦，言辭委婉，他日必能以文章科宦顯揚先業矣！」貢士遂認爲子。及長，果登進士，伊壻貢士，其亦有知人之鑑哉！

徐貢士

評：戲詩句句皆典，亦可徵其腹笥。

貢士徐伯機，上福芳桂人，與同年共坐，俱不束袴。一同年撫其背而覺之，作詩戲之曰：「昭侯猶待日，廉范未來時，元狩渾邪下，建中朱泚圍，褫之形訟六，憂矣切狐綏，昔也子桑子，今焉徐伯機。」

後徐登永盛壬辰科進士。

經義敍

評：蓄鉅發宏，的是大科口氣，古人敷奏以言，有以哉。

有貢士赴會，試期在明旦，與沽𡠄婦人對坐，偶爾溲臭，那婦牽衣不許去，貢士祈許解放，那婦曰：「公是貢士赴試，必是能作經義，爲我敍其事，稱意者許去。」即應之曰：「大賢對時人言，蓄之鉅，即發之宏也，蓋內有所逼，而不顧其地，如此，豈非所蓄鉅而所發宏哉？」那婦即放之。是科貢士發進士，氣象見於文辭如此，彼婦亦識字人哉！

丼字嘲

評：庭試而丼字之多，然猶勝曳白一著。

有一貢士登第，廷試卷內丼七十字，未詳三十餘句，同年作一偶嘲之云：「石室圖形少孔門之高第，雲臺繪像多漢室之功臣。」

無鬚戲

評：兒戲之嘲，可發一笑。

有一貢士無鬚，同僚占一聯嘲之曰：「好酒嗜無難處覷，今妻是否有誰知？」用俗語嘲之，最爲剴切。

平灘詩

評：平灘一詩，即紅葉題藍橋，玉射屏佳選，已於立門時定之。

有貢士海陽人，從北道赴京試，過官家，見一女立于門側，佯爲乞丐者，女問何處人？曰：「海陽人。」女曰：「海陽有平灘處，君請賦之。貢士詩曰：「春風滌淨塵俗念，舊事難忘夢復還。四時流水磨不損，對岸艄公舉漁筌。遠山鐘聲悠然響，溪邊忽見一泊船，水面蕩漾石兩丸。」❶伊女大稱嘆，伊科貢士登進士，即娶之。

【校勘記】

❶ 此段原為喃字，作「沒湊平灘詠詠黭，罕務諾沚拯能痾，離卑絁拮邊美滀，董鼎擳揕㕓怒，嫩褋櫓頭㝵巢沒隻，冷汀𤿰諾𠀧丸，漁翁迻待寬時日，刎刎揤迠𠀲孕猑」，今譯為漢字。

成材對

評：以乞人一對，即得達官息女，塵中物色，眞可稱東鑑翁。

有貢士，微時乞丐，見達官訴曰：「僕以行囊糧盡，敢乞少許爲資身計。」達官乃出對云：「米盡錢無難作樂」，「詩興禮立易成材。」達官嘆賞，因厚贈之，妻以息女，後果登進士，仕至東閣。

玄雲洞

評：松枝舞鶴，山勢飛鸞，今人有皈禪之想。

洞在至靈傑特社，群峯聳立，兩臂開張，如鸞翔鳳舞，亦清光一佳致。陳辰道士號玄雲，煉丹于此，故以名洞。又有紫極宮、流光殿。陳元旦詩云：「流光殿上松千樹，盡是擎天一手栽。」今寺中松陰鬱茂，望之如雲，意其地有宜松者。

莫氏降表

評：古云：「一紙勝於十萬師」，蓋亦有之。伯溫覽表，雖則淚下，然無莫賂赤，必其能回寬詞云乎哉。」

莫登庸篡國，黎臣入訴于明，明帝差尚書毛伯溫將兵壓境，清言來伐。莫登庸詣南開譯降表云：「謂夷國不學武人，禮義何足深責，憫交州無辜赤子，鋒刀忽使橫罹。」伯溫覽之，不覺淚下，乃議班師，詞之不可已，如此夫！

拋山朝鴈

評：拋山二鴈，一爲金堆阮族登龍穴案，存功臣穴，一鉗不知天意屬誰家。

拋山有古城，屬至靈縣拋山社。史記所謂至靈城是也。其城包山而爲之，廣百五餘丈，乃明永樂年間所築，其遺址處處尚存，或傳其短而挾者，明人所建；其廣而大者，莫康祐所建，然不可考。城中有祠最爲靈異，前代單寇多據城下，官軍進討亦駐紮於此，遂爲戰場之地。相傳城之南爲前朝承司治所，山下有鄉試場舊迹。

洪德年間，呂塘公任海陽參政，故集中所載，如海陽即事、壥津老鴈、及留題鴈宇發、大灘諸作，皆品詠地方風物，文範伯陳公至靈風土記亦云：「邊瀧固准治承司，忭芮因場文鄉試。」是其驗也。山之東南有白鴈二，蓋孕沙如兩鴈形也，一在山麓，長數千丈，一在山前，高數千尺，其山前地形如白鴈，號「白鴈沙」，近望如銀，遠望如水。金堆阮族名墳，在五圓山下平岡，以此鴈爲案。相傳北人遷之，斷云：「白鴈生毛，產盡英豪。」蓋以其沙不生草故也。今按其墳，行龍迢迢，不可盡述。

近自拋山而下，生出嫩山，圓淨如珠，山頂開窩，穴在麓下。舊傳窩穴，今失其跡。外有辛巽峯對峙，蝦鬚水會于穴前，左有榜筆山浸水，白鴈沙正案，回頭拱伏穴間，望之衆美皆具。世傳金堆族祖娶黃氏，乃樂山人，與拋山社相接，蓋常見梁狀元所著墓誌文，樂山舊屬鳳眼縣，今爲至靈，故名樂山，以至靈有樂山社也。阮氏葬此地，迄今三百餘年，科第不絕。古記拋山地有二穴，其一發前代功臣；其一發萬代文章。阮氏所得，蓋在文章之地也。又按：阮氏繼發十三進士，今白鴈生毛，十存三、四焉。

麗奇山

評：寺倚半山，山上寨雖鐘鼓誰叩，聲徹雲端。

麗奇山，在至靈縣傑特社。上山有寺，名麗奇寺，在半山間。隔一日內望之猶睹，後寺有寨灘，僧無已墓在焉，世人傳言，時在山下，聞寺有鐘鼓聲，及登寺，寂然無所見，意者山靈顯異也。

獨尊山

評：白晝雲蒙，山綏鑒家，探玉有神，冥冥渺渺。

濃山，在至靈縣南澗社。先朝駕幸，見其高大，賜名獨尊山，其巍峩聳拔，秀出其間，爲一方群峯之最。

近日已未年，白晝風雨雲霧蒙之，頃刻開霽，見山腰鑿十餘竅，各深數丈，俗人訛傳以爲水神探玉，不知是何怪異？未幾，地方大亂，意必有先兆欣。

扶桑庵

評：古鄒名勝傳桑院，東究碑文紀菊坡。

扶桑庵，在至靈縣古鄒社。黎太和年間，遊方長老禪師自東究山常往造焉，詳見菊坡先生所著東究碑文。文範公風土記亦云：「皚皚白雪扶桑土，池魚尙瘦歸期催。」❶即此地也。

【校勘記】

❶此段原為喃字，作「□徐泊泊坦扶桑，鮑鮮痩柳得衛急」，今譯為漢字。

大悲寺

評：大悲千古寺，左柱二行鐫。

大悲寺，在至靈縣確溪社。一間二廈，制甚渾堅，左前一柱，有古字二行鐫于此，一行題云：「大悲禪寺原。」一行題云：「洪德二十七年仲秋造。」世傳其寺北人所建，後屢經兵燹，此寺巍然獨存。

望仙樓

評：寺僻騷壇，尼當學士，半吟半偈，是佛是仙，雲遊到此歡無極。

黎聖宗幸國子監，過婆釘寺，聞誦偈聲清亮，乃駕幸焉。尼見之，即題于壁云：「於此即景即師，雖好佛道，未了塵心。」❶上命二十八學士應制，皆辭不能，副元帥申仁忠承命草云：「世事紛紜誠堪哀，佛靈難悟凡人心，寺中高鳴驅俗念，萬籟無聲擾夢情。愛海千尋欲戽盡，恩河萬丈未曾清。極樂世界何處有，此即極樂事甚明。」❷詩呈，上命尼評，至三、四句，批欠景意，乃改云：「風物師友今俱在，佛靈難滌凡俗心。」❸上大稱嘆，命載之歸，至大興門，忽不見，大異之，作望仙樓於門上，以紀其事。

意者，是辰文風丕振，天神降觀，以供鑾輿一佳話。

【校勘記】

❶此段原為喃字，作「細尼覔景覔柴，雖惐道孛渚虧悉得」，今譯為漢字。

❷此段原為喃字，作「錦事塵緣窖喱唭，色空雖孛駭悉得，柎鯨没哨散念俗，魂蚔㐌更吝事茷，㶚愛𤄯尋懞薩泮，瀧恩閉大渚㳡潙，弔弔極樂羅兜佐，極樂羅低㐱倍进」，今譯為漢字。

❸此段原為喃字，作「𤅶椿迻偈散念俗，魂蚔懨仙吝事茷」，今譯為漢字。

崑山

評：有眞禪卓錫，有眞宰居休，又奉御製詩紀勝，千名藍好景，眞足千秋。

崑山，在至靈縣支碍社。前居鳳眼縣，其山蹲峙獸形，上有洞，中寬濶，號清塵洞；下有盤石，泉水伏流，號嫩玉橋。麓下寬廣，平舖如席，左右群山重重環抱，安阜峯遠百餘里，卓立朝對，如在面前。山下有池塘，澄凝清秀，兩邊泉水流過山前，復屈曲而去。數千里外，入于大江。登山眺望，快人心目，眞第一好林泉也。竹林第二祖法螺，始築庵居之，玄光禪師亦卓錫于此，遂爲名藍。壺冰陳相公字元旦，卜居于此，外孫抑齋公阮爲亦退老焉。具有題咏在本集，聖宗御製詩云：「淨土樓臺景致奇，古人陳迹尙依稀，一天草木供吟賞，不盡江山入指揮，代有廢興今是昔，事無記載是耶非，門中制有閑斯樂，付與僧童意自知。」蓋亦有所感慨者乎！

辰俗地方士女，每以新歲駢集遊觀，道路如織，旬日始罷，爲一方大勝跡也。

鳳凰山

評：斯山天具，爲朱先生郎設，山形似鳳，應先生之德乎？山下有硃，應先生之姓乎？有仙則名，高山仰止。

鳳凰山，在至靈傑特社。山中極鑿僻，形如鳳舞，象山對立，鰲水橫流，爲一方勝概。登山眺望，令人遺世之想。陳世樵隱朱先生，（韓安贈元貞）上七斬疏掛冠而歸，築居於此。呂塘詩有曰：「相逢未有休官約靈輒，還應笑我不靈輒。」朱先生字也。（一作靈懲，註山名）相傳山下有井，水色如丹，人以尖微刺入井底，得硃軟如泥，曝之堅好，爲上品硃。近日有採鬻于市中，使見之，詢知所出，進入稅例，鄉人懼供稅之煩，以巨石塡塞井口，仍乞官往勘，無跡可尋，遂得蠲稅，自此失出硃處，鄉人無從採取者。呂塘詩云：「石岩多窖爲尋硃。」乃其驗也。

六頭江

評：六頭水會。陳大王祠臨其前，眞得形勢一大名勝，想天之生，此不獨當有大陰宅，留待大福家。

六頭江在至靈縣，夾鳳眼、安勇、桂陽、嘉定等縣，一支自昌江而下，（一作湛江。）號日德江，會三岐江；一支自如月江而下，號月德江；一支自灘江而下，號天德江；一支自鳳眼而下並會于平灘河。河水甚清冽，味甘美異常，俗所謂「平灘水」是也。衆水大會，至瀝陽河，（古號走鴈灣）勢甚寬廣，復分爲二支：一支從樓渡而南，一支從陳舍灣而東，是爲六頭江。中有洲沙，號大灘洲，風水家以爲六龍爭珠之地，固或有理，具此以備參考。

高山大王

評：我亦有丹君信否，至靈靈殿是屬家。

大王祠在至靈縣琅凋社頭湖處，世傳王善醫尤神治疹疾。昔山西人家，子發疹篤，於途間遇一老翁，自言能治，迎入家治之，即效。問以姓名貫址，翁言：「我名高山，頭湖處屬琅凋社至靈縣，是我家居。」其人往謝，訪至伊所見一神祠，始知王之顯聖，乃神醫非人醫也。

竹林禪師

評：前生當是如來佛，翠竹青青現法身。

竹林第二祖禪師，號法螺知尊者，以陳紹豐六年，年生於南柵九羅鄉同和村。（今南策府，至靈縣輔衛村是也。）其母夢異人授以神劍，喜而懷之，乃娠，生時異香滿室，經一時許。少而穎悟，陳仁宗見而奇之，曰：「此子有道眼，復有法器，喜其來，賜名善慕來。」後於麒麟庵受戒，賜號法螺上臥雲庵入寂，師奉舍利入大內安置，繼有玄光（姓陳字載道。）隨師受學，不離左右。英宗賜號普知尊者，爲竹林第三祖師。其後諸僧抵山皆稱弟子，師奉詔祈雨，累得靈應。創瓊林院，及壺天眞樂古庵，又開崑山，及青梅山境。

年四十四永寂。有詩云：「萬緣截斷一身閑，四十餘年幻夢間，珍重諸人借休問，那邊風月更渠寬。」今在香海寺依稀可誌。

得道眞人

評：貝溪的降眞身佛，吳寇誰施善手意。

青威貝溪有菩薩眞人，其母夢佛降下，遂有娠而生。幼孤貧，依姑家牧牛，經沮澤處，所獲魚蝦盡放于永裕江。不與群牧戲，獨作小寺于路左。時陰取家飯作糭供之，屢被笞罵。九歲出家，住持本寺。稍長就安山縣仙侶社寺修行，朝夕誦念默會靈通之法，遂重修梵宇。鳩工百餘人。飯時羮一小堝，謂衆匠曰：「爾等多整大箕登飯，我歸本貫備取鹽漿就食。」人以爲戲，莫之信，已而自仙侶返回，至垓圓社保陀市，瞬息間步社到階前，（今足跡猶存。）取鹽漿二埕而去，頃之頃已到仙侶寺。喚諸工匠會食，忽然登盤盡化，爲伊蒲飯，喫之皆飽，皆乘轎步寺横行，來往馳驅，工人相顧駭愕，始知得道眞人，相率羅拜。

寺成，乃作一木龕，坐其中，與僧尼訣曰：「我塵緣既滿，金超生淨化，宜閉龕門三個月，方得開視，如有馨香，即當奉祀，不爾埋荒之野。」諸道場依教，百日外，啓視之，了無所見只聞馥郁清香，焄蒿遠近，因造像供奉，方民皆崇祀之，後甚靈顯。貝溪社迎回本寺奉事，遞年正月十二日大會，觀者駢集，胡末吳兵來侵，欲壓諸靈祠，因火其鑲像，經三月不壞，復以燈心包裹，外浸水油焚之。忽然雨血三日，吳兵疫死不勝數，於保陀社築土爲斗，以量兵數。（今斗迹尚存。）見其耗損大半，始懼尋悔禍，夜聞空中大聲曰：「爾等欲保生還當償我別像，不然夙愆未了。」吳將即還北國，依像式製造遞奉貝溪寺，設醮禱謝，自是稍寧。此地方民，祈晴、禱雨、乞夢皆有靈應，封上等神，至今香火不絕。

清華靈祠

評：知幾之神，亦忘機耶。既不能辨仙鬼於倉卒，胡不能摘姦伏於散去之餘，意者散財有命，神明亦末之何。

清華有一靈祠，方民崇奉祭器純用金銀物，每盜來偸取，輙被牽阻，間有脫去，其神旣即上童，顯示盜姓名，及窩藏處，尋復捉獲。

某年設藏閣席，適夜歌罷，鄉人散回，只留數人更宿，不覺熟睡。時棍悦輩心生一計，潛至歌妓房，盜取仙帽及舞衣穿着，更以泥塗其足，俾變眞形，遂執槌而入。至神座前，榷擊木椅落下，取朝服及金銀寶物行去，平旦神上于祭主，騰踏馳至祠所，全邑聞之齊集。神厲聲曰：「爾等不能防守，致祭物盡失了。」諸長老直前跪言：「臣等愚疎不謹，過咎是甘，望大王指示盜人姓名，與其體樣，臣等速行追拿。」神曰：「我夜勝賞，保爾忘機，這賊漢突入，倉卒不能抵敵，此輩頭似仙人，身飭類歌兒，足染黑物，疑似間不及詳辨，此惟陽界搜尋可也。」鄉人應命往終弗獲。

夫以穿窬小瑟，猶能瞞過靈祠，況智略底人，有出鬼入神之妙，其對於庸俗爲何如。

强暴大王

評：強暴之罪，天既重罰，何故復得靈地爲一方民之尸祝哉。或靈臺有一點之善采，抑所爲不至如是之甚乎，傳說之筆，不可盡信。

天本同錄有強暴大王，其母年近五旬，夢異漢謂兵神降於而家，遂有娠，而生。爲兒時好爭鬪，及長率性剛悍，渺視一世，忘却父母，忌腊並廢，惟勤禱灶神，得一蝦，亦必熟而供之。神亦辰加顯應。

一日，父罪狀訴天帝，帝即命雷神降打，灶君密先報告，伊求計曰：「當以滑物塗之，使他無立腳地，火鞭石斧，其何能施。」伊從之遂取葺亭，（俗名檨檬莪。）搗爛，和以水油。至日，于屋蓋上遍洒之，伏暗竚候，俄而風雨驟至，雷神從天降，纔躡屋上，滑而墜地，伊突出揮杖擊之，雷神倏然不見，奪得赤銅繩長大許，埋之。雷公具以事奏。天帝怒，即潛報水神，以某日引水上浮，捉彼強賊，使爲魚鱉餌。灶君復以告，伊遂結蕉筏，竪葉旗，及水大至，伊即筏，擊鼓鳴鑼，縱橫水面，喧言與天交戰。時天帝方與群仙論人間善惡，聞鼓聲，問之，雷神跪奏曰：「強暴向已逃罪，今復干常，伏望定奪。」天帝沉思良久，曰：「姑舍之他長惡不悛，禍必時至。」仍命水神縮水下，伊竟免害。自是益橫，後得田蟹，自炙食，不以獻灶神。神怒，思以中傷之。一日，告以雷神將治罪，伊又問，神曰汝可往于田，如見雷雨將至，即於木夾處穿手其中，外用橫木以蔽，保得無事。」伊如計而行，既而漫天雷雨，竟被霹靂手一打，頃刻雨晴，群蟲觸土培之，宛成大阜。數年後，方民屢動，村翁過伊墓處，忽立而言曰：「我是強暴靈神，爾等不立廟奉祀，將無遺類矣。」鄉人聞之懼，構祠崇奉爲神，後騷客過祠下題詩句云：「此間那見山哮虎，俗說休將辨有無。」

下邳異人

評：志大呑牛，眞卓卓，沉舟手段驅鰐鯨，天工生物最多奇，安得斯毛千萬落。

嘉林縣下邳社，有異人者，業賣蛤蜊。一日行至海津，見沙上，有兩牛相鬪，即以夯具舉之，牛走沒入海中，落毛粘在夯上，意爲靈物呑之，自是氣力異常，入水如履平地，汆江海捕魚常至數日始回。

時有北寇，駕海舟數百餘艘，至萬寧次詔，國中震懼。詔求有能退北兵者，厚加封賞。異人應命行，潛入海，伏于敵艘下，以利鐵鑽之，船艦多沉，北寇大駭，莫覺所以，覽檣炤水晶管，見水底有人暗鑿，急布網欄截，異人爲所擒，寇徒訊之曰：「爾國似爾幾人？」曰：「善入水如我者甚衆，今匿海鑽舟，不獨我也。」命殺之，曰：「若饒我性命，請引就衆鑽處，任其捕捉。」北寇信之，付輕舟載之行，異人乘間跳入水潛去，舟徒相視無奈，時北寇以船多沉沒，又恐善水者多，輙引去。

後異人沒，朝廷軫其有却敵功，贈封大王，諸川口魚網，許族人收管奉祀，至今爲一方福神。

珊郡公

評：珊公與水神敵，至再至三，雖不克亦雄矣。水哉水哉，望洋向若，故以勺水自多哉。

天本保伍鈿郡公吳順妃之弟，以戚畹預監兵，永慶間大安縣壽廛社堤潰，公奉命培築。舟行經金釵河津，岸上有水神廟，稔著靈應。公舟到廟前，撐進不上，若有阻之者，公怒指而罵之，忽出戰船五艘，突來挑戰。公素精符水術。知是水神爲梗，即出船按劍書符念咒，分督船夫刀鎗齊出，兩邊對射烟霧昏霾，約一更許，五戰船（先却），顧盼已失所在。公順流而往，至墳口堤潰處，興工築作，將完，見河間有巨魚張鬚水次，望之似一航，以尾激水，大浪如山河堤，尋復潰裂，隨築隨破，凡數次。公無如之何，遂暗祝水神，祈以完堤，自是始成工築，公復大言曰：「今雖百靈神，亦難破了。」忽然河水翻動，狂波冲擊，這堤裂出一大段，公懼，即備禮禱謝。但多次培築，裂處終不完，公含怒飭取竹木，環淵樹柵，採民家敗臼破礎，並一切石灰投下，俄見淵水滾沸，魚鱉浮斃，不可勝數，纔半月，公忽染大熱病，醫治不效隨逝。

未幾保伍邑內，畜產不寧，相與祈于本邑神祠，忽一人動而起，眉髮逆豎，兩眼環琤，放聲曰：「我是珊郡公，被水神毒手，泉臺賫恨。今欲報仇，第無戰具恃姆保尊姉，爲我整辦送來，不爾損及人矣。」保姆聞之，即今製魚衣兵器，及象馬具足焚之，告郡公收認，翌日地方河水洶湧，聽之如奔馳舉刺之聲，魚鱉紛然而斃。保姆度公與水神交戰，不知勝負如何？祝聞報音，忽家內一人躍起，言曰：「拜上尊姉，贈以兵器，勢頗張皇。但他兵衆既多且鍊，我兵新集，水戰未諳，難與他敵。今當於墳口，創一新祠讓他居之，庶免積釁。」族中依言，自此一方河道，不聞有異事。

崑崙三海

評：仙界豁開名勝地，慈航濟渡善良人。

崑崙山三海，白通州名勝也，舊傳伊地方南畝等社，設無遮會，觀者四集。有一老婦身癩來丐食，衆嫌其穢，爭呵逐之，了無所得。暮歸，遇南畝人二母子，與言其情。那母子嘆道：「可憐，有午飯未吃，因讓與那婦療飢。」既而歸家。

是夜，見那婦前來言曰：「日間推食予我，甚是仁慈。今依投無所願借一宿，庶幾完此功德。」母子即許入家安歇，自臥在傍，夜半聞睡聲如雷，點燈觀之見蛟龍，一軀大數匝，臥于家內，母子大驚閉門就寢，不敢出聲。迨天明，竊窺之，只見老嫗臥，知是非常人，始啓門出，面前施禮。老嫗曰：「起，我纔看會見一場喧鬧，都是口佛心蛇，不久必有沉淪之患，惟汝家存一點慈悲，我今爲汝開覺路，濟了迷津，宜急足避高堆處，不可眷顧家鄉。」言訖不見，詎意會未了。忽平地水湧出，不日間化成三海，衆人皆走不及，惟盡沒于水，惟那母子已走過三里許，至山腳依焉。其後產育男女，遂成一邑。

凡環海諸山，皆南畝地，分爲三海，中之大林落焉。按崑崙山，自宣光至太原横列，壁立千仞，峻嶺摩空，人跡所不到。中間開出一洞，高三丈許，濶半之長，約十餘丈，上有石乳下垂，望之如五色繪畫，神刊鬼刻，絕勝人工，其原則自北國而來，經高平、太原、白通，從此崗中出，右支爲仙巒社一海，右左支爲南畝二海，窮海夾宣光處，限以石陂舟楫不能通，水從坡注下勢若建瓶，每周圍約二、三里，環海包之以山，山之傍間以□居，四望水石陰森，樹花蓊蔚海之中，又有層山叠障，隱見於波濤間，每風恬浪靜，則漁舟上下泛泛四出，觀望不厭，此之洋湘八景，誠世界中一大壺天也。

山君老人

評：虎非能嚙人，奉帝命也。帝不欲率獸食人，人自爲食也。則當凜然曰：「惡魔念起，猛獸內胎，心無蛇毒，何患虎災。」

庚申年間興化盜賊嘯聚，朝廷掄差勦捕，山西處有一書生，帶家丁二十餘人，跟隨本處官攻討。進駐興化地面，賊徒走散。

那書生夜看書，忽見一鼠啣葉枝覆于家丁面上，書生敺之，鼠擲葉去，頃復覆之，凡三。生以爲不祥，且許那家丁回，那不知何緣見逐，生示以故，那丁致謝登程，日暮迷入林中，至處見一堆白骨，臭不可聞，進退無路，傍有橄欖一株，遂攀援而上，取葉蔽形，待旦即去。黎明見一虎頭白，自外入，背負一人，就骨堆前，擲下食之。食訖脫去皮殼首，枕而臥，宛然一老人。其人魂飛魄落，自料曩者不祥之兆，誠非偶然，既而暗算，此老食飽必酣睡，乘此潛去，猶可死中求生，乃折枝試擲，見其終睡不覺，即提刀直下，輕舉老人之首，絜取白皮，置在樹上，取葉蓋之，復下，右手按劍，左手執老人衣衿而扼其吭，老人驚起，索取衣皮已被竊去，有懼色，其人指骨堆責曰：「爾損了許多人命，罪當何如？」老人曰：「承帝命一旦忘機罪甘萬死。」第謫期未滿，縱來他刼，亦猶化作此身，曰：「果係謫降，何不索諸獸類，而殃於人？」老人曰：「凡諸被害皆有天數或生前業障，或現生罪惡，天帝命假手於我，有斯惡報。」其人罵曰：「今被我脫却了形，欲倒齒牙求免，既云：『天數』有何憑據？」曰：「第寬其扼，當以實告。」須臾吐出一簿，其人取觀，見內記某府縣社，某姓名，某年月日辰虎咬，一一明白，至第三張的著，自己姓名，但上張諸人，皆有血汚字，因求解救。老人曰：「吾與君相遇定是夙緣，今有一法，未審能救得否，當割指取血塗葉。吾甜之入心，使簿內姓名，有血痕上曹見之，以爲已咬傷了，庶獲免矣。」其人如言，旣而老人取簿呑之，隨甜血葉，頃之復吐出簿，看見那名字面的有血沾，一如前項等名，老人喜曰：「吾子其無事矣。」其人後歷歷看過，至第五張，見有弟名顯的，著是年八月十四日子辰虎咬，復求解救，老人曰：「那人不在此，救之實難，且一之已甚，再瞞恐不得。」第取血塗如前，又結作人形，取常著衣服穿之，臨辰吾甜葉血，幷咬所結人形，或可替命，其人感謝而去。老人曰：「我旣吐盡心腸，即請還我皮衣，曰吾將已置外邊煩送出山路險處，吾即當還。」老人餞之出。其人曰：「那皮在橄欖樹上，歸而尋之，遂各分手辭別，及歸家，具以告其弟。至八月日，即取血結形，一依老人所教。這日子辰，伊弟臥床，忽暴痛如虎咬狀，大叫一聲而絕。平旦視之，其葉血染未乾，只這結碎裂，蓋家人誤將葉血置高處，虎至無血以甜，只見結形就咬之，然亦天數也。

其說似頗訛傳，而足爲鑒戒，世人可不自強於爲善哉。

光明寺

評：今生大皇帝，卽前生大禪師，因刼輪回，分明字迹阮公以應報之說，爲不足信耶。金銀二燈擎，消得一杯毒酒，不知子孫能守，此爲家寶否。

嘉福縣厚俸社有光明寺，千章碧樹，四顧清波，皇路當其前，永河遶其左，眞禪師一勝槪也。舊傳有苾蒭僧字玄眞，住持在此，一心誦念，利欲都忘，晚年忽夢彌陀降臨，謂：「爾慈悲一點，達于玄鑑，準後身生爲望國皇帝。」覺，召諸道場示曰：「公自幼出家，歸依兜率，每謂塵緣洗盡，善果圓成，寶座金蓮，是我身後超生之報，詎意他日輪迴，却以叁年戒行工夫，消得塵緣一大艱難位，且日月國君之誓，昔人所不願。（出明紀僧人傳。）不知前生業障有甚未盡，除而爾耶，這現有金旨，爾等同記吾言，當於圓寂後，寫來數字爲記驗可也。」道場依命，以硃書十字，于肩工。火葬，收舍利貯瓶埋之，築以石庵，時供養焉。

却說侍郎阮自強（永賴縣前烈社人，幼長戲有出陰，未開而陽已露詩，公卽吟成狀句云：「鴻門劍盾猶匿，赤辟旌旄，卽指揮。」）少遊學，路經長安，每於此憩息登玩，亦不記認字名。弘定甲辰科中進士，後奉北使。明皇帝召問，「爾國名監，何處是光明寺？」公奏曰：「臣本國名監甚多，如瓊林、報天、普明、龜田、諸名刹。臣所素聞，若光明寺名臣所未詳。今奉請問，不審有何緣故？」皇帝喟然曰：「朕自初誕，肩上有『安南國光明寺沙越北丘』十字，朱書疵痕宛然，意前身是伊寺僧，今欲洗了字痕未有何術？」公卽奏曰：「臣聞佛家有八德，水洗塵之法，既是這寺降誕，須取那寺井水洗之。」曰：「爾言誠有理，宜爲朕亟回本國，尋這寺的，取井水來。」公願命拜謝而還，具達于國王，遂徧行探訪，不意乃厚俸社寺，平日所遊息處也。至來年貢期，公再奉命往，遞將井水來獻，洗之果然消沒字痕。膚體愈加光澤，大喜慰，召公至獎諭曰：「朕得爾啓發，頓悟宿緣，爾宜爲朕重修梵宇，輪奐一新，非惟副朕報本之誠，且顯爾國有鍾靈，得中華大帝品藻以示榮光，金付爾金三百兩，銀三千兩帶回，造佛像三十六蓮，幷金銀燈檠各一樹，爲奉祀器，爾還國當了此功德，如朕親覩，否則佛家有禍福、報應之說，須于爾身上，與爾子孫上看。」公拜領回，具以事呈奏，黎帝奇其事，仍許一如天朝所命，公乃市材傭匠，塑像造宮，壯麗巍峩，恰似眞如境界，兼梁浮屠一塔高百餘級，惟金銀燈檠留爲家用，別鑄鐵器替之。

後公入朝，成祖哲王以公善相人，問：「朕諸子誰能嗣守王基？」時萬郡公得寵，將有儲副之命，而清郡公則其次，非分所及，公以相術直對諸子，惟清郡公可，萬郡公聞知，以他事召公，賜毒卒。後文祖正王位，贈公太保封郡公，其雲耳，至今猶存，率皆庸賤，每以兩燈，擎事爲恨，其寺屢經灰刼，巍然獨存。

近日官軍進討，曾於此留駐，廉得高僧事跡，以爲禪界一奇云。

羅山監生

評：當朝人牧，福祚方隆，黃袍人何故誕降，小試一監生，無端而死，眞命豈虛生乎。意者天神王被謫譴，召回故爾耶。

羅山縣有姓阮者，生時赤光滿室。性謹愿端慤，穎悟過人。受業于本社監生，坐必別席不與諸生同。廟鄉試，其師阮先生就憲使官，求稍通一中，憲使見即起迎揖之坐。曰：「本處取中一名，亦當許之。但他時得志，幸蒙記憶。」既而謂新貢士先出，其師少留別話，遂細問這門弟來歷。因說：「我昨夢見一人來謁，前導有銅柱斧鉞，旌旗儀衞皆如王者，至廳事前，曰：『今欲應稍通，不審憲官肯許一名否？』俄而覺，想夢中所見，端的是人，不知將來何等事業？」是科阮公果中一舉，未幾無病而終，但精氣不散，家中常見倏忽來往，每有求必應，大著靈異。後有鄉人舟行至神符海口，於舟中倒，彌時方醒，夢中見阮監生乘一葉舟，黃袍玉帶侍衞慶肅召至前，曰：「奉上帝命降生人世，居九五之尊，但今此牧人福祚方隆，不可與兩立，故復回朝帝所，俟別生他國。今從此去，煩歸家人不必思念。」言訖飄忽而去，那鄉人回以夢事告其家，自是顯應不見如前。

按此與虬鬚將軍見唐太宗而輙沮者相類，（出香臺）是知神器有命，不可以智力求，蓋以道御之，則雖降生亦且讓一頭地彼么麼輩，不自揣量，却于井底窺天，暗圖至重不久必有覆身之禍，可不戒哉？

扶擁節婦

評：華袞榮門彤管烈，衣冠傳世古碑香。

上洪唐安有范氏媛者，自少聰穎幽閑，頗有姿色。旣笄，歸于唐豪扶擁黎今族家，生下男女四人，値北兵南侵，夫病死，婦撫孤兒，不以再醮自誓，其悲酸情狀鐵石肝腸，非言語形容所能悉。久經兵燹，蒲柳輩罕能自全，那婦周旋其間，以死自守，變容毁色，不爲強暴所汚，眞是女中松栢，一方民皆以節婦目之。迨天日重明，朝鄉達宦，屢欲奪其操，婦以大義激之，皆凜然起敬。

太和初年，詔訪貞烈者，以名聞，有司具題奏，蒙敀節婦門匾，賜奉傒人，以旌揚之，年八十六而終，子孫累世衣冠，爲一方望族，今伊社現有古碑在云。（申仁忠所撰）

傑特禮妃

評：天榜居然國奪錦，地鉗杲爾鏡飛香。

至靈傑特阮氏，其先世延北客擇地，課云：「一鏡照三王。」葬後生妃，姿容冠絕，聰睿過人。十歲，從父避難居高平，因假作男子，就師門受業，博學能文，應莫會試中進士第一，其師反中第二，入謁莫帝見其容貌似美女，詢知其實，遂納之，莫亡匿山谷中，被俘謂軍士曰：「汝輩獲我，當以我見汝主，不得無禮。」衆異之，進上，甚見寵，遇晚節出家，黎嗣君訪求女學士教宮人，左右以妃對召入宮教授，號曰「禮妃」，事兩朝，皆以文章供奉，不離左右。每有顧問，輒披經史文義，古今事跡以對，上稱嘆之，庭試卷及群臣章疏必經考定。

辛未科應制，阮壽春中第一，公言：「我文舉朝不能辨，能知者惟我姊禮妃耳。」（公與妃是外族。）果如其言，其淹貫類如此。（初妃兄為鄉人所害，妃貴顯，其人事之謹，妃終始未常修惡，人皆服其度。）

壽八旬前後，所事凡三，鉗課之言，果驗也，著文甚多，今無傳焉。（常作國語詩自敍，有云：「世事黑白多顛倒，君臣大義不動搖。」❶又云：「閨中自有閨中矩，狀元高官又何畏。」❷）

【校勘記】

❶ 此段原為喃字，作「嫌為沒莊倒顛，雙離本薄氏本緣漢臣」，今譯為漢字。

❷ 此段原為喃字，作「女兒油鄧固例恣，羅秞妾劍夷狀元」，今譯為漢字。

鄭王妃

評：宮妃亦豈尋常得，福到仍然不假求。

青林黃舍人，有富家人，求風水師相地，認得蛾眉山穴，課云：「這穴定出宮妃。」其人將祖墓葬，是後族人多被目痛，訊于日者，云以新遷墳墓有動，族人懼，即移他處，這穴仍廢棄鐵凹，不復塡塞如原。適有邑人其夫亡，單寒無依，傭人擡行埋葬，到這處，見一舊穴不勞開掘，即置下封築，時婦懷孕二月矣，滿期生下一女，聰穎異常，兼有姿色。長進入後宮，侍昭。祖康王甚見寵幸，譽冠宮嬪，今族中尚蒙蔭澤，光聲未泯焉。

中行武族

評：裴家更遜武家好，人與爭如神與眞。

安陽中行有武姓者，家世寒微，頗能好善。時有富人裴氏求風水師相地，擇得吉穴了，其師疑焉，謂這局世世公侯，未審爾家福澤能當否，因固請遂許葬之。葬後神報夢曰：「本地方係我管，汝何人敢來葬此，急移之，不爾必有災殃。」其人遲回，不忍捨去，未幾舉家病作，復夢神人謂曰：「汝家福淺不堪此，天以與武族，當讓與他，爾子孫亦預沾餘澤。」遂即邀武氏讓焉。曰：「來日發達，當無忘我子孫。」武氏許諾，遂將先墳就葬，其後家門興旺，多產才藝武健武人。中興間，以向路滅莫，封郡公，至今世襲典兵爵祿未艾；裴氏亦得預蔦蘿之親焉。

諺言：「安陽中行，金城瓊溪。」蓋言世官之多也。

鄒庚陽宅

評：神醫初是作傭醫，帶得藤蘿此一枝。富貴果然如地課，信師何故却疑師。

安山紫沉之西，有石嶺十餘峯，盤亘一里許，清奇可愛。中有石崗，下有禪局，鄭王築宮于此，屢臨幸，始改龍珠社。

初，案山之東，有一石突起，酷類蟾蜍，舊傳伊社人鄒庚，家貧爲人傭作，適在山間拔示。有北客經過，言：「我有一吉穴，何人分當得即當與之。」庚聞北客言，棄禾而上，前來拜請，因邀回，只辨得麥飯薄疏爲禮，致辭云：「僕獲遇師明，自知有福，但家貧冷淡愧恥殊深，倘蒙惠許，來世發達，誓不忘恩。」北客見其誠，即就山傍蟾蜍下，指之曰：「此地最好，當陽作基居之，必然大發富貴，但得近龍顏，急撤家他去，切不可留。」庚遵命，即搆茅茨數間居之，纔及三年，邑有打魚俗例，其池在山傍，長濶數丈許，邑人攬網將下，庚於池中，忽置魚籠斷其繩，即上池畔山邊取藤蘿，纏束之腰間。忽然陽事大起，壯健異常，原弊袴一段，恐不能蔽，立在池中，不敢上。時網魚人盡歸，庚獨不見，衆意得魚藏匿。其母出觀，見庚留浸池中，即送魚籠與帶回，解釋藤蘿繩，陽力漸漸退減。及歸，母問之故，庚以實告。母即取藤蘿，使庚再試佩之，屢果驗，遂乾之置灶上。時陳裕宗被陽痿症醫治罔效，徧求有能治者，賞許民祿之半，至伊社，庚母言：「我家有一繩，治此神效。」與子携取藤蘿，隨使赴京獻上，裕宗佩之，勝參茸百倍，生得二皇子，以庚神醫，留宮中侍藥，賞賚優渥，寵幸無比，庚忘却北客人言，不撤前宅。

後庚子通私宮女，事覺被刑，庚見斥回，田產收沒。（按國史裕宗墜水，庚針之，復甦，因陽事不起，請取童男肝和陽起石服之。幷與同胞女通，以助陽道，果驗以此得寵，後庚通淫宮女，遂被斥。）這宅外案有高田數畝，形如斷藥刀盤，故以匿得名。

又宅居與小相近，每日月斜照，山影垂下，望之如蟾蜍在屋上，身坐蟾宮，故得近君出入宮掖。但嫌宅在山傍，地勢太迫，又前向刼山，去來靡定，故富貴不久。（脫軒詠史旣因薄云：「因薄藝還君寵，又啓淫風逞已秋，行陰小人心已死，當年謾說此神醫。」）

華閭發跡

評：獺精降眞人，馬穴得眞地，莫之致而致。胡乃竟墜客謀，其靈其昏想皆天定。

丁先皇華閭峒人也。世傳峒中舊有深潭，丹譚氏爲刺史，丁公著要。一日，于潭邊澣濯，有巨獺土水銜撞玉體，因有娠。居朞生男，丁公甚鍾愛之，母心知其爲獺出。未幾丁公卒，獺尋爲峒人所獲，衆烹食之，投其骨，母捨取以歸，封裹藏之灶上，示兒曰：「爾父骨在此。」稍長善籴，號爲丁某。

時有北客觀地，從龍脈至此，適夜觀天文，見紅光氣自潭中起，望之如匹練，直射于天馬星，明日就潭傍看認良久，曰：「爾中必有神物。」因求善籴者下探，期以厚賞。丁某聞而往，即籴深窟處，以手磨按，果見一物似馬形立于水底，登岸具報。客人曰：「可復下，執草把試塡這口看如何。」丁某即濳向馬前，飼以草，果見開口，嗑之，再上以告。客人喜其的穴，索銀與丁某曰：「今少酬勞，我暫北還，他日復來，更有厚贈。」辰丁公年雖少，是個聰明的人，知牛眠穴有馬口，待北客去即取灶上骨，合把草倂入馬口，馬俱吃了。旣而人多慑服，推爲衆長。

一日，與叔戰奔過潭涯陷于淖，叔欲刄之忽見二黃龍擁衞，叔懼而退，由是歸附益衆。

數年，客人火先墓自我來葬，聞丁某才益世，手下已千餘人，知這穴已歸丁，自己枉費工夫，因此含怒，就與之語曰：「喜君得此佳城，第馬無劍不好，今贈一劍置諸馬頭，必能縱橫寰宇，到處淸夷。」丁某信之，遂籴就馬穴，掛劍於頭，依如北客所示，其後所戰必克，號萬勝王，卒能十二使君，輿圖混一，是爲先皇，在位十二年，爲內人杜釋所弒，及其子璉而亡，蓋墜於客人之計，馬頭有劍帶殺故也。

太堂發跡

評：阮固分工，原不得太堂福地天假固一條線，使穿入陳家針孔也。不有江中之縛，何來漁子之舟乎。聖神仙佛生出許多，不審何修而得此。

陳家祖，美祿即墨人。世業漁，南道長河一帶，是其家居。辰有北客相地，自三島祖山，從龍脈來過昇龍古碑，至金洞偈州高舍社，見有土堆完聚，是他駐兵造飯處，至南昌芳茶社，沒了行跡，顧眄良久，曰：「河水急流，豈有穴藏水底耶。」過河至御天縣河柳社，見星峯聳立，笑曰：「擡頭處在是寧能遁我尋。」至日果社起宗山，到太堂結局，遂下針盤照看，躊躇不能去，適西衙阮固見之，揖問地仙屬目于此，莫是有吉穴在。客人笑曰：「不謂帝王大地，乃出平洋可笑。」時師都無眼力，固曰：「果此，請惠許我，謝禮如何，敢不遵命。」客曰：「爾有福而遇我，我何愛焉，但葬了，即還我百緡錢，他辰得國當分其半。」固應諾，遂將祖墓遷葬焉，客慮固反覆，謂之曰：「葬了，必有嘉祥，但於百日內，宜時常往探，倘風雷起後，見有異事，便是凶多，可急移葬。」纔三日，忽夜亘半雷一聲，所近地方，人畜皆驚動，來早視大舍、西衙、太堂三社，諸石突出，人稱猶耳石，園池處處有之。（今石跡現存。）辰固喜其得地，與妻說話，妻曰：「這地雖然發福，但日下百緡如何可辦，又來日半分天下，則所得幾何。」固以是心生一計，夜間縛客人，投之江中，不意這處乃水浮漲，自客人投下忽潮落水涸，臥在沙泥，適陳漁舟掉過，聞有人聲叫喚，急扶上船，解去其縛問故，客人具道由來，因謝曰：「感君再生之恩，當以此大地相報。」陳氏曰：「這已葬了，將若之何。」客曰：「某已先籌此地，必有爲公有，陳氏留匿于舟中，不露聲跡，客人告以多買銅器，鑄爲霹靂、斧形、及養蘇木濃湯，儲待應用。忽是夜雷雨迅烈，轟然震聲，旣而雨霽，二人即製斧斫他墓上深透至棺，洒以蘇木湯。明旦，固往探觀，以爲雷打墓中流血，大懼，移去。客人隨將陳家祖墓移葬，按這局前望大河三岐，（美祿縣有備社，俗呼為□鐘。）後枕伏象，樓臺旗劔，環列左右，穴在土復藏金，坐乾向巽。北客遺課云：「粉黛當墳照，烟花對面生。」必有以顏色得天下。陳氏言果如所課，當平分民祿之半，客人曰：「不須如此，但君家享國，則我家世世給足，衣糧可耳。」陳氏拜請依命，各有交書兩相盟約爲記。

却說這客心多巧密，別寫讖書二道，留與子孫藏守，囑以他辰如彼意，禮不衰，當以實告，倘若背約，即如此如此，因與陳氏語某已遺下一法，可添長遠十餘年。世後便可明告。陳氏不勝感謝。迨三世陳煚以李延福八年生，隆準龍顏，八歲受昭皇禪，是爲太宗。初辰北客子孫來，輒有厚贈，及季世禮意寢衰，客人捧書進曰：「臣先祖有遺讖，囑以某遞就貴國王簡知。」陳王接取讖書看書內言：「太堂發跡舊墳，今將不旺，當疏通水道方保悠長。」等詞，遂信之，照讖書內畫圖，鑿自富物社大江而入，縈迴至太堂。（今河跡現存。）不意斷了龍脈，陳業遂衰，竟爲赤嘴所奪。

蓋陳家享國，只有此數，亦天命也，豈人謀之所能預哉。

左先生

評：我南地學界未開，天特生左先生，以備缺點惜其所學不傳意者，玄機不許輕洩耳。

阮德玄宜春縣左洶社人。少貧以傭借爲業，常過浮石江，有北客人溺水，公救之得活。客人賜之錢百緡不取，以其半強之，亦不取，北客嘉其好心，謂之曰：「觀君相貌，眞是仙來道骨，與我北還，就正宗門求堪圖輿學可乎。」公即隨往廣東，宗師以公少字學。時聚米作山水龍虎狀，口爲傳授公亦穎悟，三年而術果精，欲求歸，宗師命布沙內栽百穴，陰置百錢於下，試使公點，公點中九十九穴，惟差一穴而已，宗師曰：「吾道南矣。」公拜謝師歸，復賜捉龍一面，及倒壓土地神之符，悉授之，曰：「此南國所無，宜秘勿洩。」戒以義安眞福縣（今嘉祿縣。）有一大地，不可奢望，否則累及於我。公歸家，欲改葬祖父墳，兄弟皆不之許。一日，記宗師言，就伊縣處一觀，于同虧處認得一穴，祖山自鴻嶺而出，三十六片龍來朝，浮石江爲大明堂，千兵萬馬，森布羅列，私念此穴眞是大地，若葬得，則十八國諸侯來朝，帝王傳繼，代代不絕，但留藏於心耳。復遠遊看。

至弘化縣筆山社，見一穴寅葬卯發，自念：「吾不試技，無以取信於人。」乃謂：「何人葬得財，許我十分之一。」有一人請許之，黎明下葬訖，其人持鍤洗于江，見一溺屍，爲之收葬，則屍懷中有二包五十笏白金，辰日始出也，公取五笏而去。

至青廉縣認得一穴，謂人曰：「葬之一月當得郡公爵，發當許我古錢一百貫。」有富翁奇其言，請之，辰朝廷與莫將敬度戰于金榜，敬度敗遁走，有旨捉得敬度，遞納即賜郡公。這富翁葬後二十日，見有二人入其家曰：「我即敬度，許我一飽。」吾爲若德，德以身納，富翁遂得郡公遞敕回家，正滿一月之數，即以百緡錢贈公，公只取三貫，爲行贐而已。

自此左泑之名，聞於天下，周遊四鎮，凡二十年。如嘉平縣之仁友寶篆，慈廉縣之安決，東岸縣之翁墨河魯，良才縣之陶舍，安樂縣之里海，超類縣之大澤，嘉林縣之驍騎，安朗縣之金泉，大則尚書、進士、駙馬、宮妃，小則中場、巨富，凡得公營葬，悉皆發福，不可枚數。

及到天姥社，（屬慈廉。）認得一大地，欲爲陳家葬之，纔置捉龍于地，覆之者三公，即兕呼土神問之，神言此地，當發三代師國大王，子孫公侯不絕，天已賜阮貴德家，陳家德薄，不稱此地，君若遠天，必累及其身，君周行天下，多造福於人，而無一寸吉地以葬父母，宜念惜福可也。」公由是始歸故邑。

公生得二男，而家資不足，蓋公爲地而取人葬地而不取人財也，年六十五病篤，命擡至同虧地，欲葬舊所認之地穴，不意途中而沒。

夫南國地理之術，莫精於左泑，能造人之富貴，而不能救子之貧賤，然則人當以修德爲本，若專求於地理則末矣。

公之事跡，考之桑滄錄及諸書各異，一說葬父墳在高山龍頷，凡骨射上龍口，數月天星南拱，北朝使正宗師來，用法破壞。一說公墳毋在海底，此穴三百年，只一時刻龍開口，至時風波大起，及靜則時過了，不克葬。一說身後預定一穴，葬成地仙，及病篤於途中，只發隍城穴，命葬之。

洞溪放榜

評：鄉紳皆入異藉，獨楊阮二公得列朱籍，其卽登黃榜之榮乎，放榜之夢幻而眞。

近日已未科會試，青林洞溪人。夢見放榜在本社亭中，中格二皆鄉中人：第一名訓導楊謨，第二名監生阮宗臺。覺以語鄉人，共謂吾鄉是科得二進士，及會試二人相繼落名，人皆疑之，然猶想其或應來科也。未幾地方瘟疫，鄉中貢士病沒以十數，惟二人尚存，始亭中放榜之驗。

古怪卜師傳　俗名柴道

黎朝嘉崇帝永佑元年，帝乃龍德帝之弟，與鄭府通姻，以故得立，國內人心不服，盜賊四起。辰鄭全王秉國政，得心疾，內侍名阮泡齒之仙宮，使居寢室，事無大小，皆決於泡，天下將有改易之望。辰東鄂監生杜世佳屢會試不第，家貧喜客，與內侍奉公黃五福、高姥阮春棖爲布素交，以讖語有兌，方靜一區之句，謀求清淨地，安插遍尋月餘，未得其所。一日過安朗內同旅店閣，有卜師號古怪先生，在此買卜，三人同入伊店避暑。盤纏告罄，欲行避暑，不敢前，坐久又恐令人厭，因共向卜師閒話。世佳謂卜師曰：「我是貧監生，這二人亦貧內侍，一團落魄，放浪西遊。今日國勢人心，如此杌隉，欲尋一區淨地未獲，但行囊告罄，先生試爲賒一卜，他日如意，自當厚贈，未審先生意下如何？」卜師聞言大笑曰：「僕亦士人，秋試不第，以卜爲業，不能瞽其兩目，致世以常卜相視。先生既是道中人，兩侍亦是貴客，今肯屈意相問，我當以實相告。有誠有神，何拘厚薄。」世佳因取囊中數文錢買芙數口，三人密禱心中事，禱訖，卜師謂曰：「僕於卜藝亦皆涉獵，惟折字藝最精，諸公各當寫一字，許我一看。」世佳暗想：「此必因我曹禮薄，故以這小藝相推，但試他看術如何。」遂取筆欲寫「乾坤一袖」四字，寫乾字始完，再欲寫坤字，五福即前握其筆，曰：「先生有命，人各寫一字，敢不如命。」遂取筆寫元字，再授筆與春棖，春棖寫亨字，寫訖。春棖整手捧字紙，加額跪向卜師前，致辭曰：「承先生命，各寫一字，敬當獻上。」卜師起而受，撫手大笑曰：「我國有人矣，國家無事，天下太平，監生爲近臣，二內侍爲大將，我當爲三貴客師，勿他往。我當爲公輩出京，使公輩做功業。」三人聞言錯愕，杜世佳因致辭曰：「卑等聞先生言，如夢初覺，煩明爲指示，方望前程。」卜師曰：「乾爲天、爲君、爲父，元亨爲乾德，三字相連，有幹旋造化之意。監生寫乾字，故以近臣許之；二貴侍寫元亨字，故以二大將許之，易貴通變，豈屑計尋常字畫，我言不謬，公等自當見之。公等既以此三字獻于我前，是成諸公者我也。」言訖取算子置囊中，與世佳肩負謂曰：「三弟子遊與師同行。」諸人未信，勉強相隨，至東鄂宿于世佳書舍。次早出升龍，至端門。天暑甚，卜師與三人避暑于五門內，卜師熟睡，忽覺謂三人曰：「我輩急上敬天殿，看雷震。」辰衆人亦多避暑，聞言甚怪之，爭跟卜師前往，既出五門外，紅日當中，炎暑如炙，人皆掩口而笑，先生顧謂三人曰：「快行，遲則不及矣。」遂躡級登敬天殿，立定見黑雲一道，當殿頭霹靂一聲，震破殿角，震異炎暑如故，旁觀者無不吐舌。事聞殿中，永佑帝急宣卜師入見，三人從。帝問曰：「當暑而震，先生何以先知。」卜師曰：「偶然夢見耳。」帝意其得道高人，不肯宣洩，因叩其卜術。卜師以折字對，帝因寫「意」字。卜師詳看，叩頭對曰：「陛下赦臣罪，臣乃敢言。」帝曰：「君子問災不問福，第言無隱。」卜師對曰：「據臣愚見帝不垂衣，意龍無掉尾，陛下恐有退休之象，只爲立頭不正耳。」帝復問曰：「國家有事乎？」對曰：「國家有盤石之安。」帝復問曰：「朕躬有事乎？」對曰：「陛下有南山之壽。」「然則何爲退休？」對曰：「此字甚尊嚴，甚端正，甚安穩，上畫長而直，下畫勾而圓，又有三點爲之輔弼，國勢聖躬萬無他慮。但此後退休從心所欲耳。」帝聞言大悅，賜之茶食，厚贈而去。三人初見雷震之應，後見意字之占，不覺心服，自後卜師名震京師，占訊如市，無一不驗，三人陪侍，不離左右。

時有王舅炳忠公乃全王母弟，預典禁兵。世佳與五福春鋹並常爲家客，因說忠公曰：「有卜師，郭璞、京房之比。王舅欲問國家休戚，當試一占。」忠公曰：「我今處危疑之地，若與卜師說禍福，逆黨生疑，勢必不久。今有王弟第四位，器品不凡，我將大事宜命他一筆，使占者審決如何？」遂以意授王命弟，王弟欣然持筆寫「勝」字，世佳領這字歸問卜師，卜師纔見此字，粘于壁上，整衣四拜，謂世佳曰：「朕有力，此眞英主也。力在朕下，此是九二大人，未是九五大人之象，欲求九五當一番尋。」世佳聞言大驚，遂具以王弟手筆告。卜師笑曰：「此眞元帥無疑矣，爾等當爲之輔。」世佳具以告忠公，忠公亦爲嘆服，復謂世佳曰：「今有龍德第一皇子拘監在此，卿當求皇子一筆，試看可當九五大人否？」世佳領命，就皇子縻所，語以故，因取字彙書求得「景」字使皇子寫了，世佳復取這字歸問卜師。卜師粘之屋上，叩頭五拜，連呼萬歲萬歲。世佳大驚曰：「先生何以知之。」卜師曰：「日照京師非九五而何？但日短而京長，日小而京大，雖享國悠長，而權柄不免下移矣！」世佳頓首嘆報，復以言達于忠公，忠公相與嘆訝。

時全王在仙宮歲餘，其母太妃不與相見。一日，太妃乘輦徑至仙宮門外，內侍泡迎於門外側曰：「宮車且回，王當熟睡。」太妃不肯，直至寢所，見重帷疊帳中，有鼾睡聲，太妃穩坐以待，良久不見動靜，遞泡亦侍左右，後因泡外出，太妃潛披帷見有人臥錦被中，太妃細稟，其人不答，太妃揭被尾摸其足，見足毛參然。太妃急縮手出外，登車而回，語忠公以故，遂與世佳五福等密定廢立之議。世佳謂忠云曰：「徽從卜師，看皇上寫「意」字辰，詳言「心」字左右兩點，左一點是「文」，右一點是「武」，但下筆必先友手而後能點，欲行大事須當求背暗向明之人。今歷觀朝臣，惟天姥阮貴懲世受國恩，乃今王上與王弟及逆泡之師，最爲泡所親信，宜奉太妃懿旨，密召此員，誘以國恩大義，彼能背暗向明，吾事濟矣。」忠公許諾，遂以宮命貴懲，貴懲乘夜而往，抵忠公家。太妃幸其第，貴懲拜見，太妃諭意，貴懲涕泣，慨然對曰：「此事非懲不可，但謀不密，則事不成。今既面受太妃懿旨，請即手筆頒許，臣當相機而行，不拘旬月，來日行事暮當馳報。若音信往來，萬一宣洩，闔門無遺矣。」太妃許之，親寫懿旨，授貴懋，貴懋拜領，夤夜而回。忠公因謂世佳等曰：「卜師眞神人也，吾事其濟矣。」五福私謂世佳曰：「從來卜師所占，亦常億中，但乾元亨字與勝字景字俱屬將來，又所謂近臣，所謂大將，所謂帝，所謂恐以類相從，未敢深信。今當將眼前事，就師一占以驗靈否。」時傍有婦人既寡而孕，其人頗識字，三人遂命伊婦人寫一也字，因取以問卜師。卜師見字大笑曰：「奇哉！婦人不夫而孕，人每謂與人相通，不知果遺腹子，迨坐蓐時，使老婆見這小兒，貌極類父，摟抱恩愛人疑自釋，他父只有一子，田地便歸此兒。但諸公意下將這字來問我者，非爲他問也，只爲從前占卜，多是將來事，故問此以驗我之靈否，諸公且爲保養，那婦人以爲靈驗，我攜囊歸山，公輩留在京師，來春事必濟矣。」言訖，攜囊徑歸，三人拜謝。

貴懋自歸第後，日夜謀慮，逆泡自以已爲宦豎，不當爲天下主，欲以其位禪其兄湜，問計於貴懋。貴懋曰：「今天下大權皆在公手，爲此不難，但優兵皆清人，人恐不爲公用，當擇四鎭一兵，付兵數與清又等，有事徵發，一以當一，何患不成。」泡然之命，揀一兵如優兵數。貴懋復謂泡曰：「四鎭兵難常集，惟近四畿，府勢異徵求，只惟輦轂之下，點民爲兵，恐資爲敵，宜傳下四府，並依朔郡公所點兵額，預先揀取，名爲鄉兵，仍命依社社看，權爲管宦，農隙講習，以俟保衞。且便臨辰徵發，又傳下諸管兵官，每員各自募四鎭兵丁爲義兵，各百名，給以公糧，以爲有事之用。」泡悉如其計。

貴懋夙夜焦思，得痢疾，數月不瘉，有一占者，爲人占斗數，生死如響。貴懋命延之入，授以年月日辰，問（占曰）者曰：「生乎？」日者答曰：「生。」貴懋曰：「如生當在何日辰？當用何方術？」日者拂然曰：「我知公問意，只在公心中有大事，不肯明以示人，我亦尋常人，豈肯洩造化之秘。來春正月，天將以天下大事寄公，公安得死。」因命筆題於數局內曰：「幹施造化，柱石乾坤。」（這八字現今留天姥家譜。）寫訖，拂衣而去。貴懋恐心事洩，亦不敢當。

歲暮，全王疾寢劇，逆泡嘗問貴懋以禪讓之事，貴懋曰：「某夜觀乾象，當應在來春，請待開春未爲遲也。」庚申正月貴懋方在逆泡家，急報太原，公文飛遞，貴懋開筒一看，見邊報有北兵來侵占太原地面，兵馬甚衆。貴懋謂逆泡曰：「吾國危矣。」泡急問曰：「我南國每危疑之會，輒有北兵，便爲彼所呑併，今國勢如此，他乘間而入，敗陳擒胡之事，將復見於今日。十年之功，廢于一旦，可惜！可惜！」言訖自投于床，慨息數回，忽翻然起床，大笑曰：「此天所以成我也。」逆泡又前問，貴懋曰：「昔遼漢連兵，宋祖自將至陳橋，自立而還。今有北兵來，將軍宜悉京兵而往，以京北營爲陳橋驛，大兵握手，誰敢不從，公爲大人，我當爲眞師傳矣。」泡聞言大喜，因問曰：「今何人當行，何人當守？」貴懋今宜掃京師兵而往，不許一人留，仙宮一伯兄守之足矣，忠公庸惰，不足爲慮，將軍宜急先往，早晚成功，但兵旣濟河，不許一人北渡，庶無返顧之憂。泡酌酒與貴懋曰：「富貴當與同之，但京師天下根本，須得一人留守。」貴懋曰：「請將軍自擇。」泡曰：「與我同事者莫如先生，煩爲我一留何如？」貴懋曰：「旣蒙不棄，願以便宜行事，公即眞當斷我掌六部尙書。」泡命擇日，司六監至貴懋密語之曰：「來日吉，司六監。」如其言，遂命次早出師，命貴懋留掌府事，生殺予奪並許便宜。貴懋以身錢逆泡渡河，旣濟，下令不得橫渡，非有將軍令，及掌府印，不得往來。貴懋以羽檄徵近畿諸丁壯，齊集昇龍城，分據諸要巷，非有掌府印，敢橫道者斬。

是暮，奉太妃幸忠公家，召百官會議。貴懋曰：「今王上抱恙，不堪國務，奉太妃懿旨，擁立第四王子鄭楹嗣登王位，廷議何如？」佛跡尙書阮暐先抗言曰：「王上在御，人臣安報輕議廢立?」貴懲厲聲曰：「此逆泡黨也，立命劍士送獄。」次問金縷參從阮公宲，公宲見佛跡尙書先被逮，乃言曰：「故事凡國家大事，惟親勳大臣決定，參陪與百官等耳，不得預聞。」貴懲曰：「參從公既爲推諉，我祖父累世國師，某當爲親勳，議行大事，遂命忠將公伻義兵三百人，頒掌府印，跡前往圍駐仙宮，不許一人出入，參從阮公宲捧筆硯，黃五福捧金劍，扶第四王子升輿，人定，率親軍三百人直入王府。黎明，命阮春張擊澤閣鼓故事。（譯閣殿有飛樓九厚，第二層懸一大鼓，有新方許梯，受命擊鼓者，每登一層，卽自撤其梯。）擂鼓三通，事定，侍人復梯而下，貴懲翊王子上龍床，已坐其後，命春張擂鼓數聲，府外大鬧，飛傳逆隄出兵鏖戰。持王子始登床，百官陪列，公宲拜未及起，聞信蒲伏能起。貴懲傳閉府門，宣言忠公破入仙宮，捧呈上出此，外不拘少長男女皆斬。守府官緊閉宮門，容一人一騎，出入者斬，百官行禮如儀。時王子聞變，倉卒欲走，貴懲以手摟抱王肩，拔劍謂王子曰：「坐此享天祿，去此便死。」王子勉強爲留，忠公已破入仙宮，使人以塑梟逆湜頭，懸東府門外，百官拜賀京師肅然。事定，貴懲下床拜謝賀，王顧謂公宲曰：「可授國師郡公尙書。」公宲徧傳貴懲拜謝，逆泡猶在江北爲患不細，貴懲曰：「逆泡不日遁去，不然爲俘虜耳。六軍早暮來朝，勿勞聖慮。」

次日，逆泡聞信，棄軍而遁，清、義二軍，並就珥河津次，乞回朝，中外大悅，超授世佳行府事，阮春張以擊鼓功，典禁兵，黃五福亦不次陞擢，三人復與忠公議曰：「勝字驗矣，景如字何但此事非禀知天姥公不可。」因共以事語貴懲，貴懲因延忠公入內室，謂曰：「宜取香粳米一箕，巨銅錫三口，煑粥于內室，升所纍皇子之室，滴粥於瓦，爲龍形，及早，忠公詣府伏罪，我當將計就計。」忠公如其言，用粥徧滴屋瓦，入府解冠謝罪，王急召貴懲語以故，貴懲曰：「此是君王之象。」忠公人臣不宜有此，請王上親幸其第，以辨眞僞。」王卽命駕臨幸，至殿邊見龍狀宛然，命內臣升屋取粘涎，嗅之皆香。貴懲搔頭謂曰：「蛇涎腥，龍涎香，恐忠公有非常之事，罪當斬。」忠公叩頭拜謝，命沒榻候駕，悉屏左右，惟龍德皇子在梏，侍者不敢屏去，王登榻，顧見左邊梏者問貴懲曰：「誰也？」貴懲即前拜曰：「國舅無罪，此乃皇太子之象，其龍涎正當皇子縻所，此即龍衆也。」明王至性恭敬，即前拜于梏所，立命脫梏，別設坐榻，遂與忠公、貴懲奉命表殿上，言皇上以次支承統，今皇子年德俱長，陛下宜優游乾壽，付托萬畿，以慰臣民之望。皇帝聞表，回思意字之兆，遂是其奏禪位于皇太子，退居乾壽宮，廷議改元新皇帝，先取景字後加興字。卜師聞曰：「之私占曰：『興』字有四十八年之象，但『興』字頭有須三『日』字，日色俱被侵蝕，中間稍高，旁日稍低，享祿止於三世，自皇子即眞乾綱復振，明王內修政事，外攘寇盜。世佳官至署府事鍊郡公，爲左右近臣，親幸盛北，黃五福爲平南上將軍；阮春張爲平寧上將軍，悉如前卜。

按古怪一村耳，因乾元亨三字，知國勢之尊安，驗三人之榮寵，與勝景二字，物色帝王，其奇跡類如此，豈不美哉！

聽聞異錄

張繼光 校點

聽聞異錄　出版說明

本書不著撰者姓氏，年代亦失考。全書計收錄五十一則不同類型的短篇故事，內容爲有關山川景物、歷史人物、民間傳說以及荒誕傳奇的故事。正文前有簡短序文，說明此書之內容性質及其命名取義之緣由。序云：

前輩有嶺南摭怪、有越甸幽靈、有傳奇漫錄、有天南傳記，皆記我國神異之事也。然一代有一代之奇聞，予於課僕閒餘，集其所聞，名曰「聽聞異錄」。倘有差謬，「聽聞」二字，足以蓋之矣。觀者勿以效顰學步而笑之，亦大幸也。

是聽聞錄異一書乃作者將其所聽聞之本國神異與歷代傳奇，加以集錄成書。而這些神異與傳說，在李朝、陳朝以來之嶺南摭怪、越甸幽靈……等書，已多加採錄，可見這些都是越南地區長久以來普遍流傳的民間故事，爲越南人民所喜聞樂道。檢視全書五十一則故事，其中前三十五則與大南顯應傳、本國異聞錄、大南傳奇同，唯文字小有異同而已。後十六則，故事的本事則散見於他書。如安所李服蠻傳本事亦見於喬富編嶺南摭怪列傳之李將軍傳；徐道行阮明空傳本事亦見於靈南摭怪卷之二中。然相互比較，則聽聞錄異之內容較爲精簡，不若嶺南摭怪之敷敍；且聽聞異錄多記事，嶺南摭怪則多敍言。又如徐式傳，本事亦見於阮嶼傳奇漫錄卷二徐式仙婚錄，唯二者互有詳略。凡此，當是各據民間傳說分別加以記敍與演述，對於研究越南民間故事有參考價值。

今所知見此書僅有抄本一種，原爲遠東學院所藏，編號A593，現藏越南河內漢喃研究所，法國遠東學院藏有微捲。原抄本字體工整，凡一〇三葉，每半葉九行，行一十九字。因無異本可資參校，故此次整理，惟據微捲影印本加以迻錄、標點、排印。

聽聞異録序

前輩有嶺南摭怪有越甸幽靈有傳奇漫錄有天南傳記皆記我國神異之事也然一代有一代之奇聞予於課僕閒餘集其所聞名曰聽聞異錄倘有差謬聽聞二字足以葢之矣觀者勿以效顰學步而笑之亦大幸也

聽聞異錄

真福元國公傳

阮熾真福蔡舍人也其父值陳末之亂不樂仕進

人乃捣藥侍療之，半日而疾全愈。天子命赦老人夫妻罪，召入禁庭，叩其原由。老具奏蛇鼠報恩之故。天子嘆曰：「物亦有知如此。」命者賜之帛十匹，布二十匹，金十笏，所在存問，以時奏聞。噫！物得偏性，尚知報答，況人受德於人而忘之，其不如物矣。

聽聞異錄集終。

聽聞異錄序

前輩有嶺南摭怪、有越甸幽靈、有傳奇漫錄、有天南傳記，皆記我國神異之事也。然一代有一代之奇聞，予於課僕閒餘，集其所聞，名曰「聽聞異錄」。倘有差謬，「聽聞」二字，足以蓋之矣。觀者勿以效顰學步而笑之，亦大幸也。

聽聞異錄

眞福元國公傳

阮熾，眞福蔡舍人也。其父値陳末之亂，不樂仕進，住持于本鄉之寺，作和南禪師。每夜鷄鳴，擊鐘焚香誦經。有屠猪人居于寺傍，每日聞鐘聲叩，即起殺猪。伊日誤買牝猪，不覺猪孕，期以旦日作宰。是夜，禪師夢有一婦人夜號泣，謂之曰：「願公今夜勿擊鐘，救我母子八九人之命。」禪師從其言，是夜鷄鳴不擊鐘。已而，屠猪人晏起，此猪遂產八、九子。禪師奇其事，遂盡買母子，生放之于山。數月，禪師爲虎所咬，將葬之于山。明日，家人往吊之，則已見成一大土堆。後有識者謂之曰：「此虎葬之穴也。」

是時阮熾已長十七歲，家計單寒，遂就清華地方賣油爲業。至東山縣，天已暮，傍無民居，望見山上有一廟，乃投身宿其中。至二更餘，聞有車馬之聲，喧然而來，謂伊廟神曰：「今夜玉皇上帝會諸百神，定立安南天子，這係大事，毋可欠也。」伊神言：「我有塵間貴客宿寄于此，莫可他適，但有所聞，願以還告。」四更末，復聞有聲，報于伊神：「今日已定安南皇帝，其人即瑞原藍山人，姓黎名利，許以申年申月申日申時起兵，十年而天下始定。」已而鷄鳴，急起，尋至藍山，具告以事。

是時黎太祖已有手下三、四百人，素有此心，及聞阮熾之言，七月起兵于藍山。厥後天下既平，熾多有功，賜姓黎氏，封元國公，創業功臣第一。歷仕太宗、仁宗朝。又以誅宜民屯般之功，復賜中興功臣第一。子十二人，皆授郡爵，位望極盛。聖宗忌之，陰使風水師還蔡舍，開鑿禁江，以絕龍脈。龍身出血三日，長吟一日，五中尉皆死，後子孫漸弱。迨至黎末，名䙰泰，同與阮整舉義，昭統封爲泰郡公，乃黎熾之苗裔也。

金顏山記

金顏山，在乂安處清漳縣知禮社偈長册，其山聳高千丈，盤繞周迴三十里許。世言南國有三大名山：一三島山，二香積山，而金顏山則居其三也。山最靈異，自外望之，有架衣之所，仙女圍棋歌唱之狀。近而就之，則巉岩之石。俗傳是收星之山，凡人死者，星落先入此山；惟國君升遐，星落如匹絹，長一丈許，頭帶火光，橫臥于谷口。伊社民具衣服金銀錢粟，致祭于山外。祭畢，聞谷中有三大聲，若雷轟之狀，而星落後入。驩州風土記所謂金顏山石巉岩，俗稱星移之嶺是也。

景興己丑年，朝廷攻討鎭寧，揀取另卒。伊社人，名文益，年方十八，父已早亡，本社頂替爲另。文益逃于谷中，摩暗而行，久之倏爾光明，四顧行人，往來如織，想如他鄉風景。只見道傍茅舍，陳列饘粥，過者或啜或食。文益腹饑，本欲來喫，不曾認得熟人，躊躇亦未敢食。望見大橋，行五、六步，忽見其父自橋走來，謂文益曰：「爾何從到此？」益認得父面，具道始末。父曰：「此是閻羅之境界也，此橋名大羅橋，凡人死者，魂魄由此谷入，先食此粥，後過此橋。惟在陽世爲善者，始得過此；若爲惡，被兩犬擠之于江。但已食此粥，萬無歸理。」益以不食粥告之，其父復引文益出谷口。父忽不見，屈指計之，已五日矣。

惜鷄埋母傳

昔有海陽青河人，居于京都之侍中後。家養一鬪鷄，十分珍重，饑者飯之，寒者衣之。一日出外，囑付其妻：「爲我保守此鷄，否則汝之命，乃鷄之命也。」不意鷄入竈下，彼婦持短刀擲之，偶中其頸而死。婦惶恐，謂姑曰：「妾不幸打死此鷄，良人決必不容，但妾有孕已三、四月，安得保全妾母子之命乎？」姑曰：「爾自無憂，我以身當之，子必無害母之理。」

越二日，其夫歸。甫入家，未坐，即問鷄何在？母以前言誑之。此人怒氣勃勃，面青如藍，謂妻曰：「汝早養飯，許伊婆飽食。」食訖，手持鍤先行，遣妻牽其母，以繩繫之而去。出鎭武觀塢門之外，掘開一穴。甫畢，天大雷電以風，霹靂一聲，打死此人于穴邊。京城傳聞其事，觀者壁立。

時有古都尙書阮伯璘，自家赴京，過此，謂家人曰：「天高聽卑，信有之乎！但吾常聞洗冤傳云：『人有被雷打者，以醋洗之，則背後見其罪。』」即命取醋洗之而觀，果於背後有八字云：「惜鷄埋母，惡極不容。」噫，異哉！

演州太守記

太守公，羅山人也。娶妻楊氏，產下六、七番不成。及到演州任所，其妻復懷胎已七、八月，夜夢神人告之曰：「明日許爾霹靂舌，來月生男，可用此鐵鉗其兩足。」且日，果得之。已而生男，命工作（做）兩足環以鉗之。長五、六歲，頴悟非常，公命名金錫。十七歲，鄉舉中鄉貢。一日，訴于父母曰：「兒今年已弱冠，又得濫預生員，豈復有前刼輪迴之事，而長帶鐵鉤，如囚人之狀，以取朋友之笑耶？」公謂其言有理，即命析其兩環而去之，自然金錫僵臥于地而死。公不勝哀號，爲之服父母之服。

前此金錫在時，村之人有一女賣芙蓄，往來甚熟。一日，府公往過此處，女見公著衰衣，怪問之。公曰：「新監生死已三月矣，爾不知之乎？」女言：「數日以來，監生始坐于此，公何言之異也？但監生今已有車馬僮僕，殊非前日，不知作何官樣？」公不以爲然。女言：「後二日早時，公伏家中而觀之。」至日，公依如其言。一更許，果見金錫僮僕車馬，入坐此行。女謂曰：「有太守公在此，候等多時。」金錫見公，指其面大罵曰：「爾縻我十七年坐塵世，吾恨不斬爾，又何面目認父子爲也？」言訖，忽不見。公即於家解笠與衣服，焚之而還。自是不復有哀痛之情矣！

吳俊龔傳

吳俊龔，膠水堅牢人也，少有神童名。二十一歲，領山南解元，以善文鳴京師，長安有「俊龔俊異，天下有二」之謠，人以爲金榜銀榜，可指日取也。俊龔寓于同春側，旁有諒江府知府之女子，聞俊龔名，頗有相悅之情。女貌郎才，兩無禁忌，山盟海誓，百有餘篇，遂與之私通。女遂有娠，周年而生男子。來年，俊龔結婚于管軍之家，而伊母子不復認焉。伊女入則父母痛楚，出則鄰里譏嗤，不勝懷憤，遂抱子投于珥河而死。

是年會試，俊龔對策，文理宜在第一。考官阮進朝方睡，見一婦人抱子言曰：「此卷乃堅牢人吳俊龔，但伊人薄行，殺我母子之命，若此卷得掇高科，恐非上帝天門放榜之意，而爲惡者亦無懲矣！」考官驚起，已見伊卷被墨水淋漓，字不可辨，乃以其事訴于提調知貢舉官。糊名觀之，則膠水堅牢人吳伯僘也。俊龔自是無復有科舉之志，居家營產，至今子孫猶富足云。

天子到家傳

昔有唐豪婦人，平生以染衣爲業，生得一男，夫君早沒。有北國客人葬得吉地，斷云：「此地三年之內，天子至家，大發富貴。」洪德年，北使來册封，帝命坊庯外家，一新粉塑，每間掛聯對以壯觀瞻。帝夜間微行觀對句，到染衣家，謂伊婦曰：「人皆有對句，而汝家獨無，何也？」對曰：「惟是老身惸惸，只有一子，遠學他方，借人甚難。」帝曰：「我爲汝代草可乎？」曰：「敢不如命！」帝命索筆紙，寫聯句云：「天下青紅皆我手，朝廷朱紫總吾家。」

明日，深狀元入朝，見之，詰問老婆曰：「伊誰作此對句？」老婆以實對。深狀元入奏于帝曰：「方今聖人在御，德祚方隆，臣觀對句，的是天子氣象，天意已別生他牧。」帝笑曰：「此夜間朕所作耳！」深狀元謂天子至家，白屋出公卿之象，命以女嫁于老婆之男子。厥後，肅宗朝，老婆之男子，果中進士焉。

天祿潘廷佐傳

潘廷佐，天祿芙蕾人也。中景統癸未科進士，歷仕憲宗、威穆帝、陀陽王、襄翼帝、恭帝，官至尚書。是時莫登庸欲迫恭帝禪位，乃賂廷佐以金百斤，廷佐與黃文贊陰作禪詔。登庸僭位，以廷佐爲佐相，居一品。廷佐每出外，則扁題「兩朝宰相」四字，使人持之先行。時有士人教童子造作紙鳶，於紙尾題「千古罪人」四字，每伺廷佐之出，則使童子持紙鳶隨其後。

及廷佐死後，閻王論其賣國不忠之罪，奏御上帝，復降生作馬。廷佐自思作馬，被人驅鞭太辱，但天網無可逃之理，自請爲乞丐。閻王許之。時有芙蕾老人，以販鄉赴京，泊舟于韋陽渡，有一人著衣襤褸，乞丐于船下。見老人，謂曰：「公非芙蕾人耶？」老人問之，則曰：「吾同鄉即潘廷佐也。」老人曰：「公前日官居鼎鼐，何乃著此模樣？」乞丐人揮淚而言曰：「我本以舊朝尚書，但於死後，玉皇上帝論其反黎從莫之罪，降生爲乞丐人。今幸遇鄉人在此，想亦可得一飽也。」老人詳認其形狀聲音，酷似廷佐無殊，乃賜之以米一斗，錢一陌，酬鄉關之舊情。其乞丐拜謝而去。

山圍節義記

武睿，山圍縣程舍社人也。未第時，北國客人葬之祖墓，斷云：「生居人首，死居人首。」洪德年庚戌科中進士，及對策，聖宗覽其文，嘆曰：「他日國家有事，此必其人當之。」賜中狀元及第。歷仕吏部尚書、東閣大學士、入侍經筵、少保爵程溪侯。及莫登庸欲禪位，陰賂公以百金，公擲之罵曰：「我受黎朝豢養之恩，不能竭節以報，寧能易面變辭，如張婦、李妻之態耶！」即解冠而還。登庸僭位，使人召公赴京。公囑付家事而去。及入，登庸以好言慰誘之。公方食芙蕾，唾登庸之面，大罵之曰：「汝篡國罪人，更欲賺我。我生爲黎臣，死爲黎鬼，豈有賣國圖全，如潘廷佐、黃文贊之類耶？」言訖，以刀刺頸而死。厥後黎氏復國，推節義之臣，凡十二人，公居其首焉。

阮堯咨傳

阮堯咨，武江人也。母生於癸亥年十月，命名曰猪。公生而穎悟，以神童名，人皆以狀元許之。大寶戊辰年，會試貢士，仁宗夢神人告曰：「今科猪中狀元。」及殿試唱名，乃阮堯咨，上怪其夢中不驗，以問堯咨。堯咨對曰：「臣少時父母命名曰猪，果爾神言不謬。」上謂群臣曰：「吾之所夢狀元猪，即阮堯咨也。」奈何世之儒者，不窮顚末，妄肆雌黃，乃謂之狀元猪，而註于登科錄之中，遂使千載之下，公獨負帷薄不修之謗，無一人能辨之者。蓋狀元之選，乃下界神仙之極品，非文字德行，不足以當之。觀有驚天上三不可之事，皆得預於天門之榜，豈有淫妻母而可占此選乎？

南華木匠記 附青池寺僧傳

南華社青漳縣有木匠，素機巧，構作南華亭。既成，規模制度，向背如神，觀者輻輳，以爲魯班、離婁之巧，不能過也。一日，方坐堂中，見二人來致辭云：「吾奉龍王之命，邀君。」伊聞其言，欲退託以他事遠避。二人曰：「龍王見召，子如不來，禍及妻子。且構殿既成，則子復回，何常有害子之心乎？」伊即囑付家人，整備工用，隨二人以行。至江，打開水面而下，不半刻已至殿門矣。龍王在殿上，喚伊匠謂之曰：「朕欲營一殿，材木已具，聞君巧思，當爲我制成規矩，以壯觀瞻。落成之後，當有酬謝！」乃卜日工築，命構正殿五十間，太子宮二十間。比至三年，役工甫畢，伊即求還。王賜以一匣，封緘甚固，且謂之曰：「陽間陰府，境界異而欲同，汝歸，勿可洩露龍宮之事！」命二鬼使送之還。頃之至家，家人見其還，悲喜交集。伊婦言：「君臨水府，我謂必無還之理，三年母子衰絰始滿，已使人擇日譚祭矣。」族屬鄉里，咸來質問，則默而不言。開匣觀之，則明珠三十顆也。赴京買（賣）與客人。

時有波斯國人，持其珠問之曰：「此珠乃老龜脫殼之珠，非是塵間所有，必是龍宮之物，方得做好如此。」定顆價，每顆五百緡。伊匠即賣二十顆，得錢萬貫；存留十顆，將回收貯。自是家資富盛，縣中無敵。伊匠人至七十五歲，近死之日，始喚妻子，具言三年作龍宮之事，言訖而死。而匣中之珠，亦無故而失焉。

愚常以此傳，參之青池縣裕泉社，有一僧住持伊社寺中，諳通佛戒，龍王使鬼使率迎僧人至水府，設壇場齋戒，以誦經七日夜，始放還。王贈之黃柑一顆。及還視之，則金也。賣之，得錢三千。不數年間，遂至巨富，造田一千五百畝，爲社中后神。又以錢一百貫，供奉寺中香火。今其田猶存，其碑猶在焉。

仙人范員記

范員，東城安排人也。公之先祖，本是農家，一向爲善，北國客人葬之吉地，斷云：「當出一代進士，一代仙人。」後生范質，中神宗朝甲辰科進士，仕至左侍郎。生二男，長范贊，次是公。公長十八歲，怠於學業，頗事遊戲，左侍郎常罵之曰：「汝長於箕裘之家，遽負金銀之榜。」公曰：「人生貴適志耳！八十年富貴，不過黃粱一大夢也。」乃蓑笠入洪嶺山採藥。行三日許，至大林中，遇老人持杖著道士衣，公意其得道仙人，即拜于地，跪而具告以己意。老人攜公以歸，行倣半里，望見茅屋數間，公隨老人入。只見屏上二書，傍有盂水，內外無人，時時與之勺水以飲之，授公以一囊，謂之曰：「歸而求之，有餘師矣。」言訖，老人與茅屋竝不見。公望日出處而返，頃之已到民居。及還至家，屈指已十二年矣。是時公三十歲。家人鄉里奇其事，亦不覺公之成仙。或寢十餘日不起，或一、二月，啜數粥而已，左侍郎常以狂士呼之。

公有親姑，年外七旬，寡居無子，衣食不充，公許之青錢二十一文，謂之曰：「若買二十文，則留一文，可周一身之用。」老姑依其言，旦買則錢暮還。纔得七年，老姑死，而錢亦失矣。公常遊玉山，宿于館，謂老婦曰：「此處當有炎火大作，我許爾一甕酒，若見火起，當以此酒洒之，否則屋比延燒，必無可救之理。」已而，伊社果失火，正値五月南風，人不能救。老婦思公言，以酒洒之，三日不散。公常過弘化，有老人乞丐，年七十餘，公憐其老，賜之一杖，謂老人曰：

「至某處某市，則植立此杖于路旁，不必有言，人見之必以錢掛于杖頭，滿百文即止，又去而之他。」老人如其言，衣食豐足。纔得三年，老人死，而杖亦失矣。

盛德丙申年會試，乂安貢士赴京應試以百數，公坐于黃梅館，謂諸人曰：「三科之內，乂安未有進士，諸公赴試，徒枉費往來行李耳。」衆人笑以爲狂言。既而丙申、己亥、辛丑三科，竝無一人登第。公常教本社弟子，止學「桔槔」二字。比至三年，請學他字，公曰：「他日富貴，只此二字足矣。」已而伊人竄名軍籍，更守下船。日者鄭王發行，經理，命籍舟中之物，至汲水物，不知是何名號？徧問之，人莫能識。時有參從官何宗穆在焉，伊人對以臣所學於少時，記得「桔槔」二字，及汲水之物。參從官大驚，以爲此人深學，即聞于王上，許頒正六品官。凡如此之類，難以盡述。

迨公四十歲，左侍郎官入侍陪從，方荷王上眷顧之恩，公在家命構祠堂，粉塑祭品，製斬衰服及竹杖，封之而赴京。至纔數日，而左侍郎官卒。夫人治喪，欲下船越海載棺而歸；公不之許，造作大轝、小轝、香案、冥器，凡送喪之具，一皆完備，期以某日鷄鳴發行。纔日出，已至安排地分。衆皆驚異，始知公有神仙之術。葬畢，拜母而去，自此不見踪跡焉。越五年，侍郎夫人沒，窆穸甫畢，公夜歸哭於墓前，置一匣而去。明日，家人見之，啓匣以觀，則內有牛、羊、鷄、豕、鬻肉、炊餅，不可勝數，錢五百貫，銀五百斤，書于匣上曰：「孤哀子范員敬祭之物」。嗣後或有見公於昇龍，或有遇公於神符，但覺不見交一言。

保泰年間，春耕先生張有條開講於京師，士子以數百計。一日，習席上文，命題「四皓歸商山」、「陳情表」，公衣著襤褸，傴僂而入，自請行文，衆人咸笑之。一刻而文成，忽不見，先生取文觀之，大驚嘆曰：「此是仙家格局，必是范員戲我也。」

甲戌年會試，東城訓導與農貢黎賓赴試，遇公於金榜地方，公執訓導之手曰：「我與君同縣，何遽忘耶？」取懷中一紙，封識甚謹，戒之曰：「公當書紳，莫可妄發，俟至入第三場，拆而觀之。」言訖而去。訓導如其言，至第二場出榜落名，懷憤倒醉。來日，黎賓自場中出，問之，伊言「天下大同賦」。訓導即記公言，拆衣帶觀之，則「天下大同賦」，八韻俱成，較與黎賓所作，不差一字，始覺同縣人之言，乃范員也。

進士陳名標記

陳名標，丹鳳安所人也。少時學于雲耕陳賢，才非穎悟，文理尋常。二十一歲中次通生徒。二十四歲應考能文，校官以文勢太劣，不許入格而回。是夜，陳賢夢神人謂之曰：「明日早時，君須洒掃門庭，待同科進士來。」旦日，公出立於軒外，候者久之，忽見名標傴僂而入，公曰：「君來此何早也？」對曰：「臣應考本府，名外孫山，敢望尊師爲之懇請校官，幸得一名，弟子感恩多矣。」公從之，爲之言於校官，且許以錢十五緡。校官乃置之于末，有別縣落名，赴亟司投單乞。比至考期，未及唱名，天大雷電，打伊人死，名標遂免。是科入第四場，名標夜夢神人謂曰：「禹貢一篇，不可不詳記。」夢覺，即取禹貢，盡寫九州土田貢賦。明日，携以入場。是科御題多問禹貢中，名標卷得詳盡，但文勢殊無起意，被內場官打落。及送出外場，提調官范謙益詳覆落卷，見名標卷，曰：「這卷文詞不獲雄偉，而禹貢句句詳盡，非深學者不能。」復批取中，置在四十一。

癸丑年，丹鳳地方瘟疫大作，安所社人夜釣魚于叢傍，見夜叉群行數百，坐于館中，一人披簿指曰：「此是安所地界，今已次及，但今年三月，陳名標中進士，須當保護此，俾遂無恙，以迎進士榮歸，吾輩可之他境，毋得住此。」至期赴京應試，到耕演橋，方坐于館，山西貢士凡三十餘人，忽見一人面貌古怪，來執名標之手，謂曰：「今科三分進士，君族有其一。」言訖不見，衆以爲奇。至入第四場日，陳賢與陳桐告以往年同科之夢，謂之曰：「吾已五十，而神人指示，謂與名標同科，今我等五、六人，當爲名標致力，幸得同登龍門，可應同科之夢。」衆咸依其言。迨出榜日，名標以生徒二十五歲捷舉，登進士第。是科進士十八名，而陳賢、陳桐、陳讃、陳仲寮、陳名昕、陳名標，凡六姓陳，神人之言，信不虛也。

厥後名標爲宦官名僉隣所打，朝廷亦賤之，不獲大用。年七十餘，以翰林致仕，數年而沒。

古遼狀記

富川古遼人，其妻生下一男，全一塊肉。四月後漸漸生骨。三、四歲，命名曰超，不學而識字，人多以難字質問，如𨑨字、迌字之類，無不知之。時有金洞人往造之，出對聯曰：「半天名世自古遼聞。」遼(超)即應口曰：「五百昌期于今洞見。」人以是奇之，相傳呼爲古遼狀。己亥年，超已七歲，靖王聞之，欲養爲王子友。超入拜，王出聯句云：「李泌七歲賦棋。」超對曰：「成王幼年莅祚。」王見之頗不悅，付超還家。迨寅年，靖王崩，而鄭榉以六歲嗣位，超之對句，蓋有先見也。丙午年三月，超謂鄉人曰：「今年黎鄭六月易姓，天下大亂，我欲尋避亂之所，有肯從我否？」鄉人以爲迂闊，不之信。遂別父母而行，不知所之，今不聞其踪跡焉，是時超甫十三也。

陳伯敬記

伯敬，天祿縣土旺人也，年長不娶，惟留意於翰墨之場。遊學京師，屢屢夜死而旦復醒。家主疑其中風，每每燃皀角，以中風藥灌之。伊始以實告：「我本無他病，但每月朔、望日，上朝玉皇上帝，公同天曹事。自後朔、望二日，見我如此，願服以青褐衣，頭戴烏紗帽，燃燈不絕耳。」家主信之，自是月以爲常，亦無驚怪。朋友到家，固問以天上之事，則秘而不言。又問：「吾兄歷遊天曹，己身功名及國家否泰之運，可知之乎？」伊言：「天機安可洩露？但我以十八歲中鄉貢，二十歲復還補天上舊職，而鄭亡于甲子，黎亡于癸酉，皆我身後之事，蓋亦不必贅言也。」至景興戊子，試一舉。己丑年三月卒。

關中黎敬傳

黎敬，東城關中社人也。少時中鄉貢，會試三科不第，遂居家教學幾二十年，爲鄉翰林，無復禹門之望。永祚戊辰年，鄉中痘疫大作，公之鄰家有二子死于痘症，伊父母棄于牛欄而不葬。公命家人以席裹屍，埋之于野外。是年三月，勅旨會試，公夢見鄰家二小兒來，謂公曰：「今年應試，必中進士矣。」公曰：「我幾二十年無心翰墨，文辭艱澀，參之會文，倀焉如瞽之無杖。」二小兒曰：「吾輩濫預星曹小吏，日夜宿直于南曹星君之所，向見定今科進士十七名，寫名放榜天門，吾輩感君之恩，極力推薦，云關中黎敬一面（向）爲善，不表斯人，何以勸世？南曹君許之，以君名塡入，凡十八名。實所親見也，今具以告，公幸毋洩漏天機。」時試期將近，公命舍人趣治行裝赴京，鄉人莫不莞爾而笑。

公入試，至第三場，詩失粘，賦重韻，友人見之，謂其必無中理，只當早早回鄉。公曰：「彭祖無夭死，卿第觀之。」至期糊名，公卷已被黜落，衙門誤粘公名于京北安豐人，出榜果中。明日入場，公寫題已畢，句句都忘了。忽見二小兒，掇拾文辭遞與公，公綴緝成文。迨文亭掛榜日，果中進士。是時天下中格凡十八名，公居第十。厥後仕至工部尚書碩郡公。生子黎斅，中福泰癸未科，仕至尙書宰相。

夫以公之所施者小惠而報之如此其速，所謂「勿以一小善而不爲」信哉！

長僕阮公欣傳

宣義在興元縣烈山之下，陳末，明將與黎太祖戰，死于此，稔有顯應，鄉人立廟祀之。或云：明將即柳昇也。其祠最靈，錢多布地，人不敢取。驩州風土記所謂「宣義之金錢滿地，掘取何堪」是也。景興戊子年秋節，南唐縣長僕社阮公欣應考承司，與五、六人登山沿溪，共入廟中，公欣厲聲罵伊神曰：「爾以北朝僨將，南國羈魂，何得昂昂然作上等神，而受南人之享耶？」因毀裂其帷傘。已而各回住所。

是夕，公欣大發熱痛，迷而不醒者二更許。衆咸懼曰：「此宣義之神所責也。」至鷄鳴，公欣大叱一聲，端然而坐。衆叩問之，公欣曰：「我被宣義神訟我于湖口昭徵大王祠，我懇請明日乃入考先期，敢乞考後復來應訟。王許之，故得歸耳。」伊日入考，公欣行文甫畢，忽見有人持墨硯覆于卷上淋漓，字不可辨，承司憲官使公欣再易他卷。後唱名得中第一。

是夕回住所，見伊神復來迫之。公欣服長衣，置硯筆于其中，謂衆人曰：「今夜乃我應訟之期，衆人勿驚惶，但此訟我決然必直，可保無憂也。」言訖，偃臥而逝。平旦復醒回，衆人見其面帶喜色，爭問之。公欣具道：我至湖口祠關外，有人引入，已見一人形狀魁梧，白齒編髮，衣服參差不齊，立于王之左，公欣立于王之右。王謂之曰：「爾讀聖賢書，豈不聞鬼神爲德之義，而輕蔑尊神如此何耶？」公欣跪于王前，對曰：「臣讀聖賢書，聞有功德施於民則祀之，捍災禦患則祀之，今宣義無此數者，而濫受朝廷勅命爲上等神，不幾於行肉去(走)屍之謂乎？此臣所以不平也。且陳末南國生民，肝腦塗地，率皆此等之由，臣若與之同時，實當飽喫其肉，況復崇祀之乎？」王首肯者久之，曰：「彼書生所言有理，不必窮查。」宣義神面色如土，無辭以答。王揮公欣使之退，謂之曰：「罵之已甚，毀裂帕傘，君之過也，嗣今勿復爲此。」公欣乃拜謝而出。可見邪神不敢干正，以公欣之剛，而宣義神不能屈，世之儒者媚事淫神以要福者，聞之可以厚顏。

進士阮秩傳

阮秩，弘化月圓人也。二十一歲中貢舉，家貧廢學，以販牛爲業。尤善事柳杏公主。每年春節，有賣牛以祭神者，只取本價，不求息錢，凡二十年。癸亥永祐年正月，阮夢見到天曹，百神共會，定取今科進士，相與語曰：「塵間許多人，安得如阮秩之好心乎？不表斯人，何以勸世？」共以阮秩名力保于南曹星君。南曹星君曰：「吾聞阮秩廢學已久，如何做得文？」百神曰：「但當許彼，若第四場文，已命京北解元代作。」乃以阮秩名塡入，放榜于天門，凡七名。已而呵欠，則一夢也。

至期赴京應試。月圓貢士凡二十人，相與目笑之，每至館舍，必令阮秩辨(辦)一酒筵，相與戲作阮秩禱進士疏奏于天，焚之。迨至試期，三場竝中。明日入第四場，夜夢神人告之曰：「須當備用生姜。」阮秩入場，賚席已具完，長打一眠，至申始起。傍有京北東岸人潘解元，行文已訖，未有題名，忽然腹痛大作，謂阮秩曰：「我之卷，文理充贍，但被暴病，勢必難免，今願以此卷許君，爲我扶出場門，亦一幸耳。」阮秩懷生姜，許伊人，而以伊卷題己名納之，爲之扶出場門，而解元果死。及出榜，阮秩中第二。到庭試，只寫「皇帝制策曰」五字而已，長卷曳白。是夜，鄭王夢見婦人著朱衣而長髮，近枕席前訴曰：「奏拜皮蓮碎秩萬，察朱碎貝。」如是有三聲。明日考官入奏，今科進士庭試，惟阮秩卷曳白，自古未聞，恭望裁斷。王問：「秩字何如？」對曰：「禾傍失字。」王復問曰：「失禾何義？」對曰：「禾失羅秩萬。」王暗思與夢相協，以爲進士天數自定，人不可違也。是年不賜黃榜，命據會榜而許榮歸。

阮秩自知爲人嗤笑，不敢以進士驕人，愈自謙抑。官至太原憲使。常訪及潘解元之子，爲之報恩。後生男子十六歲，中清華處解元。

杜林潭記

乂安興元杜林社，素是平地，忽然突出一潭，廣大四、五十畝，最著靈異，鄉人立廟祀之，勅特封上等神。每年府縣官祭日，擊鼓三連，則潭水漲溢，蛟龍魚鱉，出沒水上，不可勝數。祭畢水退。

景興壬午年，京北人倡優名帶玉，藏鬮於杜林亭；其妻始二十歲，姿色甚美，半夜潭水漲至亭前，襲取彼妻而退。其夫不勝憤惜，齋戒三日，作檄文焚之，奏之于天。一刻許，雲霧四集，雷電大風，霹靂數十聲，打于潭中，大小魚鱉，盡浮死。雨霽出觀之，見蛟龍大一圍，長十五丈，頭戴朱冠，抱伊婦人而死。

帶玉取其妻歸而葬之，而此潭自是不復靈應。

至靈阮邁傳

阮邁，至靈寧舍人也。世傳公乃莫氏之裔，故置名多從草頭。以至和辛未科中進士。夫人雙生二男，長十六歲，竝中鄉貢，旣而皆以病沒。公甚傷惜，爲之損性。

至天門，見二子雙雙乘馬，自門中出，遇公不問。公即直持馬轡，讓之曰：「二公由我門而出，甫爾離別，何忍遽忘父子之情？」二子下馬謂公曰：「我等舊任星曹，欽承帝命，降爲公子。但公提調清華日，枉殺二士子，彼等含寃，訴于上帝，上帝復以我等替二士子，命我等生爲公子，死非公子，公不必枉懷痛惜也。但公自後勉以修德，訓示子孫，否則必有掘塚滅族之禍。」言訖上馬而去。

公後鎭守山西，歷外鎭幾十餘年。後復歸仕於朝，累次陞至兵部尚書郡公爵而卒。厥後公之子阮選、阮遷，妄惑讖記，起兵于庚申年，自稱明主明公。朝廷掘公之塚而滅其子孫，果如二子之言云。

馮尚書傳

馮克寬，石室馮舍人也。人以爲程狀元同母之弟，其母即先明阮尚書之子也。中光興己卯科進士第一甲第一名，官至東閣大學士、工部尚書梅領侯。

每自家赴京，憇于雲耕橋。有老人年七十餘，每見公，則掩面大哭。公覺，召而問之，老人曰：「瘻老無知，萬望長官赦罪，敢以實對。」公曰：「第言之，何害！」老人曰：「臣觀長官形貌手足，面傍有痕，酷似老人之子，十分無異，是以見貴人而思及子耳。」公曰：「老人之子死幾何年矣？」對曰：「屈指計之，已四十年。」公曰：「老人之子，前日有學否？」對曰：「老身二十歲，生得一男，長六、七歲，以神童名。及十三歲，應考擢山西首處，不及入場死矣。」公曰：「今有書籍頗存乎？」對曰：「尚存二篋，老人愛子，猶自珍重。」公命取觀之，則筆跡與公無異，而文詩賦六，皆公之口氣也。公以爲奇事，命迎老人歸，養爲義父。

公奉使北國，有聲燕京。厥後被讒，流于乂安城南所，漆其口。公有國音歌曰：「南城高郭齊天地，旅途熙攘入德城。」❶故乂安橋寺碑，多有公名云。

【校勘記】

❶ 此二句原為字喃，作「舩城南拱坦𡗶，路羅旃祝𠓨尼市城。」，今譯作漢文。

尚書阮公沆傳

阮公沆，東岸扶軫人也。公母生公之夜，其父夢神人告曰：「君何不洒掃門庭，當有王安石來。」已而生公。公父素不識字，以此夢問於人，人皆曰：「此是非常，顯榮君之門戶。」及長，有神童名。正和庚辰科，二十一歲，中少俊進士。歷仕吏部尚書、太子太傅、爵朔郡公，管中銳軍營，富貴風流，當時莫比。但公之爲政，頗有更張，性執而偏，大類王安石所爲。常於坐邊，粘對聯云：「六、七華姓字，人但知南國大臣；十八子宗祧，誰能識德江貴氣？」公之意，自謂李氏之苗裔也。又欲亟開相府，與鄭氏相對；陰葬九龍大地，爲人所告，貶爲宣光處承政使。鄭王陰使鎮官雲郡公掘穴埋殺之。

阮左泃記

左泃，乃宜春縣左泃社人也，姓阮字德玄。少時家貧，以傭借爲業。常過浮石江，有北國客溺死，公救之得免。客人賜之錢百貫，不取；又彊取其半，亦不從。北人嘉其好心，謂之曰：「觀公之相，眞是仙風道骨，殊非碌碌庸人，不若與我同歸北國，教以地理正宗可乎？」公即隨客人往廣東。公素不識字，宗師以術教之，取米作山水龍虎之狀以教之。公亦頴悟，三年而術果精，欲求歸。宗師命取米聚作百穴，陰置銅錢於下爲質，使公點之。公點中九十九穴，惟差一穴而已。宗師喜曰：「吾道南矣！」公乃拜謝而歸。復賜捉龍一面，及倒壓神之符呪，悉授之曰：「此非南國所有也，公宜秘之。」且戒以乂安眞福有一大穴，不可輕許人，否則累及宗師，宜愼之。

公歸家，每欲改祖父墳墓，兄弟皆不之許。一日，記得宗師之言，乃就眞福尋地。到同咢處，認得一穴，祖山自鴻嶺而出，三十六片龍來朝，眞是大地。若葬之，則十八國諸侯來朝，繼世帝王，代代不絕，但留心不肯向人言。公以己志不遂，遂有遠遊之行。至弘化縣筆山社，自念吾不小試技藝，無以取信於人，謂人曰：「此有一穴，寅葬卯發，若葬之得財，許我十分之一。」有人請之。黎明，公取伊人母葬之。葬訖，紅日始出，伊人持插（鍤）洗足於江，忽見一溺死人，欲收葬之。偶於懷中見有三包，視之則皆是白銀，得五十笏，公取五笏而去。至清廉，認得一穴郡公，謂人曰：「此處有一穴，葬之，一月當得郡公爵。若發，許我古錢一百貫。」有富翁奇其言，而請葬之。時朝廷莫將莫敬度戰于金榜大敗，敬度遁脫；有奉檄捉得敬度遞納，應許一代郡公。第二十日，富翁見有一人，入于彼家，謂之曰：「我即莫將敬度也，逃遁至此，願許我一飽，吾爲若德，願以身納。」富翁即捉縛之。時鄭王進屯于棣珠，命解納軍門，朝廷認其面，果是敬度，即頒許郡公爵。富翁奉勅回家，止滿一月之數。富翁以錢百緡贈公，公止取三貫，爲行李之需而已。自是左泃名聞於天下。

公周遊於四鎭，凡二十年，如嘉定、仁友、寶萘、卓筆、慈廉、安決、東岸、翁墨、河魯、良才、陶舍、安樂、理海、超類、大澤、嘉林、安朗、金鑠，大則尙書進士，駙馬宮妃，小則中科場、巨富，皆公所葬之地，不可枚數。及到慈廉天姥，認得一大地，欲爲陳家葬之。纔置捉龍於地，覆之者三。公即呪召土地神問之，伊神言：「此地當發三代國師大王，子孫公侯不絕，天已定賜阮貴族之家，陳家德薄，不稱此地，公若違天意葬之，必累及其身。且公周遊天下，多造福於人，而無一寸吉地以葬父母，當念惜福可也。」公自是不許人地，而歸故邑。

公生得二男，家資不足，蓋公爲人取地，而不取人財故也。公年六十五，病篤，命二子擡于同雩處地，欲分金點穴，以葬此處。不意至半途而公沒。夫南國地理之術，莫精於左泑，能造人之富貴，而不能救子之清貧，然則人當以修德爲本，若專用之於地理，則狹矣。

雲耕節義記

李陳櫍，慈廉縣雲耕社人也，陳賢之外甥。父爲東岸知縣，生下二男，長是公，丙戌科中進士；次李東頳，己丑科亦中進士。公歷仕海陽高平，清白自持，居官無玷，善於訓誨士子，弟子成名者多。

丙午年，公始入知兵戶吏三番。六月，値阮有整之亂，端王命公撫諭三帶府，扒取兵夫以入衞。二十六日，京城失守，端王渡河而西，欲依于膠穀碩武公，往過安朗縣夏雷社。聞公撫諭伊地方，坐于館舍，詐謂行參官，使人喚公。公出見端王，即伏拜，端王以目止之。即時夏雷社人名巡莊、儒椰，素是刼渠無類人，見之，陰相謂曰：「必是鄭王無疑，當捉之，獻于阮整以取功。」已而端王行過夏雷地分，莊等追而擒之。公聞之，出以義理曉喩之，二人不肯從。二十七日，掖之下船，赴京解納，端王自頸而死。是時公在夏雷外寨，聞人報道端王已死矣，乃以筆書曰：「國破君亡，撫諭無狀，不如死矣。但恨不死於王之先而死於王之後耳。」尋亦自盡於二十九日。

卻說公爲監察御史時，採訪山西，經過武狀元祠，題詩云：「魁元獨步生無愧，節概遺芳死也榮。」末句云：「千秋而下知求友，若匪先民沒是程。」此詩蓋公之讖也。

時阮整以莊等有功，許巡莊爲山西正鎭守，儒椰爲副鎭守。八月，阮整班師，昭統皇帝差人捉莊等二人，將于端王墓前斬之，而贈封公爲中等福神，純正義烈大王，立廟以祀之。時有蕊溪監生作詩挽公云：「孤竹頑周猶茹菜，逢萌忠漢僅投冠。」寶篆黃甲公折柳詩云：「身後墓傍人指點，黎朝進士姓爲陳。」如此等句，意思高遠，足以白公死節之心，故亦記之云。

裴士暹武公宰傳

武公宰，安朗縣海貝人也。以解元宏詞士望，二十六歲，爲山南憲副官。甲午年二月，欽奉考稍通，東關金縷人裴士暹，以文學自負，目下無人，方坐于館，見憲副官騶從甚盛，人皆起立，士暹曰：「吾以爲憲使官，今乃憲副官，何勞匍匐！」公宰聞而問之，士暹報名曰：「臣東關金縷裴士暹。」公宰出對句曰：「小兒非裴」，士暹應對曰：「孺子爲宰。」蓋公宰以小兒鄙士暹，故士暹以孺子輕公宰。

迨至入考期，士暹納卷，人皆謂曰：「君之文必在優項，誰能唾手！」士暹曰：「縱使參政憲使進士官點正，必然高擢；若遇嫩手，未審如何？」公宰聞之，尋士暹卷，吹毛求疵，欲擠之于下第。然文詞贍足，無下手處，果擢首選。乙未年，士暹會試，一舉進士，使人過公宰住所大呼曰：「裴士暹已中進士矣。」公宰深憤，辭憲副使職回家，愈勈于學。戊戌科，公宰中進士，及對策，中第一甲第三名，使人過士暹之家大呼曰：「武公宰已中探花矣。」二公以言辭相激，皆能造大成，故古之致身將相往往因所激而致之。

厥後武公宰以尚書致仕，裴士暹以直諫得名，皆不負科舉云。

愚按：士暹作太宗得失總論，眞是文章巨擘。

鎮武觀神夢顯應記

玄天眞君，北國人也。生而神異，長十二尺。我國立廟於西湖之上以祀之，鄭王命以黑銅鑄像，重三千六百斤。士子應試，多就觀祈夢之，無不顯應；但夢中所見，冥玄難測，其後方覺耳。唐豪遼川人范公著夢之，見寫一「薨」字于掌中，公惶懼不敢向人言。已而公以戊辰科中進士，歷仕掌六部尚書郡公爵，致仕而卒。史臣書之曰「范公著薨」，其子孫始驗云。青池縣月盎社人阮國楨，夢見食二人頭及中解元。中永壽己亥科狀元，人皆謂應此夢也。後公執政，被驕兵打死于府門，鄭王痛惜之，命斬仍一壹人、轎一壹人，將取二人頭，以祭於公之墓，而此夢始驗矣！至靈樂山人阮明哲未第時，夢見神謂之曰：「君到老未成名。」公亦懷悶，怠於焚膏。五十歲以堂蔭任安老知縣，至辛未科，庭試中探花，及出朝回家，始憶前夢之驗。

光興壬辰年，安定眞拜人鄭景瑞夢見擔北國二人而行。及出榜，中三名：第一吳致知、第三吳致和，而公居第二也。癸亥科會試貢士二十人，中有京北處監生阮德元、海陽處監生范名元，夢見神謂之曰：「今科進士必是雙元進士也。」二監生甚喜，既而並落於第三場，迨廣文亭出榜，中一農貢蘭溪阮院，乃雙元字屋農貢也。

正和癸亥科，仙遊懷抱人阮登道與郭佳共宿夢焉，登道無所見，即起以筆題于壁云：「鬼神玄妙最難識，我始茲科中狀元。」郭佳後起，見有人以一枝花賜之，謂曰：「識字改爲露字。」是年阮登道中狀元，郭佳中探花。乙未年，裴士暹夢見神告之曰「爾終身小十八。」既而是年一舉，至庭試日，猶注小十八。保泰辛丑年，青池仁睦社人張時夢無所見，夜半倒足於神像之前，見有人來罵之曰：「天黃甲何得無禮？」是科張時二十一歲，中黃甲，數年而卒。延河阮貴敦始中解元日，夢見「坎、兌、艮、震」四字，公終不能辨。及中壬申科榜眼，公始覺驗。大凡如此之類，難以枚數，但記所聞一二事，以顯其靈應云。

阮憲副假子記

阮憲副，弘化人也。夫人產下五、六番，全是生女。公以年外五十，未獲熊羆，居常悒悒。日者，由保舉得乂安憲副使，及到任，夫人有娠，臨盆日又生女。公以宦事他去，而是夜江漢漁人之妻生男子，夫人密使親信人，以金帛錢米，懷己女而易以彼男，伊人亦利其財，從之。

數日公還，夫人誑以生男，公大喜。週時夢曰：「維熊長六、七歲，睛赤而髮朱。」維熊雖醜，而公貴重如老蚌之珠，十分珍愛，不曾加箠楚，故不彊任憲副職也。

暨至親諱之日，公遇有微恙，不敢冒出風寒，命維熊代行忌禮，公在家中。忽睡，夢見家外陳列盤饌，只見一團漁人，朱頭赭衣，或執棹、或持網，群坐而食，而公之父立于傍。及覺，公暗思此夢，且驗維熊酷似漁人形貌，私喚夫人，以夢告之曰：「爾前日果曾與漁人有私情乎？當以實告。」夫人不敢隱，始以這事具道其詳。公即使赴乂安任所，尋訪漁人所易之女，果見此女形容窈窕，與公之形貌無殊。公命漁人以此女嫁配維熊，具問其貫址，則漁人乃弘化人也。

夫人不孝有三，無後爲大。人而無子，則當養兄弟族屬之子爲子可也，不宜養他姓之人，則非吾氣類；殆亦猶鵲巢而使鳩得以居之也。觀之古者李伯田之傳，而參以此傳，可不謹哉！

湖口靈祠記

黎太祖之姪，鎮守乂安有政績。及卒，人思其德，立廟于興元縣湖口社之江邊，號「昭徵大王」。或云：後又降生于嘉福縣段松社阮復，南國上等最靈祠。

景統年間，開鄉試科。五月節，興元福田士子自京回家應考，天已暮，欲宿于黃枚館。忽見一彪軍馬自都出，欲避之，聞轎中有聲問曰：「爾甚處人？暮夜獨行。」對曰：「某乃乂安興元人，考期已近，爲此匆忙以應選耳！」曰：「爾與我同縣，當隨我同行。」士子從之，隨其轎後，而未嘗交言。鷄初鳴，謂士人曰：「爾姑宿于此，不必隨我也。」黎明急起，則湖口地界也。驚惶背汗。已而至家，具言其事，莫不嘖嘖稱奇，即殺豬具酒，往廟拜謝。

甲午年，內監快忠侯奉差乂安，至湖口，扒取社民丁夫，往過嘉祿地方，王大怒，御童下船，過浮石江，船無人掉（棹），而疾行如飛。頃之，快忠侯來謝罪，若有人執縛之狀，王罵之曰：「爾等以閹宦刑餘，藉奉差之勢，擾乂安之民，復來擾我皂隸，死有餘辜矣！」使部下提擲快忠侯於地下者三。快忠惶恐，命放丁夫還，而宰牛具禮往靈祠拜謝焉！

凡此顯應之事，不可勝數。姑述目見一二事記之，以證鬼神幽顯之理。

四子登科傳

清華農貢，有一人豪俠任情，少年客氣，倚恃彊臣之勢，陵轢鄉民，彊娶人女，而自奪人財，鄉人苦之，無所控訴。伊人不勝其憤，夜入彼家，懷刀刺其頸而死。明日告別家人，遠赴山南之外。至天本，寓於富翁傭作，翁女見其人伶俐，私與之通。已而有娠，得三、四月，富翁覺而逐之，後生男子，伊編其姓名貫址以遺女，而之海陽，居于安陽市，以商賈爲業，娶陶家之女，生一男。以琴瑟不調去之，居于京北良才，復娶杜氏家之女，亦生一男。數年又去而之山西石室，娶于潘氏之女，亦生一男，且以不習水土，又去之而居于京師，以傭借爲生涯。厥後四子長成，皆中莫朝進士，不知有父之踪跡存否如何？但私記母氏言其姓名貫址而已。迨伊人年八十，被他人嫁禍，繫于御史獄。

是時天本人爲都臺官，安陽人爲副都官，良才人爲僉都官，石室人爲監都官。每出公堂勘問，見伊人年老，相謂曰：「吾觀案內，此人必是被誣，老耄情亦可憫。」召問之曰：「老人春秋幾何？有幾子？」對曰：「臣少時放浪江湖，歷遊四鎮，生得四男，自後不曾往來此處。但記其館址姓名，遺伊母，及識諸子素有甚麼？」四官命言其館址姓名，及男子狀貌如何？老人歷陳，具以實告。四官相面視，抱老人大哭曰：「此皆吾輩之父也！」以其事聞于莫主，莫主召老人，賜以衣服，封三品官，未得數年而老人卒。

前刼輪迴傳

尚書吳致和，東城里齋人也。少時遊學城都，舍于領兵之家。家之人鄰仁睦社兵番，有女年十八，見公狀貌而悅之，遂有朱陳私誓。伊父母亦不之覺，嫁于本鄉人，女不肯從，至聘禮期日，夜二更，女到公住家而自縊。公惶恐不覺所以，暗掘床下，以朱筆寫于女之右掌，曰：「此緣今未了，再結後生緣。」而埋之。夜深寂寞無人知者，自後公托以他寓，而兵番之家亦不知其女何之？迨十年，光興壬辰科，公中進士。六、七年，公爲山南左參政，門之外有女十六、七歲，賣芙蓄。公之家人常見伊女右臂有詩二句，入以告公，公命召伊女入觀之，則宛然公之筆跡詩句也。公喚伊父母具述緣由，以幣聘之，納爲繼室。時仁睦兵番爲山南承司，公以事出希奇，頗亦敬待長吏，視兵番猶婦翁，而公則爲假女婿。

又參之良才縣粱舍社尚書武瑾，少時始中鄉貢，娶東岸翁墨六部尚書譚琚之女，年甫十六，結髮而半年譚氏沒，公甚哀痛，以硃書于臂曰：「尚書之子，監生之妻，爾其曷去，予懷之悲。」光寶丙辰科，公中進士，十年爲山西參政。安樂有一女，嫁夫琴瑟不諧，伊夫告以背夫，歷府縣翻于承司。公之家人，見此臂上有數行朱字，問之伊母，伊母言初生已見痕跡，農家面牆，却不識是何文字。彼密記之以告公，公曰：「此我妻沒時，我所書之詩句也。」命喚伊女，視之，果然公之筆跡，公命納爲次室焉。

縣官阮名擧傳

昔黎朝保泰年，扶康人監生阮名擧爲立石知縣，設心狡險，多出入人罪；上司官莫能出籠罩。縣內有二社相爭田界，殺死三人，被伴乞府縣官來勘，名擧陰受原伴錢三千貫，銀五百斤，乃陰使人將一屍盡割其髮，一屍割其陰物，一屍割其鼻耳，命原伴改作案辭，案辭既成，遞之。名擧曰：「這一人命與被伴乞勘案辭內不相叶，必是伊社陰殺僧人、宦者刼渠，以嫁禍於人，無疑也。」被伴辭屈，復陰諭屍人之妻女，賜以錢而和解之。迨滿升任慈山知府，有安豐縣老人家資巨富，生前一女，嫁夫于本村中之生徒。老人七十五歲，再娶小妾，生獲一男。其壻欲併婦翁之資基，與老人爭訟。壻曰：「此男子非眞是老人之子。」覆至伊衙門，名舉受賂百銀，斷以非眞子，顚倒案文息其覆斗，遂使老人無嗣。

名舉自滿任回家，錢以巨萬計，田有三、四百畝，生下一女三男。皆已長成，長男不嗜學，剃髮出家；次男自割陰物爲閹人；季男酗酒，被讐人割其鼻，數年亦皆泯跡，只存一女，嫁于東岸之豪族。名舉年近八旬，別娶小星，週年而生男。其壻謂人近八旬，天癸已竭，豈有生子之理？訟之于官。伊官亦陰受貨賂，且援安豐老人之故事，斷以非眞是名舉之子，而家財田產遂爲女壻所有，卒至於無有忌臘焉。

可見天道好還，出乎爾！反乎爾！觀名舉之事，居官作蘖（孽）者，可爲龜鑑焉。

客人埋金傳

山南金洞淶潮滿（卽憲南）北國廣東人，姓黃，財貨敵國君，第宅甲公侯，金銀珠玉以億萬計。聞金洞監生之妹頗有姿色，年甫十八，以百金買之。二年伊女歸省家親，監生問曰：「爾娶夫二年來，何其晚於子媳？」伊女言自于歸以來，彼別置一床，未曾與之言語交合，腥魚葷采（菜），不賜之食，只惟三月一新衣服，長齋獨居而已。監生曰：「彼必以汝爲守財之神，定無疑也。但爾所見客人家中，所做甚事？」伊女曰：「前此暮飯完就寢，而今數月以來，夜夜見伊父子，持鍤負甓，畢二更而還。」監生曰：「埋期已迫。」即遣女還，密以火麻子、白芥子一封授之，謂女曰：「如此如此。」

自是監生往往至客人之家，以探其情形。後十日來，見女不在家，問之，客人言：「數日以來，命彼赴京賣物。」監生僭潛出後園觀之，見兩邊麻子芥子已長蘖矣。即入鎭守官，具以事訴。鎭守官差兵五百人，監生先導，入其後家，認麻子芥子之跡，自家至此，隔五十丈，見一小庵，泥塑甫完。監生曰：「必此處無疑也。」請掘之。北人爭辨不肯，鎭守官命兩邊作交詞，客人不從，鎭守官命軍開掘，見一庵高四、五尺，廣七、八尺，塔以土甓，泥以石灰，融液堅固，軍士破之。中庵有燈火沉香，光明馨香，女人坐于椅上木膝，漆膠其口，中含高麗參。以絹縛女兩手於石椅，女之兩足，踏兩大盂，題曰：「黃金一千斤」。左之邊置大盂十件，右之邊置大盂十件，每盂題曰：「白金五百斤」，燈檠二架，全是銀。鎭守官問女曰：「幾何日矣？」女曰：「今已十二日矣！」鎭守官命以一分財物，付許伊女之家，存餘各項金銀，供進入官，北人臨時處斬。

螺大王傳

昔聖宗洪德年，乂安處宜春陳監生、天祿楊監生，赴京會試，至玉山濠門，得大螺，戲作制，勅封爲「螺大王」，置殼中放之于水。

是年二監生入場，皆落名，留居京師，三年始回到故處。見殿宇崢嶸，巍峩廟貌，憩于館，問老人曰：「此處三年前一堆平地，今遽見一簇崇臺，何昔無而今有也？」老人言：「我聞三年之前，有兩士人獲一螺，封爲螺神。數月之間，最著靈異，故伊社爲之立廟以祀之。」言未訖，忽見一童女致敬于二人曰：「奉吾主命，迎兩官人。」兩人即入，螺神方御座，下階迎接二公坐于左，神坐于右，曰：「妾以南海龍宮之妹，偶以他事遠行，忽爾迷其歸路，適遇兩官人獲之。兩官人以勅封之，得管此地方爲上等神，實賴二公之靈筆也。」命設宴筵，美酒嘉殽，八珍海物，許多佳味，眞情款待。二人問曰：「大王最著英靈，凡諸士子應試之事，可知之乎？」螺神曰：「定取進士，乃天上之事，與龍宮不相干。但三年一期，玉皇差諸星曹下水府取士人簿，察其文章德行，觀其祖父陰德，然後放榜于天門。這事妾固觀之，二公如欲識來年應舉之事，可以來年正月到此，妾願以二公名保舉，庶可報萬分之一。」

居數月，二公辭歸，賜之衣二襲、錢百貫，曰：「此乃潤筆之資，可供行李之賗。」甲辰年正月，二公踐言而往，入謁螺神，螺神謂：「二公姑留在此，俟我來報。」螺神朝謁上帝，正値公同定取進士，始得十五名。螺神以二監生保舉，南曹命取簿觀之，曰：「宜春陳監生之父，家資巨富，用心慳吝，不曾救一貧人。天祿楊監生之祖爲知縣，顚倒案詞，出入人罪。但以二人努力讀書，皇天不負，應至縣令足矣！」螺神具以告，且言今科甲辰進士四十四名，狀元平吳人阮光弼，二公不與焉。後出榜，果如其言。厥後二人皆至知縣，如螺神之言云。

狀元甲海傳

甲海，鳳眼郢都人也。或云：公父乃嘉林縣鉢場社人也。公少時失怙，於未第時，遊學城都，舟次菩提津，見一人捕得一大龜，長二尺半，將烹而食。公買之，邀價十五緡，公出錢以易之，懷以入京，寓于領兵之家，只有師弟二人，每早時未飯，鎖其門，與童子赴監習文；迨暮歸，鎖如故，入家見盤上羹飯整齊，公不知所由。

一日太早時，公托以就監行文，伏于門外後家觀之，見一美女，自龜中出，年僅十七、八，粧點十分做好，燃火取米養飯，公突入直抱之。女曰：「公將毋以形骸索我，願具道其詳。妾乃南海夫人之子，遇以他事遠遊，爲漁人所獲，向非遇貴人物色救之，則妾身幾入於漁人之吻矣！感君高義，捐軀以報，未能償其萬一。公潛以龜殼納于函中而鎖之。」自是相與居處，不啻夫妻。女謂公曰：「君與妾有邂逅之緣，久處此亦非便，不若與妾同歸紫閣，得省夫人，庶可報君之德！」公曰：「我方勤劬，勞力焚膏，若隨妾則工夫間斷。」女曰：「公自無憂，妾所居之傍，已有先生講學，先生乃是天本高梁香梁狀元。君如有意，即是程門立雪，千里得師，且姑從之，試觀如何？」公聞其言，乃往從之。女又入龜殼中而去。及到江津處，龜躍入水中，扒開水面，公隨其後。頃之已至殿閣，女與公同入謁夫人，具道始末，夫人大喜，乃處于殿廊，視之無殊子壻。

居數日，公至學場，果見學生三、四百人，先生在上，方講易經，師弟問答，與塵間無異。公坐于下席，先生指其面曰：「此人眸子光而面澤，骸骨而神華，必是塵世之人也！」固問之，公始以實對。先生曰：「我平生遭遇聖宗，中狀元及第，策名騷壇，諒不負于所學。但常撰佛經十戒，遺笑儒林，至今齒冷，君無效尤！我朝上帝，評論文章德行，必曰甲海君定作來科狀元，無疑也！」又謂之曰：「莫氏篡黎，不過六十年，天下復爲黎有。可惜程狀元，以文學高明之士，不遇其君，五場優分，名則高矣！但恐天下後世，將必指之爲胡季犛之阮薦、劉叔儉也。」一日，公承閒，訴於夫人，願以回家，夫人許之，謂曰：「君衣鉢眞傳，文章首選，他日當記吾言。」乃使人送還。公至京師，此時考期已近，公未便省親，投名入試。是時莫大正戊辰科，取進士三十六名，公中狀元。

錦旋之後，見說天本良才富翁，財貨多而無男子，前日行商，盜得鉢場人之子，但莫究根原，無從質問。鄉中有潘訓導，年八十餘，家亦近焉。公密使家人，每日早時放馬于訓導之家園，謂之曰：「老翁謂何，應速以報。」園中蔬菜被馬蹂躪，訓導持杖逐之，大罵曰：「莽梗書生，濫蒙登第，敢以藤蘿陵松栢！」家人歸以報公。明日公整齊衣服，臨于訓導之家。訓導惶恐出迎，公以年齒讓之上坐，低聲問曰：「敢問尊伯，某是甚處人？願以實告。」訓導言：「公非是富翁之子。三十年前，富翁行商，舟次于鉢場江津，婦人家居近于江邊，有一男子遊于江畔，富翁命家人抱之下船而去，屈指計之，伊婦已近七旬矣！」公謝訓導而歸，頗憶夫人之言，我眞是鉢場人也。

迨赴京奉侍，雇一小舟，往來鉢場之地，見一老婦屋于江邊，年届從心。公熟視老人之貌，而以鏡炤己之形容，相似五、六分，因問曰：「伊老婆居處于此，一身悍悍，子孫得幾人？今幾何年矣？」老婦言：「老身今已年六十八歲。且某少年娶夫鉢場人，纔得二日而夫沒，亦未詳夫之姓名，與夫之父母，幸得其身，生獲一男子。年甫數歲，不意某居家中，男兒遊于江畔，却被商人抱之下船去矣！已而某不見男兒，使人遍往尋之，曾不見其踪跡矣！」公曰：「老婦之子，年數歲有痕點可記乎？」老婦曰：「我兒背後有赤痕，圓如銅錢，肩之左有二痣子，肩之右有二痣子，有一相者言：此兒右掌有父字，左掌有母字，他日大成可必，只惟記此而已！」公即解其衣，謂老婆試觀之，可似老婆之子否乎？不謂理心感觸，母子相抱而哭。

公後仕莫朝，官至尙書策國公。生子甲澧，亦中進士，嘉林文會，以公爲開科，配享聖宇，爲後賢之首焉。

白犬三足傳

山西立石縣，兄弟二人，家室極貧，居于山下，日日採樵以供食用。家有犬，生白犬三足，人皆以為不祥之物，皆命棄之，伊人兄弟不肯。日者有北國二客人，土木形骸，乞丐于其門。兄弟以羹飯款待，客人曰：「我非眞是人，乃守財之神也！日者明馬騏於此處埋藏金一千斤、銀五萬斤，使我輩守之，期以百年來取。今已過期，無人來認，吾輩欲去而歸，但惜郭泿金穴，不知屬誰家耳？今觀爾兄弟，眞有好心，故吾輩以金穴許之。但得三足白犬以祭之，而後可耳！」伊兄弟將白犬三足以示之。客人曰：「此實天所以賜爾兄弟也！」命將白犬三足於某處祭之。已而客人不見，忽見石門柝開，見金銀山積，兄弟夜出運之以歸。是時莫登庸始僭位，二人懷金一百斤、銀一千斤，因內臣以恭進，為賀新君登極之禮。登庸大喜，封兄弟皆為郡公。二公旣歸，大開園宅，營立貲產，富敵王侯。

二年後，見北國客人五、六人，到那處僵臥大哭。二人見而問之，曰：「吾乃馬騏之後，前此吾祖埋金，見有讖記遺來，不知今被何人掘取矣？」二人曰：「我輩得之。」客人曰：「取此財者，必有白犬三足以祭，始得之。公輩何由得此？」二人曰：「我家前有一犬生白犬三足，人以為怪物，欲殺之。吾輩不之許，故得此耳！」客人曰：「此實公天之所以賜公等也！夫白犬三足者，只惟廣西黔州有之，今產於公家，非天而何！」因取所牽白犬觀之，二人以金三十斤、銀一百斤，贈客人為行李之賮，客人拜謝而去。厥後黎家復國，鄉人訴二人以得金進莫朝之事，朝廷封識其田產財貨，盡沒入官。其人不免饑寒，然則此之白犬，與塞翁之馬，禍福孰得而測乎？

夫陳末失馭，而明人來占我疆土，盡掠我貨財，崇積私藏以遺子孫。而莫用之於前，黎用之於後，而立石之兄弟二人，亦不能終身保此財，以遺於後。南國之財，竟爲南國之人所有，天道循環，無往不復，良可畏也！

鬼母報復傳

鬼母者即繼母也。周尹吉甫娶後妻魁氏，魁氏鷙悍，伯奇以非義之事，每謂人曰：「吾常畏此鬼母。」蓋借魁爲鬼也。

昔乂安羅山人阮監生，娶前妻生下三男，年已長成，皆廢箕裘之業。前妻沒後，娶鄉中之女陳氏爲繼室，陳氏性妒而鷙，監生不能制，所言是從，人咸笑爲河東獅子。陳氏謂監生曰：「家有男子，不早爲之料理，而焚膏繼晷，兀兀窮年。倘遇凶年歉歲，將何所賴乎？」遂命撤其學業，長男入山採薪、次男入水捕魚、季男爲人飯牛，兄弟不勝辛苦，一惟父母是從。採薪者其身黑，捕魚者其髮朱，牧牛者其身癯，不曾有蘆花之憾也！

數年，陳氏生男子，兄弟相謂曰：「吾父已有嗣，我輩可以逝矣！否則稟灰井泥，噬臍無及。」相與逃於山南之外，居于膠水井市，晝則傭借以供食，夜則兄弟讀書，更深不輟。鄉中叩其所以，則秘而不言，莫不奇其事，而重於人，爲之構數間之屋以居之。一年之內，錢飛入室，得三、四十萬。諸富翁爭以女妻之，兄弟相與立貲產，乃構作瓦屋數十間，好田有五、六百畝，爲膠水大富翁。

已而陳氏生下男子，養之纔得十年，監生沒，家資罄盡，無所依靠，携子乞丐於南眞膠水，入富翁家，自乞爲奴以滌濯，子牧牛以糊口，富翁妻許之，處於灶下之家。一年許，兄弟不曾下到厨家，莫之識也。日者陳氏滌衣於池上，遺失絹衣五、六件，富翁之妻鶩酷，治以負燈之罪。適遇富翁到于厨下，見而問之，其妻具以實告。富翁聽伊婦人言語，則乂安之聲，見其面酷似陳氏無殊，心頗疑之，使妻釋其罪，而以甘言撫慰，探問根由。伊婦人言：「妾乃乂安羅山人，娶夫阮監生，夫君前有三男，不知何之？十二年來，絕無音耗。妾生獲一男，不幸夫沒，家計單寒，故捐身至此。」富翁聞之，始覺陳氏也。

明日命妻以古錢十貫、衣一襲，與彼母子，使之他適。陳氏不測其故，問於伊社人，人爲具道始末，陳氏始知富翁乃夫之子也，慙憤自縊而死。富翁兄弟始聞父喪，裝載財貨以歸葬，今其族派猶存于膠水焉。

阮氏點記

阮氏點，海陽唐安人也，監生阮輪之妹。五、六歲時，讀外紀周威習作聯句，兄出對句云：「禹之心從可識矣。」對云：「堯之功顧不鉅乎。」兄又出對句云：「白蛇當道，季拔劍遂斬之。」對曰：「黃龍負舟，禹仰天而嘆曰。」兄以是大奇其才，命之專習翰墨。十五歲，文章大進，常坐窗前對鏡，兄出聯句云：「炤鏡畫眉，一點翻成兩點。」對云：「臨池洗足，一輪轉作重輪。」海陽二司考稍通，先期有絳衣大冠詩，氏點假作氏捕蟹，爲鄉人草藁，狀句云：「霞蒸海島三千丈，日出扶桑九萬斑。」得擢優分，由是以班桑之名鳴京國。

時瑞原阮輝琪、古庵陳名賓、古都阮伯璘、天祿武遂，以善文馳名城都，人謂之「長安四常遇虎」。聞氏點名，往造之，欲挑與贈詩，氏點出對句云：「庭前少女勸檳榔。」四人不能對。常遇尚書阮公沆於途，公沆使作獨行詩，氏點口占云：「談論古今心腹友，周旋左右股肱人。」公沆賞錢十緡。龍德年，北使來冊封，皇帝命氏點粧點衣服，立於端几。二使望見而戲云：「安南一寸地，不知幾人耕。」氏點即應曰：「北國二丈夫，多由此途出。」二使相謂曰：「吾輩不若一女兒。」不覺羞慙滿面。又常續作傳，立祠柳杏公主朝文，使歷代奉祀人傳誦之。後嫁慈廉尚書阮翹為側室，惟一生獲一女子焉。

秀淵傳

阮秀淵，河內碧溝坊人也。生於翰墨之家，家資本是清薄，有宅在碧溝湖之上，父母俱沒，而未成家室，景遇艱辛，時年二十餘，就省課文，取資於朋友，以給口食，日日携書就場講讀，家雖單寒，而性酷好學。

一日，遊於庸，過白馬祠前，見一老人形容癯古，鬚鬢頒然，手持秀女圖一幅，望見秀淵，呼而謂曰：「君非是翰墨中人耶？家計如何？家室如何？今時學業如何？可為老人一白。」秀淵見年長，心頗敬重，又見言詞懇切，意思周諄，不覺十分珍重，就之近前，平生境遇，一一具陳言無所隱。老人笑而慰之曰：「儒家清貧，比比皆然。但我相君之面貌福厚，而學業頗又精專，今雖一寒儒，而足躡青雲，手攀丹桂，富貴榮花，自可期也！我有秀女一幅許君，俾朝夕與之伴侶。」秀淵拜而受之。老人忽不見，乃携之以歸，掛于壁間，視之如金蘭之友。朝時往學，夜間劬書，一話一言，無不向圖前對話，惸惸隻影，誰是朝夕饔飧，鷄窓贊助。

不意一日，美人自圖中出，爲之整辦盤餐。秀淵往學，歸時已見羹飯馨香，一盤嚴置，未知何從而來？但儼然就食，日日常然，幾乎一月。

一日，秀淵朝時，託以往學，立於壁外，鑽壁暗窺，忽見圖中一人突出，形容窈窕，豐態端莊，飄然是仙人降世。取盤取案，將往供餐，秀淵乃直入抱之，因取圖火之，伊人不得去。秀淵是時且喜且愕，遂問之曰：「貴人何自而來？偶然奇異若是？」伊女曰：「妾自白馬祠前歸君以後，無時不在君側。妾見君之一身惸苦，景況難堪，奉老仙主憐君之意，爲之供飲食之需耳！不意三生宿福，荄菓結成，妾與君兩相邂逅。」自是朝夕與之居處，宛然一天臺境界，秀淵螢窗講讀，伊女盤案足供，日月居諸，已生一子。

忽然一日，夫妻對話，談及一生事業，伊女乃謂秀淵曰：「君日夜劬書，其志亦將以求富貴耳！然而百年有限，駒影難留，與其極力於有限之塵緣，曷若留神於無窮之仙術！妾本仙家女，有一術，學之可以引年，未知君志如何？」秀淵曰：「同床同席，心豈不同？以我之日夜劬書，夫亦以世間人供世間事，爲箕爲裘，敦守素業耳。妾既不惜秘傳，使我得以共嚼櫻桃之味，千年存不老之身，何樂如之！寧不傾心以聽。」伊女乃教以仙術。未及半年，忽然白日飛升，全家從何處去，後人乃即其所居之宅，立祠祀之，至今多有顯應。

三海記

府在太原之中，崑崙山自宣光發脈，至太原白通州，橫列壁立，峻嶺摩空，人跡所不到。中間開出一處，高三丈許，濶半之，約長十餘丈，上有石乳下垂，望之如五色繪畫，神剜鬼鑿，絕勝人工。其源則自上國而來，經高平府，至白通州。從此洞中，其右支為仙樂社一海；左支為海宇社二海。窮流宣光處，限以石坡，舟楫不能進，水從波注下，勢如建瓴。每海周圍約二、三里，環海包之以山，山之傍，間以民居，四面水石陰森，樹花茂鬱。海之中，又有層山疊嶂，隱見於波濤中。每風靜浪帖，則漁舟上下，泛泛四出，觀望不厭，比之瀟湘八景。

黎永佑中，太原留守黎廷性等啓言：「白通感化，界高平保樂之間，舊無屯隘，化外之徒，來往自由，藩臣擅詣京師，僥倖私營，而巡行一切禁弛，匪狂無制，將至滋蔓，請於營路立屯，令藩臣戍守，以嚴邊備。」從之，其後防禁稍寬，北國人開場作煤，無有限制。送星廠（在白通州）所留韶州客人至三、五萬，凶悍頑慢，互相攻殺，無所避忌。景興中，閩督請加檢束區處，乃命官軍就處稽查造册，尋以他故而罷，事竟不行。

一方民俗，皆架棧為居屋，隨溪舂米，貫索穿豬，竹筩貯酒，土濃習尚，蓋與諸鎮殊風云。

舊傳伊地方南畝等社，設無遮大會，觀者四集，適有一老婦，懸鶉而身癩，自著敝裂之衣裙，形容憔悴，手足破爛，甚其腥臭，自來乞食。衆人嫌其穢，爭呵逐之。老婦無所得，至暮而歸。途遇南畝社母子二人，與言其事，那母子嘆道：「可憐憔悴至此，我有午食未吃，今讓與媪療饑。」既而歸家。

是夜，那婦前來告曰：「日來推食與我，甚是仁慈，今無依投，願借一宿，庶幾完此功德。」母子即許入家安歇，自臥在傍。夜聞睡聲如雷，與世人異，即點燈觀之，見蛟龍形一軀，其大數圍，臥于家內，母子大驚，即閉門就寢，不敢出聲。迨明日，又沒了，只見一老婦在臥，知是非常人，始啓門出，向前恭禮。老婦曰：「我纔看會，見一場喧鬧，大都口佛心蛇，無一人好善，不久必有沉淪之惡，惟汝家一點慈悲中流出，我今為汝開諸覺路，濟了迷津，如今地方有是事，走避高堆處，不可顧戀。」言訖不見。詎意會未了，忽見平陽水湧出，始于一掬，頃之破潰爲沼，復大而爲湖，不日之間，化成三海。那母子纔聞其事，已走過三里許，至山脚依焉。其餘衆人皆走不及，盡沒于水。母子即伊處築室居之，其後產育男女，遂成一邑。凡環海諸山，皆南畝地分，爲三海中之大林落焉。吳午峰往太原道中詩云：「偶因公幹一觀風，人物程途指掌中；曠地無多山與峒，居民太半土參儂；木蘆架棧東西向，水臼隨機日夜舂；到處見田皆懇闢，相傳年代穀常豐。」又白通即興云：「一帶青山俯碧漪，邊城此境見應稀；買廛客庯高低屋，巡店商船上下磯；儂倖忙牽猪索去，村甿醉挈酒筩歸；旅懷寂寞將消遣，盡日憑高看翠微。」

安所李服鑾傳

李服鑾，安所社人也。李太祖常遊幸至古所渡，見山川秀氣獨鐘此處，帝因有感曰：「朕觀此方，山奇水麗，苟有地靈人傑，山川神祇，受吾之享。」既而夜夢一異人，直前稽首拜曰：「臣本鄉人，姓李名服鑾，佐李南帝，軫其功烈，授一帶江山，居民皆慕名焉。上帝嘉其忠直，加封守職如故，臣常率領鬼兵攻破逆賊，有年于茲。今遇聖明，憫臣以守職，蒙霑雨露，不勝感謝！」頃之，自吟曰：「天下遭蒙昧，忠臣匿姓名，中天明日月，孰不現眞形。」言訖忽不見。

帝寤，以其事告御史大夫梁文仕，曰：「此神意欲要立像也。」乃命立祠塑像，形容狀貌，一如帝夢中之所見，加封上等福神。

陳元豐年間，韃寇入境，馬蹶不能進，有驅馬突入者，村人恃神威力，率衆拒戰大破之，自是虜黨不敢復窺。

重興元年，虜復入寇，到處皆焚蕩屋店，道經邑祠，如有防護者，秋毫不敢犯。及至賊平，天子再命加封「證安明應」美號四字，至今祈禱，猶赫赫然顯應焉！

陳伯堅奇夢記

陳伯堅，雲耕人也。公少而岐嶷，父文度授之以書，苦不多記。偶然一夜，夢遊於本社之祠址（祭先賢壇），見一人執利刃，直剖其腹，盡刳其腸胃，就沉洞溪流洗滌之，復納諸腹，加縫焉。自茲以後，胸宇豁然，學問開悟。十餘歲舉業，盡通其書，初得之文度公，宛如其所能，有詩一集，遺筆猶存。

昭統丁未年間，文度公登制科，有文江春球阮迪軒與之同年，因相往來。先生是當世文豪，以詩酒見長，其楷法最號遒美，公日常陪侍，願學其所長，詩情筆法尤肖其妙。西山僞定後，文度公以不仕，有令跟尋，公從文度公逋播民間，不復以舉業爲意，震號少閒，惟從事於吟酌。丙辰春，以二行叔父敺命事，逋逃高祖燕里公、曾祖文度公以犯屬，并爲僞官所收。案解後，家益清苦，兼以舉業艱憫，舉業不專。

本朝高皇帝大定後，將開儒科，時文度公授徒于安齋之家居，四方學者雲集，與之切磨，爲科舉之學，行文未常著意，以自然出之；四、六詩賦，不以彫鍊見長，而蘊藉風流，自有餘味。其對策一藝，文統得之文度公家傳；然文度公以典麗纖巧稱能，而公浩瀚汪洋，氣更雄偉。嘉隆六年丁卯，開鄉試科。第一場制藝，欽定新規，公以體格未閑，應在黜項。有考官良才春關萊山侯者，平日素知其學識，粘榜後，怪其無名，仍刷出之，准在廣取項。第二場四、六，優中壹。

第三場詩賦，中二。第四場對策，復在首選。場事畢，領城大員，慰令回家候命。越明年，奉命補南眞縣知縣，子爵，秩正六品。時大定之後，邦海人物繁盛，而匪群刼掠，閭里不安，公就蒞以恩信撫和，寬其逋負，省其征徭，撫諭豪目，轄下晏然。

癸酉年，充山南場覆考，尋以俸滿陞授三帶府知府。明年己卯春，奉旨回京，升補刑部僉事。明命元年，奉充如清甲副使。旣過關，同幹正使吳台以病終，公獨率乙副使將命燕臺，使回，復領舊職，累升至廣平協鎭而卒。

黎如虎記

黎如虎，仙侶縣仙洲社人也。公豐資肥大，甚異於人，家貧好學，素善飯。父母常養七歲塥與之食之，則每食無餘。學得半年，以家計不周，出贅于本總富家翁。

始時，富翁食以五歲塥，輙終日嗜臨臥，無意於學，富翁不悅。問於公之父，曰：「前日公每艷說公子酷好學底人，自到忝家，則終夜長眠，寂無書聲，何前之勤而今之怠也？忝不知何由而然。」公之父曰：「公食之每飯幾何？」對曰：「每飯五歲塥。」公曰：「父(夫)如此則其懶讀也固宜。忝家雖不給，然每食必七歲塥，今每食如是，公亦不須刻責。」富翁聞其言，乃加倍之，自是始尋書讀一、二更。岳母見公多食，有不足之意，謂其夫曰：「好哉！公擇得一善食好壻，雖每夜勉彊讀書，終作得甚事？」公解之曰：「伊人食兼人，則其力亦兼人，非虛費了！」岳母曰：「我有蕪田一頃，試使伊刈之！」公聞之，次日早時，取大刀出大樹下，假臥，岳母自市歸，見公睡于樹下，放步歸告富翁曰：「急造飯與他食，善食且善眠，眞是好壻！」不意岳母歸後，公即提刀就田間刈之，纔一頃，蕪草刈盡，魚走不及，收穫甚衆！他日禾熟，岳母使公喚穫工，公乍去輒回，報謂已喚得數輩來，可先造多飯，造了，公即將食殆盡。岳母曰：「其食如此，能無破腹否？」公曰：「毋不須怪，今日穫幾何，某請獨當。」乃取苗芽一大段，并大繩以往，未及半日，穫得二畝，分爲四擔而歸。母自是始有愛心，許之飽食就學。凡諸縣中有交跌場，公必取第一標，都力士亦不敢較其力。

及年三十歲，中廣和辛丑科進士。時有同年阮清共話家計，公曰：「君之家資，僅可以供我一食。」清曰：「公言太過，願得惠臨一話可乎？」乃約日賫來。至期，公詣清家，適清有事他往，公使告夫人曰：「我踐約而來，不意台兄以公事他往，有從者三十餘人，敢煩一頓。」夫人即喚家人，造十歲飯堝者三，食物六、七盤，整辦已完，不見一人。公喚將盤飯食之却盡，因謝之而去。及暮，清還，夫人告之曰：「今日有一好事，足以獻笑。」清問之，夫人笑曰：「有一大力丈夫，自道與君爲契友，從行三、四十人，煩許一頓。不圖整辦已畢，惟一人而能兼七盤之食，妾自內視之，殆如風捲殘雲，不知腸胃如何，善食如是。」清悔之曰：「此我同年仙洲人也，我違約不遇，必爲吾兄見責。」乃使人往謝，再邀之來。清囑家人整辦熟猪二大頭、粄四盤，清惟喫猪、粄各一角，而公喫盡猪一頭，粄三盤，又食清所餘各一角，清大驚異。厥後官至左侍郎，奉命北使至燕京，北國人素聞公有善食之名，作一具高十二層，召以赴宴。公食了十一層，至第十二層，有一人頭，公即以箸穿其兩目，喚取醋來快食之，北人甚以爲異，使回。歷仕尚書春江侯，陞保郡公致仕焉。

張巴傳

唐安縣遼川社，有一人善奕者，名曰張巴。棋勢縱橫，變化萬狀，世無能出其右，常與人對局，到人勢窘時，輒撫掌大聲曰：「縱使帝釋下降塵世爲之救解，亦末如之何！」不意天高聽卑，鬼神雖幽而甚顯，忽見一老人在傍，爲勢劣人救解。纔數著間，劣勢反成勝勢，張巴心中鬱鬱，且怪且憤，顧而視之，則見老人形貌奇古，鬚眉盡白，不似塵間人物，乃離局而起，向老人之前，拜而言之曰：「老翁非是仙翁耶？何其高手以也。我二、三十年來，善奕名聞于通國，對手者無其人，況復有能爭先著者乎？今伊人棋勢甚窘，而公救之，變弱爲彊，十分取勝，出我意料之所不及，神出鬼沒，妙算無窮，眞是仙聖降臨，敢不拜手稽首致敬。」老人曰：「子之言甚異！我亦人耳，何以仙名？」張巴再拜曰：「尊顏是眞天上人，臣本是誠心致敬，願尊顏許聞美號，不勝瞻仰！」老人聞言大笑曰：「子既誠心以問，我亦無所隱，我即平日所稱帝釋也。由子自負其才，出言不遜，故我來試之。今子既有青眼，知我非尋常底人，自今勿恃其才，出如此不遜之語！許子三瓣香，若他日有事，焚香叩禱，我爲來救之。」言訖忽不見。張巴乃以瓣香囑其妻子，藏于密處。

他日張巴有病，卻忘老人之言，無所祈禱，受病而沒。及至百日，其妻洒掃室中，見三瓣香，置于閣上，始思前言。焚而祝之，果見老人自空中來，坐于堂上，問曰：「張巴何在？」妻泣曰：「死已百日矣！」老人曰：「前日之言不記耶？胡不早祝我來。今死期已遠，不及事矣！」是日，邑中有屠人始死未葬，老人乃收張巴魂魄，納于屠人之屍。告巴妻曰：「吾已許汝夫改死回生，在屠人家矣。」老人忽不見，巴妻如其言，往屠人家，果見屠人已死而復生，精神徬彿，如醉如癡，屠人之妻子親屬，皆以爲喜，就而問之，絕無所語，望見巴妻來，奮起大笑，問訊其子及家事，携手而歸。屠人家屬俱以爲異，從而援之，則故去不返。屠妻叱巴妻曰：「觀汝肝膽，若何敢認人夫爲己夫，汝試張目而視，汝夫形貌與我夫十分有一分相似否？醜甚醜甚！」兩相角口，紛紛不決，屠妻乃愬之于官，縣官問曰：「汝夫平生作何藝業？」對曰：「爲屠人。」並催巴妻及其夫。問巴妻曰：「汝夫平日作何藝業？」對曰：「鬪碁。」縣官將猪一頭及棋局來，置于庭前。先使執刄殺猪，則茫然不知，無敢下手。乃使鬪棋，則無人敵手。縣官斷曰：「的是張巴無疑，屠妻不得妄認。」此事甚爲奇事，故俗語有云「魂張巴加行尬」，誠非誣說。今遼下社奉事帝釋神像，有張巴像立于其傍，前設一棋局，屢經兵火之後，而這祠巍然獨存，爲一方大靈祠云。

進士李陳㯋記

李陳㯋，慈廉金黃人也。父鄧陳琰，祈于瑞香李翁仲祠，而生公與其兄李陳檟，故因姓李。公父母前託居于外家，宅前有一土丘，俗曰：「神童阜」。公未生之前，其母常于夜深人靜時，聞有讀書之聲在于埠間，自生公之後，寂然無復有聞。及長，惟事遊戲，不肯讀書。至年十三、十四時，其兄已中鄉貢，開場講學，弟子詵詵。兄乃使公立於屋柱之傍，以石灰點其首，謂公曰：「汝試觀其身已高長否？」公笑曰：「不圖今日已長矣！」兄曰：「汝自知已長，何不開卷讀書，箕裘敦素，猶呆然作一懶漢，與兒童爭戲，曾不知耻乎？」公曰：「唯唯，自今弟請就學。」乃終日劬書，焚膏繼晷，學與年俱進。始則冥然罔覺，繼而豁爾貫通，纔三年間，學藝精醇，書籍淹貫。年十六歲，應舉中山西場解元。是科本社有黎貢生，亦在解額，伊員學力老鍊，年齒又高，見公首選，心甚不平，乃訴于王上，謂主司不明，濫取公首選，願得覆試，以觀學力。王上即命檢察官，捉前考司下獄，再使他考官覆試，凡中選貢生，盡就場中再試。公於前次文章秀麗，及至此次乃變作古鍊，覆考官見此卷曰：「伊卷必年深老鍊之人。」置之在首。迨糊名出榜，解元亦是公名。王上大嘆獎。

明年兄弟同應會試，至入對策期，公於策文中忘了一段，問於兄。其兄不告，曰：「吾之所與試者汝也，平日胡不博學？吾惟利汝之忘耳！」公不勝憤惋，投卷于藍盆而出，含恨以歸，白其母曰：「人所以樂有賢父兄者，以中也養不中，才也養不才，今子入場中，惟忘一段，以問於兄，兄不惟不告，又責其不學以恥之，子不敢怨，仍亦不平。」母乃淡笑而言曰：「汝兄責汝以不學也固宜。夫古者人生八歲入小學，十五歲入大學，我國年來于茲，翰墨之家，則子生五、六歲，已授之書，及至長大，而書籍固已講貫，故入場做文，只於心上起經綸，何必向他人假手。今汝少年惟好遊，迄年十三，始留心簡册，幸而鄉貢博得一名，亦汝兄善誘之力也。汝宜加功研究，以待來科，早晚遭逢，各有定分，又何不平之有！」

是年，兄李陳樌中進士。錦旋之日，公與兒群戲謔於途，饒他樂會，慶筵既罷，母乃具述公言，以責李陳樌。樌曰：「母以義責，子願承教。但量頴之才之學，與樌相去不遠，縱樌告之，則兄弟同榜，錦旋之樂，母有一番，故遲頴以來科，使錦旋之樂，母有二番，不亦樂乎！」母曰：「善。」果然來科李陳頴以二十歲中進士，越明年補諒江府知府，蒞事未幾，母在家，偶然一夜，又聞宅前土埠有讀書聲，召家僮告曰：「諒江府員已死矣！」明日果有家人歸，白公已謝世。以此驗之，詩云：「惟嶽降神」，信有之矣。

大王杜世佳記

杜世佳，慈廉東鄂人也。父母生公之時，夜見異光滿室。及長，爲人磊落，志氣軒昂，惟喜射弋，不肯就學。

一日，往古芮社弋鳥，鳥墜于人園中，公援園衙，將入而取之，主人出，且打且罵，鳥不得取，而體爲所笞，公甚憤辱，且有悔心，歸告其父母曰：「今日子請就學。」父母心喜之，而佯罵曰：「鳥尚多矣！何不往而弋之，學奚爲？」公謝曰：「子今童性已盡改了，願父母爲之擇師，子請較死工夫，期至于成而後已。」乃就本社范進士官受業，居家設一書樓，終日之日，惟二時飲食下樓，目不窺園，兀兀研究，纔及三年，學業大進。業師每常許可，許以就省課肄，以廣見聞。

一日，公往肄文，行過富家社神祠前，被風飛笠入於湖中，公下取笠，升立於祠前，指祠中而言曰：「富家何神敢侮我？」不圖出言有靈，大人開口小人驚，自此富家鄉中人、物不寧，動擾數月。鄉中父老不知何故，乃就卜人占之，卜人曰：「此卦遇否之遯，必是城隍所被出外，今宜別設一壇於他處，齋戒立童，問其緣故，乃可耳。」父老依其言，城隍上童謂曰：「我爲東鄂杜大王字世佳所責罰，邑子宜整辦一禮，就家叫謝貴官賜赦，庶獲安寧！」父老承命。明日齊就公家拜謝，公笑曰：「我何德望至於如此？父老必是誤聽，我有何威權？」固却不受。父老羅拜固請，公曰：「父老第歸，明日我來。」至來早，公乃就伊祠中，宣告曰：「前言戲之耳！聽本神復回本祠安歇。」由是鄉中始寧。

一日，有北寧仙遊人，來言曰：「臣本以商賣爲業，於前月有就興化竹林取竹，忽有一人謂曰：『汝何請命，敢來擅取？大王令我守之，我不敢許，汝如欲取，必就東鄂杜大王請命，不然必有大殃，勿悔！』言訖不見，臣以此驚愕，故來請命，祈大人許允。」人由是乃知公是竹林神所降生也。後公中景興癸酉科鄉貢，公又精於太乙神經，凡用兵征討，勝負必先知之，甚爲鄭王所寵歷重，仕至上柱國，進封大王，至今匾額猶存焉。

唐安阮文達傳

唐安昜使有一人曰阮文達，九歲而父母俱沒，往牧牛于本鄉人，朝夕勤劬，不敢與兒童遊戲。至十三歲，甚爲主所愛，每常言曰：「我養汝爲牛子，汝當加心勤敏！越明年，我爲之擇一佳配。」文達聞之，其心甚喜，以爲過望，日以忘食，夜則忘寢，力於所事，惟願主人踐其言，則一生寄託得所，可無他慮矣！

不意一夜，過勤春事，至五更初，始臨睡，鷄鳴已被主人喚起，及至往牧，縱牛于野，至土阜傍，有大樹，假臥，夏月炎蒸，南風扇扇燃，大樹之下，美景宜人，遂打一眠，自巳時至申時，未醒。夢遊於廣寒之上，見羣仙相與會飲，侍僮不下數百人，臺閣巍峩，玲瓏洞達，忽於庭前張樂，奏霓裳之曲，觀者如堵，慶會異常，不覺心意飄然，精神洒落，忘却人間塵俗事，宛然身在仙界中，樂思悠然，忘不復返。主人至申末，不見牛與人歸，乃芒芒然之野，時已近暮，田間不復有牛，遍尋野中，寂無聞見，就土阜傍大樹下覓之，果見文達猶打一長睡，以足挑其背，疾呼曰：「渴睡漢！渴睡漢！汝置牛于何處？」連呼八、九聲，始見身上微轉，又疾呼之，飄然突起，開目視之，見主人立於側，大聲曰：「牛何在？」斯時文達精神恍忽，如醉如癡，不知牛落何地方。彊應曰：「在彼。」主人引以向尋，終無所見。時已薄暮，撥人四面往尋，始見牛落在鄰社田間，牽之以歸。主人乃呼文達，且打且罵曰：「我以汝是孤獨之人，且能勤敏，故欲爲之滋培根本，養成一福菓。不意汝於家中，佯爲勤事，而於野外，惟是長眠，今日之牛，幾潤他人之吻，汝宜尋一路去，我不復戀汝矣！」文達自知己罪，無敢反對。

明日乃携衣裳，謝主人而去。主人賜之錢二貫，行盡五日，無人憐問，不知依傍何所？又顧而之他，糧錢罄盡，行至大林，時日已啣山，四無人煙，惟見遙處大樹之傍，有一小庵，覆以茅屋，乃趕步而行，憇于其下，體罷糧盡，不知所之，臥而假寐。夜間忽於庵中見一美人，形容嬌嫩，豐態異常，近前問曰：「君何自而來？身體罷倦如此，已暮飯否？」文達此時甚爲驚懼，故意假眠，又被美人打醒，不得不起，乃整巾端坐，具道原由。美人聞之，不勝慶辛，謂文達曰：「邂逅之緣，不期而遇，我願結爲夫婦，他日有一計，可以成人。」文達固遜不敢，美人不許，文達應諾。美人乃告文達曰：「明日許君行至聚灤處，呼匠人構作一室，整備服用衾帷，仍別設一帷，凡他人不得雜臥，其所需之錢，妾願備將隨後。」文達如其言。自此家資豐富，商人皆來領貸，爲大富翁。莫時軍需甚迫，文達出錢二萬以供，許爲五品官，富貴不期而獲，偶然絕處逢生，亦爲一奇事云。

仁愛杜相公靈祠記

雲耕仁愛村，本土尊神者，杜公敬修也。公登李朝太學生，歷仕入內檢校太尉，原姓杜，後賜國姓，乃姓李，英宗末，歷樞曹輔政，撫綏鎮定，著有勳績。高宗貞符七年，重用爲帝者師，內侍帷幄，外示民以忠孝之教，昭靈太后，不敢萌異圖。

天嘉寶祐二年，大黃江（後改長安府，今屬寧平）費郎叛，公奉命將兵討之，大破賊兵於屎洞。

治平龍應六年，帝不豫，召授顧命，公以太尉，輔幼主，當國政。時主少國疑，權臣志潛移鼎，公以顧命大臣，爲人性素剛直，守正不阿，群小憚之，不得肆行邪志，因公方開沉洞小溪達于銳江，以通沉潭淤水，姦臣邪黨，遂誣構爲公陰有異圖，讒說得行，忠情不能自白，乃預營一窟，謂侍妾曰：「吾平生盡忠報國，今爲姦邪所諂，陰構讒言，義不可辱，自分一死，汝等何人，情願回家者聽，有願一心從我者，其入此窟。」諸妾悉願從之，乃塡以土，公自策馬攜童，赴于君臣洲（今屬上下葛地分）江邊立焉，祝曰：「我若潛心不軌，願死後身隨流水去，漂泊無所；若一心許國，投江之後，體魄不離此處。」乃策馬赴水而死，一童隨攀馬鞍，亦俱入水。三日後，果見人馬浮在江上，在上葛地分，身不離馬，面色如生。三日後，果見人馬浮在江上，在上葛地分，身不離馬，面色如生。鄉人感公忠義，迎櫬歸故鄉，附葬于先塋之側，因奉爲本土尊神，歲時祈禱，稔著靈應，邑中傳其韻事，歷朝敕額及事跡，屢經兵火不載。國朝嘉隆初年，奉敕封贈深仁廣惠濟世祐民開國大王，築以別事收銷。相傳本村郭外有土阜，名「偪娘」者，乃公諸姬殉死所也；有田名「外營」者，乃公生時故宅也；又有曰「堣庵」者，土阜可三畝餘，阜中有窩，窩中有突，是公祖塋也，雲耕古鈐，所謂「旁有水淤，恐遭水刑」，疑即此。鄉俗，遞年五月貳拾一日，齋盤薦享，謂之「忌時」，蓋公赴水之日也。噫！公生逢季世，盡力匡扶，高宗初政，藹然可觀，輔政之功，當不在憲誠蘇公之下，後此二十八年，纔見于史，則有討大黃、受顧命二事，史書姓杜，午峰吳公仕史論疑姓季、姓杜爲二人，蓋就貞符君德，始終不同，與坐視惠宗之荒淫概論也。唯吳公士連，則以爲一人，蓋以舊從賜姓，後復原姓，如費公信之例也。（公信仕李神宗朝，國史前書李公信，後書費公信。）潘公輝注歷朝人物志從之，讀史至此，不能不使人疑焉。夫公剛正人也，當國大臣，而二十八年無事可書，安知其不用事，而或擠於外史有缺載者歟。及晚年召還，而國政在於譚以蒙，兵權歸於陳嗣慶，事權漸不由己，欲以隻手挽登山之日，夫何能爲？不亦難乎！然而當日事勢，未易彊論也。迨夫被遭讒謗，誰知吾之廉貞，寧葬江魚之腹，以從三閭大夫（屈原）之後，而不肯辱以與諸羣小之徒，同流合汚，苟偷生於濁世，此公之忠肝義烈，凜然與日月爭光，千載之下，誠不可掩者也。輙依據正史，考之歷朝憲章人物志，而附以鄉人所傳聞者，具錄于此。末後復竊以己意附論，夫公生時，迄今七、八百年，世遠言湮，公之潛德無所闡明，區區先哲之私，幸生同地，有不爲之歆想其遺烈乎！若夫有未備者，俟以正于博雅君子，後有壬辰科進士領常信府博東溪志亭阮公文理，附說云：「天地間一氣之屈伸也，忠義英賢，古來受屈者多矣！然而氣常伸於天地之間，伏波之不敢還塋，岳武穆之不須有，與夫蘇長公遭譖而卒老于黃州，吾國青梅吳公英俊、扶軫阮公沆，皆以首相詔賜死，雲耕太尉杜相公，獨非李朝之人傑歟！以剛故卒死於讒鋒，遭水刑，地氣使之然歟。人有是福，即有是禍，其在山川之英氣，萬古常伸，宜公享有一鄉之血食於無窮乎！吾國史最是闕略，人物亦無可考，文獻不足也。」噫！吾謂史之不史，厥有由來，古之賢人，有不見知於當時，而見知於後世，相公輔國大臣英氣不泯，卒後七、八百年，而鄉人雲潭吉士阮子裕齋，好古懷賢，裒成事錄，復以相質，吾再四覆，慨然思相公之遇，是錄可以爲公之本傳，可以補國史之不及，有關世教也不小。野史信筆，公論定矣。有相公之風烈，即雲潭之追錄不可無。歐陽子所謂：「托諸文字，傳之無窮」是已。

陳興道大王記

陳興道大王，諱國峻，安生王柳之子也。王博覽群書，有文武才略，王未生之前，太宗夢有白精生爲南國亂，上帝命青仙降生塵世以治之，已而安生夫人臨生之日，夜又夢星光大如斗，從天墜入懷中，俄而生王。

及長，安生王以夙恨未平，臨終之時囑王以他日必取天下，王口雖承命應唯，而心不以爲然。

王試問野象、歇驕二奴，曰：「臣守死爲奴，不願爲不忠不孝之官。」又佯問其子興武、興讓王，興讓以爲可，王拔劍欲斬之，興武爲之伏罪，久乃釋。紹寶末，元兵大舉來侵，聖宗試問王曰：「賊勢如此，我且降。」王曰：「先斬臣首，然後降。」及元兵進據白藤江，王先植椿於江，覆草其上，乘潮挑戰，水落船膠，官軍遏其歸路，乘高發毒矢，阿八赤等皆死，元寇平。

王討元之時，檄諸將云：「紀信以身代死，而脫高帝；由子以背受戈，而蔽昭王，豫讓吞炭而復主仇，申前斷臂而赴國難；敬德一小生，身翼太宗而得免圍；果卿一遠臣，口罵祿山而不從賊，自古忠臣義士，何代無之，使數子區區爲兒女態，徒死牖下，烏能名垂竹帛，與天地相爲不朽哉？且以宋韃之事言之，王世堅與裨將阮文立何人也？以釣魚鎖鎖斗大之誠，當蒙哥堂堂百萬之鋒，使宋之生靈，至今受賜；骨觮兀郎與裨將斤修思何人也？冒疫癘於萬里之途，蹶南詔於數旬之頃，使韃之君長，至今留芳；況予與汝等，生長於艱難之際，竊見僞使往來，道途旁午，掉鴞鳥之寸舌，而凌辱朝廷，委犬羊之尺軀，而倨傲宰輔，託蒙古主之命，而索玉帛，以事無已之誅求，假雲南王之命，而需金銀，以竭有限之幣庫。予嘗臨餐忘食，中夜撫枕，涕泗交頤，心腹如擣。嘗以食肉寢皮，茹肝飲血爲恨。雖身膏草野，屍裹馬革，亦願爲之，汝等久居門下，掌握兵權，衣之食之，爵之祿之，坐視主辱，曾不爲憂，身嘗國恥，曾不爲愧，或樂鬪鷄；或娛賭博；或樂田園；或戀妻子；或修產業；或肆田獵；或甘美酒；或嗜淫聲；脫有蒙韃寇來，雄鷄之距，不足以穿虜甲；賭博之術，不足以施軍謀；田園之富，不足以贖千金之軀；妻孥之累，不足以充軍國之用；殖產之用，不足以購虜頭；獵犬之力，不足以驅虜衆；美酒不足以鴆虜軍；淫聲不足以聾虜耳。當此之時，我家臣主就縛，雖欲肆其娛樂得乎？爾等當以厝火積薪爲虞，以懲羹吹齏爲戒，訓爾士卒，習爾弓刀，使人人逢蒙，家家后羿，梟猾虜之頭於闕下，腐雲南之肉於槀街，不惟予之采邑，永爲青氈，而爾等俸祿，亦終身之受賜；不惟予之宗廟，萬世享祀，而爾等祖父，亦春秋之血食，當此之時，雖欲不爲娛樂得乎？今歷撰諸家兵法爲一書，汝等當專習是書，無或暴棄，何則？蒙古乃不共戴天之讎，汝等既恬然，不以雪恥除兇爲念，而又不教士卒，是倒戈迎降，空拳受敵，使平虜之後，萬世遺羞，尙何面目立於天址覆載之間？因筆以檄云。」

王又親撰兵書要略爲八卦九宮圖，名萬刧秘傳。王扈從兩宮，所持木杖，末有鐓，人皆側視，王即抽其鐓，但持空杖行，故後人有佳詠云：「杖下有鐓危，不如無鐓安。」頭可斷，賊不可降，平賊誠難仍未難，股肱骨肉兩無間，幹父之蠱忠孝殫，以太宗之夢，而驗王之事業，則王即青仙降生，擒伯齡於安邦誅之，應白精之夢也。伯齡死爲范顏，崇婦女，觸即病，惟得王祠祀器，病人即安，迄今猶最顯應云。

徐道行阮明空傳

永順安朗砦人徐道行，與譚舍社人阮明空同詣雲夢寺，受神通訣，學之十年，修煉得法，收步藏形，變化不測，入神出鬼，玄妙百端。既而道行先歸，陰入叢莽，化作虎形，伏于道左。及明空至，乃翻身踴躍，叱咤咆哮，與眞虎無異，欲以驚駭明空，試觀何如？明空知之，聽其自然，徐責之曰：「吾與汝同學一門，同受一法，反欲假形以誑我耶！但我不驚，而汝則必受其驚，今既願作如此形狀，來生許汝爲之。」道行悔謝曰：「或者他生罪孽未盡，業障未除，願煩先生不惜慈心，廣施妙道，爲僕除之，不勝感謝。」言訖，各分袂而歸，一往石室安山寺住持；一往至靈普賴寺住持。

時有崇賢侯與夫人詣于柴山寺，齋戒祈禱，以祓無子，而道行適至，謂崇賢侯曰：「今年尊侯定是生男。」但他日夫人臨誕，必先馳告，吾言須記，愼不可忘。崇賢侯如其言，至日，道行乃入岩中屍解，投胎夫人，尋生。及長，仁宗無嗣，立爲太子，至即位之九年，忽然疾作，咆哮如虎，遍求名醫藥之，一無少減，再求方士沙門，供養祈禱，竝無獲效。聞明空住持在膠水寺，使人迎之，明空至，爲之具道前日因菓，自然不藥而愈，乃尊明空爲國師，至今柴山猶存屍解痕跡之處。

世傳明空作諸寺觀匠徒百餘人，公命取三歲堝羮飯，群匠相顧而笑曰：「匠徒許多人，而羮如此之飯，將每人一粒乎？」及至飯熟，公令取五、六大盤，解飯解之，將盡，又見滿堝，百餘人食之都飽，而飯堝仍然不盡。寺觀既成，公欲鑄一巨鐘，乃縫一小囊，往燕普京勸，元帝見公持一小囊，聽其入庫取銅，公即入庫中，收得盡一庫黑銅，盛于小囊，進呈。元帝笑而遣還，及還至洞庭湖，公置小囊于岸，先自下船，告船中人，將囊下船，始而一人擡之不轉，繼而舉船中人護援之亦不轉，公笑曰：「諸君力甚劣，試看老人不費著力，乃以杖頭掛之下船，船爲之半傾幾覆，船主大懼，推公上岸，不許行船，公乃以草笠置于水上，置銅囊予其中，身坐其上，取杖掉（棹）之，其往如飛，於是商船相視，以爲仙術，莫不嘖嘖然稱奇。既歸，鑄成一洪鐘，公擊之三通，以足指推之，鍾自然行，至六頭江而沉。公約曰：「何人一母生十男者，我許此鐘。」迹公之所爲類如此，今膠水、普賴諸寺，皆塑像奉祀焉。

柳杏事跡記

南定省務本縣安泰社雲葛村，有黎太公者，好善人也。日之所爲，夜必焚香告帝。年四十，甫生一子，迨天佑黎英宗年號間，太婆有娠，逾期攖病，惟愛香花，家人疑其妖祟，延師設醮，而病轉劇。後中秋夜，門外有人褐衣縕袍，以術求進，門人不納，其人笑曰：「我有伏龍降虎，出幽入明之妙。聞爾積久陰德，故特來相助，何乃面拒也？」公聞之，遽下堂，出門延入，探其袖中，惟有玉斧一柄，道人乃使敬設一壇，登壇密唸通天咒語，唸之三遍，將斧擲於地下，公應手而倒。見數力士，前引公以去路，上層層雲，只見天色朦朧，忽至一所，金闕玉門，力士換衣，與公歷九重門而入。竚立廡下，忽見紅雲一朵，捧著冕旒，兩邊霞衣，持笏執版，以百數。初奏鈞天之樂，繼舞霓裳之曲，供王母之櫻桃，獻老君之丹藥，玩好珍奇，百般貴物，人間罕有。

俄見紅雲娘子捧玉杯上壽，失手鈌一角，左班有一員，手披玉簿，約數十字，良久雷霆振聲曰：「爾薄文明之地耶，聽下塵間，備嘗俗味。」繼後使者二員，侍女數輩，擁這紅衣從南門出，前引一金牌，上是勅降字，中有兩南字，下乃鈇字，其餘遙望不能詳記。公問力士曰：「此何爲者？」力士曰：「此第二娘僊主瓊娘，此行必被謫矣！」廡中有一人來叱曰：「何等職司？敢至此地嘈雜。」力士曰：「我等是五雷神兵來候旨。」因曳公返，公漸漸醒，則太婆已生一女子矣。是夕異香滿室，祥光照窗，喧問道人忽不見，舉家靈感稱嘆不已。公想山神之見，必降僊人降生，因以降僊號焉。及長，顏色異常，世間罕有，常靜室讀書，尤喜蕭彈音律。每見春日晴研，夏風清爽，秋夜姮娥開寶鏡，冬天玉女撒銀花，則對景興懷，拈弄筆墨，常作四序詞，被諸管絃以自娛。

其一春詞：春似畫，援氣微，桃花含笑柳舒眉，蝶亂飛，叢裡黃鶯哯睆，樑頭紫燕喃呢，浩蕩春閨不自持，掇新詩。右春光調。

其二夏詞：乾坤增著鬱懊，草裡青蛙鬧，枝頭寒蟬噪，聲聲杜宇惱，啞啞黃鸝嬝，頻相告，春主歸兮如何好，這般景色，添起一番撩撩。幸祝融君鼓一曲南薰操親送荷香到。前番傷心隨風盡掃　右調隔浦蓮

其三秋詞　水面浮藍山削玉，金風剪剪敲寒竹，蘆花萬里白依依，樹色霜凝紅染綠，瑩徹蟾宮娥獨宿，瑤階步步秋懷促，不如徑來籬下菊，花香閒坐，撫瓠彈一曲。右調步步蟾。

其四冬詞：玄冥播令滿關山，鴻已南還，雁已南還，朔風凜烈雪漫漫，遍倚欄杆，倦倚欄杆，擁爐尚爾覺青顏，坐怎能安，臥怎能安，起觀姑射落塵間，花不知寒，人不知寒。右調一剪梅

一日公遊庭前，聞彈聲曲調，反生憂心，遂與鄉中契友陳公，拜爲義父。陳公乃陳朝遠派，

以母鄉寓籍于此，公因構樓于陳公花園，移女居之。不意隔壁有宦家，晚年無子，步月花衢，得嬰兒於碧桃樹下，因收而養之，喚名桃郎。見女言行資質不凡，遂有附橋之願，二公亦喜其同鄉，欣然許諾，六禮既成，女歸夫家，一心孝順，有關睢之風。明年羆夢呈祥，後年門楣兆慶，光陰迅速，歲月梭流，斗柄已三東指矣。時三月初三日，女忽無病而殂，方二十一歲，三家不勝哀慘，厚葬。女自化後，以塵緣未滿，不能忘情，侍靈宵則愁鎖春眉，會瑤池則淚彈玉臉，羣仙見而憐之，訴于上帝，上帝封爲柳杏公主，仍許下塵。仙主奉命下塵，則已二祥矣！時老婆方苦思兒，徑來舊房，見其牙彈玉管，壁上詩歌，覩物思人，慟揭于地。仙主遽入抱母曰：「孩兒在此，母親無憂。」老婆睜目曰：「吾兒何處得來？母乃不死乎？」太公、陳公、及其兄來，見之驚喜交集。主乃拜泣曰：「嬰兒失孝，累及雙親，非不欲承歡膝下，然而天數難逃，願恕嬰兒之罪！」復顧其兄，囑以奉親之事，便欲辭去。陳公泣之曰：「自從吾兒即世之後，我等心喪魄消，今既來之，則安之，何言別之急也？」主曰：「兒是第二仙宮被謫，今辭塵世，復來侍于帝庭，但念劬勞，暫來候問，雖三魂具在，而九魄已非，不能常住人間，爺娘曾有陰功，得入僊籍，異日完聚，可保無虞。」言迄不見。

且說桃生自斷絃後，挈子隨父赴京，抱恨含愁，儒學舉業皆廢。一夕初秋時節，景色淒涼，抱子而坐，偶吟感懷二絕云：

其一　塵刼嗟兮浪此生，前緣暗想不勝情，當年司馬求凰曲，變作離鸞別鶴聲。

其二　孤愁客邸不成眠，況是淒風苦雨天，天若有情應念我，莫教風雨過窗前。

吟完，子已熟睡，生叫乳母抱子安眠，生復盤坐。俄聞門外叩聲甚急，生啓視之，乃僊主也。生挽衣泣曰：「卑人多福，得配瑤姿，產子育兒，家庭有慶，豈得半生契濶，中道別離，孤衾隻影，落漠何堪？生願相從，以慰寸心塵渴也。」仙人以袖拂面曰：「良人差矣！鐘情之極，從古有之，但不可牽紅粉之私，自墜青雲之志。況有嚴堂老耄兒女幼冲，將使誰靠乎？」生曰：「某非淺見，不愛殘生，日夜悲恨，恐不自保耳！」仙主曰：「妾是天宮仙女，君亦帝所星曹，配匹良緣，莫非前定，然恩情中止，恩愛未酬。後數十年，得當續緣滿願，不必傷心也！」遂與生就寢，惟勉生以修齊忠孝。夜至五更，仙主拂衣而起，謂生曰：「故鄉迢遞，舊室淒涼，妾之爺娘，望君厚矣！君當時常代妾問安，不可忘半子之情也！」言訖不見。自此雲遊不定，或變美姝沽茶菓，或現老嫗賣酒餚，凡人以言辭戲慢，多被其殃；以財幣禳求者，反蒙其佑，所得金錢皆載歸奉養，如此者數年。仙主生長，父母相繼而亡，次年桃生亦尋卒，其兄撫育諸子，至於成人。仙主心下無掛慮，始雲遊天下。

至諒山地分，見高山路畔，有一座浮屠，十分景致。仙主參禪玩景，遂於松樹下，橫几而臥，坐撫彈歌曰：「孤雲來往兮山岩嶢，幽鳥出入兮林夭喬，花開滿岸雲飄飄，松鳴萬壑兮聲蕭蕭，四顧無人兮瓊塵囂，撫彈長叫兮獨逍遙，吁嗟山林之樂兮，何減靈霄。」歌竟，忽聞路外有人唱曰：「三木森庭，坐著好兮女子。」仙人舉目，看見一人馮克寬騎一駿馬，從者數十人，前有節旄，乃應聲曰：「重山出路，走來使者吏人。」其人下馬曰：「娘子何方人物？有此美才。」主指山中曰：「此處人也。」其人唱曰：「山人憑一几，莫非仙女臨凡？」主復應曰：「文子帶長巾，必是學生侍帳。」談敍間，擡頭已無人矣！遍尋沒跡，只見橫木倒當道，細認之有「卯口公主」四字，木旁立一株，標云「冰馬已走。」從者請問其故。馮公曰：「卯口公主，加于木者，柳杏公主；記冰馬已走者，是待我馮姓起功也。」衆聞稱異，公遂召父老，留行銀，以為重整祇園之費。題詩一絕而去。詩曰：「叢林寂寞弗人家，忽聽有山人外歌，歌曲遶雲人不見，滿前山色碧嵯峨。」此後仙主浪行逸興，凡過名山大川，無不留題。絕勝，返駕東京，常往來長安，如槐街、報天、橫亭、東津，人莫能測。

時馮侍講北使還，充入鄉曹，回想四牡所經之處，不覺胸懷瀟灑，遂覓閒遊，因帶詩囊，携酒壺，與吳舉人、李秀才，望西湖散步。時値初夏，三人經過一帶上林，擧目間已抵西湖岸矣！三人相與談敍唱和，復沼湖堤而進，忽見一座酒樓，前題「西湖風月」四大字，兩邊對聯云：「湖中閒日月，城下小乾坤。」門內紗窗掩映，有一紅衣美人，托窗而立。李生前問曰：「此處樓臺是何所在？某等足隨興使誤入蓬瀛，欲措借貴莊，暫作蘭亭勝會，未審仙家肯容塵俗否？」仙主曰：「此柳娘新店也。諸公旣是詩酒逸士，一坐何妨？」因命捲紗窗，三人整衣而入，徐徐開玩，果然景物不凡。三人相與談敍，少刻，見侍女捧一幅花箋，李生接看，乃西湖觀魚排律，三人相與仙主，談敍應對。仙主見他狂放，向三人打一萬福，轉身屏後去了。三人相回，數月間，重訪舊遊，至則湖水茫茫，樓臺不見在。忽見樹間有篆字云：「雲作衣裳風作車，朝遊山水暮煙霞，此人欲識吾名姓，一大山人玉瓊花。」三人玩此詩意，相顧謂曰：「氣格不凡，我等前遊，必與仙人相遇也。」各怏怏而去。

且說仙主嘗披仙籍，知前世配匹郎，已出塵矣！乃離西湖，復駕又安朔鄉，有一帶桃林，春花可愛，仙主乃拂一塊白石閒坐，左顧右盼，不減桃源勝景，所欠者漁郎問津耳。因步到溪邊，撲花而戲，忽見一生神凝體秀，容貌異常，直投西村而往。仙主遙謂曰：「妾踏青看花，遠來失路，君家何處，借宿一宵，妾不勝頂戴也。」一生疑懷春遊女，佯爲不聞，趨而去。原此生乃仙主前生之配也，只因愁鬱，復托此生，年纔弱冠，志邁常人，不幸椿萱雙謝，棠棣孤開，家室未諧，貧寒撤骨。此日肄業回，恰與仙主遇，但生嚴於女戒，不省前生，故道他日復出，見當道桃樹有花，箋題詩云：「艷質天然不假栽，芳心貞守幾年來，豈容塵俗等閒見，直待□春次第開，素女相知長我照，風姨傳信為誰媒，早知流水無情戀，莫使飛紅逐客杯。」看畢，慨然嘆曰：「詩辭筆力，雖謝、班得生，亦不能擅其美也，不意世間有如此才女？」遂和一律云：「昨見瑤池殿外栽，如何仙種落塵來，滿前凡草開無語，獨伴幽蘭空自開，絃管風流應取笑，朱門狂蕩敢通媒，相逢林下增惆悵，欲醉羅浮一酒杯。」題罷欲相尋，又恐失於造次，方勉彊言歸。時春雨淋漓，一連數日，次日天晴，生行且想曰：「吾詩必為風雨所敗，不知美人曾鑑賞否？」比至，則桃花依舊，墨跡宛新，惟玉人不知何處耳？再題一律，以寄意云：「萬種相思憤日栽，尋芳忍負此番來，數行錦字人如在，一陣春風花正開，垂顧重蒙君有意，愆期錯恨我無媒，吁嗟奇遇成烏有，愁海茫茫輒渡杯。」題畢，遙聞林中有聲曰：「君子復至此乎？」生見仙主，喜出望外，向前施禮曰：「前蒙青眼，深感盛心，自念荒疎，不堪仰附，詎意諄諄不棄，辱緬寒儒，如此奇逢，不知何修至此也？」主於石上請生就坐，曰：「妾乃縣旁之官家女也。怙紀雙亡，門庭冷落，欲效十年之待字，深虞多露之見欺，昨者泯迹繁花，移居林野，適見吉士眞儒，故動摽梅投桃之想，倘君子不嫌聲跡，許給絲羅，亦是三生香火之姻緣也。」生大喜曰：「多謝垂憐，容求作伐。」主笑曰：「丈夫行事，何執一也，妾之與君，上無父母，下無親戚，知已相逢，一言為禮，何求蹇修為哉？」復吟曰：「千樹桃花後度栽，劉郎何幸又重來，百年緣債還收拾，萬斛幽愁盡擺開，誰謂赤繩徒浪語，應知紅葉是良媒，藁砧自古多前定，莫愁天庭墜玉杯。」生曰：「天庭玉杯，是何說話？」仙主曰：「後日便知，不必問也。」生遂與仙主緩步同歸，望月訂盟，朝天拜謝，遂成琴瑟之樂，起居出入，相敬如賓。生自此春闈時多，雪門日少。

一夕，仙主夜織未罷，見生歸，因對坐設飲，生良久謂曰：「秋色澄明，月輪瑩徹，二十八宿分明，子兮子兮，如此良夜何？」仙主見生放蕩，因生之言，遂以二十八宿疊成一律以勸生：「女顏誰謂遠書房，畢把危心定主張，鄰軫壁虛分室焰，月低昴角借樓光，柳文星炳須參究，箕傳牛毛要井詳，觜吐奎翰爭鬼斗，禹門翼尾趨陽亢。」生見詩，知有諷己勸學之意，即倒和曰：「吞牛掘井志方亢，箕授參傳已畢詳，斗室壁題驚鬼膽，危樓奎詠動星光，角才誰謂低唐柳，翼昴多心尾漢張，素女清虛應軫我，桂枝月觜送文房。」仙主得詩謂生曰：「儒者窮理致用，學古入官，若徒以尋章摘句爲能，而欲竊儒之名，不亦遠乎！生再三謝曰：「生微才狂放，今承金誨，不敢再蹈前非。」主聞之歡喜，再談往事，直至月落就寢。歲餘生得一男，穎悟非常，生明年應舉，連捷，官居翰苑，衙靜吏稀，終日與仙主唱酬，曲盡樂事。

一夕，殘冬寒威相逼，相與擁爐向火而坐，仙主潸然淚下，生驚問其故，主曰：「妾乃上界之仙，只因誤墜玉杯，暫遭譴謫，與君作合，誠非偶然，曾諧夙世之芥針，再執今生之箕箒，茲謫期已滿，復命霄庭，但念君子，枕席誰供，幼兒何恃，悲歡常事，離合由天，雖淚灑紅冰，愁生白髮，亦何益乎！」生愕然失色，曰：「仙凡懸隔，幸得相姻，夫婦綱常，豈堪渺忽，何其易合而易分也？」仙主曰：「事君多年，豈不相諒，妾非貪蓬浪之遊，而忽糟糠之誼，但歸期已迫，不可少留，亦事出於無奈耳！」生聞言，悽愴淚流，三更末，仙主遞兒於生前，拜別，執生之手，似有不忍之情。俄聞鸞車玉佩，暫逼門前，復勸解數語而去，生急欲挽之，只見香風飄來，祥雲四合，主已失所在矣！生昏悶彌時，自是公務荒疎，形容消瘦。當自嘆曰：「凡人之求仕者，或爲國，或爲家，我既乏經世之才，又無親眷之累，豈爲一身餔啜，久縻名利之場乎！」遂上疏謝事歸，築居桃林舊處，教子成名，終身不娶。

却說仙主回霄庭，入朝奏上帝曰：「五犯之期已完公案，三生之想獨絆私情，惟願陟降不常，庶得覔塵寰舊遊也。」帝許之。因謂二位仙娘曰：「瓊花此行，必有時用，爾等相隨，以福斯民。」仙主遂與二娘，於清化隤昴庯葛地轄，騰空而下，仙主於此處大顯威福，常設酒店茶亭，以招行客，官軍士庶，往來嘲戲，死者無算，事聞朝廷。景治年間，黎玄宗詔鄭皇叔，提兵勦拿，差法籙名師藥符前鎮，至隤昴，法師先已跌地，皇叔以王事在身，提兵直進，砲聲滿地，弓矢連天，山川變色，鳥獸驚惶，一座靈祠，幾成灰燼。誰知王師誠大，仙法更神，數月間，一方大疫，民不能堪，築壇祈禱，中有一人升童上三層壇，厲聲傳曰：「我乃柳杏公主，顯聖凡間，汝等欲遂生，當復我舊館，否則噍類無遺矣！」言訖而醒，祀民神其語，詣闕奏請，朝廷異其事，詔命還修廟宇於庯葛山中。勅封禡鑽公主。

後景興年間，有猫渠作亂，朝廷命召老郡公潘公文派勦除這匪。公奉命出師，至隤昴祠所，公整禮參謁，提兵前往，旬日軍東洋海口，水僞猫渠，聞風陸走，公還陛見，具述以事，朝廷以主有平戎護國之功，下詔勅封制勝保和妙大王，命起崇祠，準三總奉祀，得免兵徭。自此人民祈禱，無不顯應，朝廷考績，屢顯靈威，時人咸以聖母誦之，後朝廷或祈晴禱雨，督調糧船，無不應驗。勅命優加，式隆祀典，至今家家畫像，處處立祠，以介景福，爲南國女神第一。

妖神傳

清華青林社，從來奉事一神，每年春首祈禱，必先於前年冬月，柬擇女子未嫁者，使之齋居一室，飲食戒素，衣服器用，全是新製，起居出入，不伴雜人。至將禱日期，每日一沐浴，至禱日，則整備猪一頭，粿一盤，置于座上，將女子縛于亭中座下，遞年一人，不得曠欠。祭祀則不用儀禮，惟將女子與豬粄等物，嚴置亭中，鎖其廟門，凡鄉中之人，不得來往，不知此中景象如何？只見薄暮間，風雨大作，亭所如有雷火之狀，頃之不見。至明日，鄉中父老，出洒掃亭宇，則不見此女子，幷禮物俱亡，歲以爲常。人不勝憤然，惟含愁而不敢言。

及至本朝高皇平僞時，與黎阮文悅偶過此鄉，聞廟中有女人暗哭之聲，二人持劍拂衣而入，見座上豬粄二盤，芙酒具足，女子則縛於其下。乃解其縛，叩其所由，女子具述其故，乃許之還，二人解坐而飲。頃之，狂風大作，自林中而來，衝入於亭宇，二人乃拔劍追斬之，見亭宇破其一角，突走，乃召鄉中父老，使之追尋，果見於叢林中，有一大蛇，死於其處，自此這鄉得免其禍云。

徐式傳

清華筴山人徐咸，爲人性質純和，處心仁厚，惟好行善事。凡人之修橋梁，立寺觀，或塑像鐘鑄，皆出錢供給，處鄉中與人無一毫爭覺，見人有違倫常之事，輒以義理曉之，人皆呼爲善士。生得二男。長男名徐式，式未生之時，父咸夢神人賜一石像，及生式，爲兒嬉戲，惟好立小寺，以爲娛樂。至八歲，其父教以讀書，聰明敏捷，頗能彊記。至十六歲，而父咸沒，時未有室家，惟日劬業學。迨年十九歲，應舉不第。

一日，與小童遊于香積寺，寺中山水有情，花樹芳菲，景致幽雅。入于內寺，只見一老僧閒坐看書，下有二、三小童，相與烹茶進菓，見徐式問曰：「學生何之？」式曰：「久聞本寺景致天然，蓬瀛世界，不意尋芳覓翠，偶到祇園。敢白禪師許得玩景，聊寫塵心鬧熱。」老僧乃招之坐，呼童子進茗。式嚼其味，淡淡清馨，奇香可愛，吃之不覺舒腸，盡洗平生俗慮。老僧笑而言曰：

「書生亦慕禪耶？」式曰：「名利不如閒，得候尊顏，最是十分珍重。」老僧曰：「我有花園，聽君放賞。」乃使童子指出寺後花徑，式乃整衣而出，步過一廳，見一處奇花異卉，樹木參差，香氣送人，難描趣味，緩步看花，賞花不厭。適見一美人，顏色殊妙，豐態異常，立於花間玩賞。佇而望之，有魚沉鴈落之容，麾式就坐於花樹下，問曰：「君何自而來？似有厭熱尋涼之意，忘凡入靜之思，可是啓心一白。」式曰：「我本是書生，久嚅道味，每欲遊泗水之津，登東山之巔，學海必至于底，登山必至其巔，方不負日夜劬書志願。豈期焚膏繼晷，兀兀窮年，而白戰鏖場，文陣屢北，回首文房筆硯，一片淒涼，願一境清閑，可了生平想望。」美人曰：「異哉！邂逅良緣，不期而至，君有此志，妾願爲君酬之！妾本是仙宮之女，春日尋芳，偶因貪花，獲接佳人在此，莫非宿福所貽，故使偶然相遇，君若盡忘塵累，願不愛紛華，結成伴侶，與妾同步仙宮，呈拜僊主，留居閬苑，學長生導引之法，不亦樂乎！」式聞之大喜曰：「書生不才，幸得與清娘相遇，再蒙不棄，相結朱陳之緣，使半生鬧局，偺尺水以消磨；一片閑心，共白雲而留住，誠喜出望外也！僕惟有披襟覺爽，多謝指迷。」於是仙子引徐生入于石洞中，不知從何處去。因以此事，參諸劉阮入天台傳，則仙境非遙，但人之罪荄未斷，俗債猶多，故蓬壺閬苑之區，終是渺茫境界耳。

蛇鼠酬恩傳

河內安阜坊，有一老人，家居于河堤外，夫妻偕老，獨居無子，賣薪以供食。至夏月，河水漲溢，巢閣于室中，以居室之旁，有一叢莽處，蛇鼠多聚於其中，及至水漲，叢莽因淹之浸，蛇鼠不能藏伏。老人常見一蛇一鼠，往來於寢食之處，似有饑而求食之意。老人每飯，必投於坐下以與之食，蛇鼠相就而吃之，人物相貫，日以爲常。迨至水消，老人撤巢下土，偶於夜間聞，蛇鼠相與語曰：「我等經月餘來，受賜於老翁老婆多，可不別尋一計以報之耶？」鼠謂蛇：「今將何以？」蛇曰：「此去京城金庫不遠，汝入而鑽穴，我將入而取金，歸以酬之！」鼠曰：「好計！好計！」乃相引而去。果然後日之夜，老人聞有聲擲於牀下，不知幾次。明日老人視之，則見白金滿地，計之得五十笏，乃貯于瓦甕，置之密處，未曾取用。

纔得數月，守庫官檢失金，飾中外追尋，有人告老人家貯金，勘之果依其數，乃捉老人夫妻下獄。蛇鼠聞之，又相謂曰：「吾等報德，反以釀禍，今計將何如？可以解老翁之罪。」蛇告鼠曰：「汝又入宮鑽檼，我因入噬天子之腹，即出取藥交老翁療之，庶可獲免。」乃相引而行。果然至明日，有詔召醫院入宮侍藥，老人乃叫於守獄，情願可治，守獄乃奏于朝，天子允許。老人乃攜藥侍療，半日而疾全瘉，天子命赦老人夫妻罪，召入禁庭，叩其原由，老人具奏蛇鼠報恩之故。天子嘆曰：「物亦有知如此！」命賜之帛十四、布二十四、金十笏，所在存問，以時奏聞。

噫！物得偏性，尚知報答。況人受德於人而忘之，其不如物乎？

阮氏銀
阮金鶯 校點

喝東書異

喝東書異 出版說明

喝東書異是由阮尙賢編纂的、發生在越南喝東地區的六十六個故事集。阮尙賢字鼎臣、又字鼎南，號梅山，生于一八六八年，山浪縣（今河山平省應和縣）聯拔村人。成泰四年（一八九二）中舉，出任國子監纂修，不久，調任寧平、南定督學，人們也就稱他爲「督南」。不久後，他棄官，前往中國進行革命活動，撰寫文章，號召人民反對法殖民主義，爭取越南獨立。事未成功，他便在杭州一寺廟中出家修行，並于一九二五年十二月廿八日卒于杭州。

他爲世人留下的作品有：南枝集、鶴書吟編、梅山吟集、南鄉集、梅山吟草、喝東書異……等。

《喝東書異》現藏于漢喃研究院圖書館，書號爲 VHv 2382/a 與 VHv 2382/b。

VHv 2382/a 版是硬皮封面，尺寸爲 22 cm × 15 cm，共71頁，每頁8行，每行23至24個字，用行書寫在毛邊紙上。書後有注釋，說明本書抄寫未加修改，唯第20及30頁，因原版有錯字或闕字，故抄寫亦有誤。

VHv 2382/b 版屬硬皮封面，尺寸爲 22 cm × 15 cm，共71頁，每頁8行，每行23至24個字，寫在毛邊紙上，字跡清楚，與 VHv 2382/a 版大體相同，但此版錯字較少，更無闕字。書後有注釋：「本書抄自 VHv 2382/a 版」。

目前，尚未發現原稿，只有上述各抄本。

在這次出版的校勘過程中，我們的主要根據是 VHv 2382／a 版，只有在這個版本出現闕字、錯字或者是縮寫字時需要補充整理時我們才去參閱 VHv 2382／b 版。

阮氏銀－阮金鶯

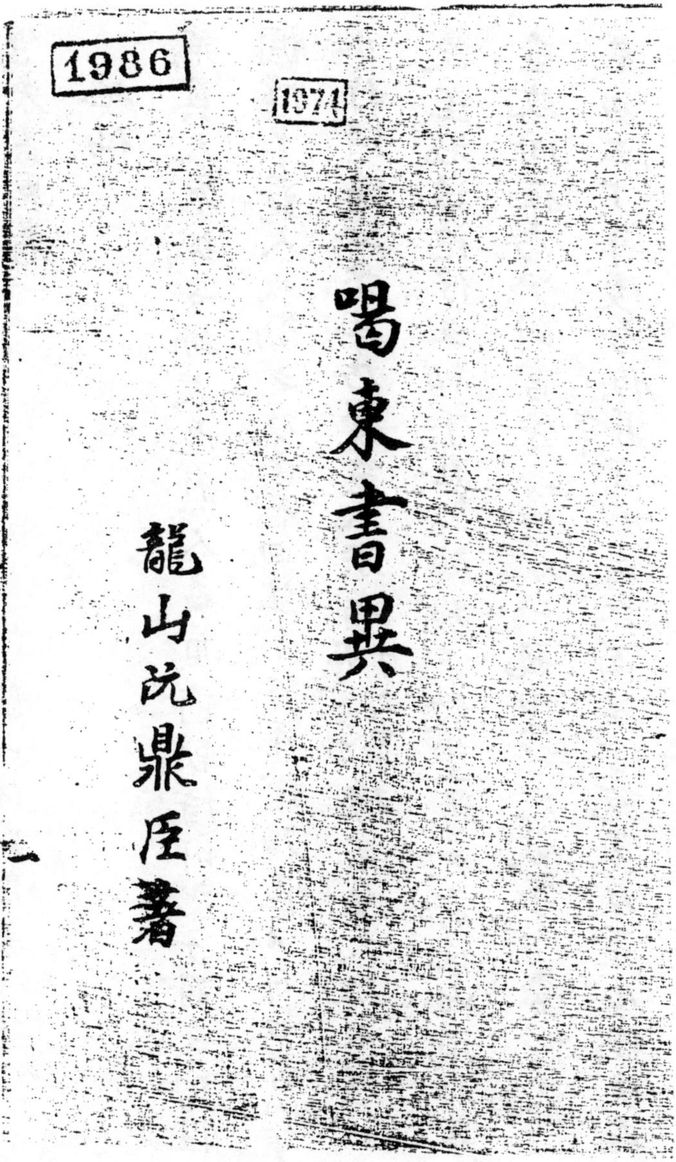
1986
1974
喝東書異
龍山沈鼎臣著

喝東書異卷一

龍山阮鼎臣著 尚賢

地仙

范真人東城安排人也真人名員前朝侍郎之子有奇相性倜儻不羈人或勸之攻書哂曰生不百年何乃區又自取青山碧水行逍遙取樂耳乃入蓑笠入洪嶺（在文安）九十九峯採藥至大林中忽一叟星冠道袍佇立松下真人趨跪求教叟導之前及山嶺有茅屋數間在焉中列書架旁貯水一瓶叟呼之飲手一囊授之曰若第爲三十年後吾俟尔耳于某山之南矣言訖叟及茅屋俱失在

真人乃為此至家已十二諗親鄰聞其事疑信伴之自後語言異常寢或十餘日或數月乃起家有姑甚貧真人授之錢數十文曰留其一毋盡用也姑如言賣之朝去而暮還家賴以贍後姑失而錢亦失途遇一人丐於市植杖其旁教之曰守此無他適後過者輒掛一錢於杖端日得百錢乃止其人至老衣食不匱一日至玉山店謂老嫗曰此地有回祿之災吾與汝酒一盃受而藏之可免茲厄無何大火嫗傾盃從空中洒之不雲而雨頃𡖖火滅酒香三日不散後人或遇于昇龕或遇于神符但叉手不交一言

採花生

郭公名佳東岸浮溪人也生之前夕有偷兒匿伏神祠不覺熟睡至鷄鳴乃醒聞前殿有呵殿聲伏窺之一神冠帶而入内有声曰退朝何晚也答云適南廷会議令一採花郎降世今夜某牌生於浮溪鄉某家偷兒屏息不敢動無何黎明乃躡入村中適詢得公登堂拜賀具術其異公果聰穎幼稱神童

正和中採花及第

冕父

士麾從奏此地生人當極貴辰公子四人皆官於朝上諭令迁之奉命開墓見棺下一泓清澈鯉魚二頭色甚異游泳其中乃放鯉於江邊小橋下名其橋曰竜橋葬公於他處是日四子新居皆發火上聞之立命有司新其第公裔孫某言之

越南民主共和十七年六月初七日

檢閱　阮克昌

　　　阮晉明

承抄依原本裴接記

喝東書異

龍山阮鼎臣著

地仙

范眞人，東城安排人也。眞人名員，前朝侍郎之子。有奇相，性惆（倜）戃（儻）不羈。人或勸之攻書。哂曰：「生不百年，何乃區區自取。青山碧水行，逍遙取樂耳。」乃簑笠入洪嶺（在乂安九十九峯）採藥。至大林中，忽一叟星冠道袍佇立松下。眞人趨跪求教。叟導之前。及山頂，有茅屋數間在焉，中列書架，旁貯水一瓶。叟呼之飲，手一囊授之，曰：「若弟歸，三十年後，吾俟爾于某山之南矣。」言訖，叟及茅屋俱失在。眞人乃歸，比至家，已十二諗（稔）。親鄰聞其事，疑信伴之。

自後，語言異常；寢或十餘日，或數月乃起。家有姑，甚貧。眞人授之錢數十文，曰：「留其一，毋盡用也。」姑如言買（賣）之，朝去而暮還，家賴以贍。後姑失，而錢亦失。途遇一人丐於市，植杖其旁，教之曰：「守此無他適。」後過者輒掛一錢於杖端，日得百錢乃止。其人至老，衣食不匱。

一日，至玉山店，謂老嫗曰：「此地有回祿之災，吾與汝酒一盃，受而藏之，可免茲厄。」無何大火，嫗傾盃從空中灑之。不雲而雨，須臾火滅，酒香三日不散。後人或遇于昇龍，或遇于神符，但叉手，不交一言。

探花生

郭公名佳，東岸浮溪人也。生之前夕，有偷兒夜伏神祠，不覺熟睡，至鷄鳴乃醒。聞前殿有呵聲。伏窺之，一神冠帶而入。內有聲曰：「退朝何晚也？」答云：「適南廷會議，令一探花郎降世。今夜某牌生於浮溪鄉某家。」偷兒屏息，不敢動。無何黎明，乃趨入村中，遍訪得公，登堂拜賀，具述其異。公果聰穎，幼稱神童。正和中，探花及第。

虎父

宋山一村翁，性放誕。嘗獵林下，得虎子，歸飼之。婦見曰：「彼野心者可擾耶？君必殺之。」翁不從，日加豢養。旣長甚馴，使令如意，翁行而虎從，亦不攫人。人以是呼爲「虎父」。夜於溪洞取魚，命虎守。翁每至，必先聲張，虎乃掉尾迎之。一夜乘醉，潛往發笱。虎不覺，遽起搏之，遂斃。虎移置旁岸，歸，跪父於燈前，淚涔涔滴。婦驚曰：「若翁安在？是必有故！」起，從之及溪，見翁臥。撫屍大慟曰：「養虎貽患，今何如矣！」虎蹲旁旁，似有慚色。顧謂虎曰：「汝休休，若忘而翁撫若之勞，遽爾反噬。吾不忍見，汝可亟去之。」虎逡巡低首去。

明早，於庭得一大猪，一（婦）知其虎也，即以祭翁。及瘗日，置一牛於墳上，咆哮久之乃去。後值翁死日，虎即呼群大至，鷄犬不寧，合村憂之。占云：「是山君欲報主人之德耳。」遂搆祠以奉翁，虎乃不至。

婦素貧，輒於家庭得物，衣食終其身。

天榜

某生者劬于學，屢試不售。科期復至，苦無資不能行。於除夕夜入定時，登祠旁高樹，大聲曰：「明年天榜，某邑某名中選矣。」合村喧傳以爲神，走告生。生佯不知，曰：「誑吾耳。」衆勸之往。以貧辭。競捐金助之。是年，果聯捷進士。

神醫

高山大王祠在至靈琅洞。相傳王善醫，尤精痧痘。山西人有子痘殤將殮。忽一叟自云能醫，試使藥，果愈。叩其姓名，不答。臨去云：「高山之側，湖之陽，吾在也。」如其言往訪，無所見。過一祠，神貌儼如叟，服亦符，遂入拜謝。由是遠近爭趨之。有病者牲犧以至，清水一壺置神前，密陳病由，拜訖取飲之，有香氣，病即蘇。度神以藥投其中也。香火大盛，名「神醫祠」。

無頭佳

嬌公罕，十二使君之一也，事吳王爲部將，與丁先皇戰，大敗。兵及頸，猶兩手提其頭，縱馬南奔以至，輒大聲曰：「無頭佳乎？」皆曰：「佳。」有老媪笑曰：「將軍休矣。有頭死，不聞無頭生。」嬌大叫一聲，擲頭而絕。後人即其處立祠，今在南眞。

石犬

前黎辰（時），古法寺有僧李文慶，精易學。寺有石犬二，忽一夜聞犬聲。合寺惶恐。占之，得乾九二，曰：「當有聖人至。」明日，見一童，狀貌魁異，詣寺，徬徨不至。文慶愛之，蓄爲子，因姓李名公蘊。後爲李太祖。

辭甲

鄭鐵長，安定東里人也。幼聰敏，有長者過之，問所學，應答如流，大驚曰：「此兒長成，必登魁選。」母聞言益喜，勸之讀。太寶中登三甲進士。使人迎母，母恚曰：「吾望汝魁，三甲汝自爲之，吾不知。」公即日表辭。次科遂中榜眼。

确地鰌

阮春光，至靈突嶺人，幼失學，年既長，始發憤讀書，晝夜咿唔不輟，聲又雄重，鄰里咸爲掩耳。姊遇之，哂曰：「确地豈有鰌耶？」不顧，讀益苦，逾年成進士。既歸，宴親朋，置一大鰌於筵前，謂姊曰：「确地無鰌，然有者極大。」滿堂鬨然姊謝。

水塚

丁先皇幼居華閭洞。洞有潭，深千丈，水四辰（時）常黑色。有客人者夜過之，見赤光從潭中出，直射天馬星，驚曰：「是必有物〔在〕其中。」求善泊者，厚之金，使入，皆不可，云下有毒龍。

先皇辰（時）八、九歲，聞之，踴身下，半日及其底，見一石馬昂首立，高與人等。以告客，客授之骨一具，囑曰：「竦而身立馬之前，拍其口者三，開乃入之。」佯諾，竟投之水。既復命，客大喜去。先皇乃裹父骨瘞之。

後十餘年，平十二使君之亂，遂即位。客復來，知其詐，揚于衆曰：「我乃謀之，而奪於人，命也！夫何言？抑吾聞馬之爲德，騰驤萬里，然無劍不威，恐爲人所得。」先皇信之，遣人携一劍掛于馬鬣，磨石斷，馬乃無頭。不數年，丁遽易祚。

龍王殿

青潭南花社，一匠素機巧，構作精花，辰（時）有班、婁之目。一日獨坐，忽二青衣至前曰：「大王見召。」匠愕然辭以故。青衣曰：「君不來，將有後禍。且事完即返，無損於君。」即導之行，至江次，挾匠躍入水中，波亦遂開。行數里，見城郭如水間宮殿，皆覆以朱瓦，龜官鼈吏，林立殿前。匠入拜，王冕服而中坐，賜之飲。令修正殿及太子、王妃諸宮。三年落成，王授之一函，封甚固，送之歸，且戒勿泄。前青衣復導至家，須臾不見。家人失匠已久矣，突見之，爭前問故，不答。啓函視之，中藏珠約數千顆。擇其售之，各五百緡，家遂大富。

年七十五，病革，呼妻子語其異，言訖遂絕。所存珠亦無故自失。

兩朝宰相

潘廷佐，天祿芙蕾人也，黎朝進士，官至尙書。莫登庸欲逼恭帝禪位，貽廷佐，令草詔書。遂相莫，封郡公。於堂上大書「兩朝宰相」以爲榮異。權力炙手，人皆憚之。

卒後，鄉人某叟版（旅）於京，遇一丐，蓬頭，赤足，杖而前。視之，聲音狀貌酷似廷佐。謂叟曰：「公非芙蕾人耶？吾廷佐也。賣國肥身，孽由自造。冥王殛其獸心，令入畜道，吾哀之，得轉爲丐。生而無家，市宿郊行，恆數日不得一飽。今見故人，猶昨夢耳。」言已，大哭。叟給之錢米，其人拜謝而去。

冥婚

同技鄉中阮氏一女，姿容絕代。年二十而夭，鄉人構祠奉之，號「公主廟」。廟旁數武爲神祠，神甚靈。

忽一年，鄉中疫大作，禱于祠。有聲從空中曰：「我與公主有夙因，若輩爲予求之。」衆拜受教。乃蠲吉詣公主廟，鼓樂以迎，至則合巹於祠前，祝之曰：「百年無相失也」。

後十年，鄉中穩婆夜將半，有人叩請，導之行。至一所，重門洞開，燈火熠❶目。一少年冠帶上坐，狀貌甚偉。青衣前報曰：「至矣。」堂上繡帳微捲，夫人坐盆。嫗入內，須臾聞啼聲，視之，豐頤廣額男也。合堂歡呼，謂嫗曰：「勤勞盛德，將有薄酬。」命導出西堂，少歇，嫗不覺酣寢。比起，則天明矣，驚視舍宇全無，身臥公主墓上。乃歸。漢起於庭中，得金，神饋也。

【校勘記】

❶「熠」者，照也，避諱也。

還金

唐安獲澤汝氏，其先祖爲諸生，客長安。一日於酒店獲一囊，內黃金十箔，坐守之。半日許，一婦號泣而來，云夫爲吏卒，解官物，半途失之，今困於獄矣。生前究其實盡以還之。須臾，夫婦同拜謝，以數金爲酬。生笑不顧，一市人賢之。

後孫某甚貧，鬻田於里。田有祖堂墓，甲逼之遷。遂葬于村前之高丘上。後數年，生人皆雋顯，科甲相繼。汝進用景治中進士，子進賢永治中進士，刑部上書。孫廷瓚永祐中會元進士，官上書，入侍參從致仕。弟仲台龍德中榜眼。曾孫公瑱景興中二甲進士，官侍制。

金顏山

金顏山在乂安偈長鄉，高千仞，周迴數十里，海南三大山其一也。山有谷，深黝不可測。谷口石乳交垂，如仙女，如璧衣、玉秤、金盌，不一而足。

相傳谷以內爲閻羅界，有橋名大羅。人死者精神皆從此入，啜道旁粥，然後過橋。有罪者，二大獒擠之入水。天子崩，其夜有赤精大如疋練，長丈許，頭帶火，從空中來，橫臥谷口。土人設祭於山下。祭訖，有聲若巨霆者三，須臾入谷乃沒。

湖神

范太保廷重有勇略，儀容修偉。幼辰（時）常朗吟云：

天為郭兮地為墟。
五湖茫茫吾所廬。

長登進士，官于朝。有估客從五湖來云：「公爲湖神轉世，貌與神符。」

景興中，清河賊阮有求竊據塗山稱帝，蹂躪東北，官軍不能抵敵。朝廷命將謂非公不可。拜總師，屯諒山。陣前招之曰：「土截半横，順爲上，逆爲下。」求笑曰：「玉藏一點，入爲主，出爲王。」卒不降。公調兵進勦，夙夜籌畫。血戰十餘年而求就擒。常曰：「有求，南海之伯王也。」

賺神

清華一祠神甚靈，遠近崇之。銀花寶器以奉神，神守之嚴。盜一物者，輒徬徨不能去，去亦不遠，神即導其姓名及所藏，追之卒獲。以是無敢近者。

是年秋，鄉人賽神歌舞於祠三日夜。將闌，各鳥獸散。有某乙者心涎之，伏東牆，首武士之弁，衣優人之衫，面塗硃藍各半，泥其足，飛身從簷角墜，睨神曰：「吾夜叉王也。」大聲而前，斧亂下，風呼呼然燈盡滅，攫神前寶貨盡乃去。平明人集，忽一叟仆地大呼云：「疇昔之夜吾醉矣，賊得乘間越關而至，甚猙獰，縱擊大掠，倉卒幾爲所困。狡哉！賊壞吾守，眩吾聰明。姓若名吾失之矣。」鄉人大恐，分途拿之。三日卒無影響。

借屍

唐豪遼下人張巴，老於奕。一日與某生角局，亂矣，猶力抗不下。巴瞋目曰：「汝不識張神奕耶！縱仙手相遭，不能奪吾一子。」俄一叟曳杖至，導生前，不數下，巴全局盡壞，面色如土，叟哂而去。尾之，入野廟，巴跪拜求教且謝唐突。久之乃曰：「吾山嵩之散人也，好浪遊，奕非吾所能。曩與若曹戲耳。憐爾誠愿，錫爾香三辨，緩急焚之，吾當來視汝也。」巴請師之，忽不見。後數年竟忘其言。

巴既沒，家人於壁中得香焚之。俄叟來，問巴安在，則死已百餘日矣。妻泣求再四，叟沈思，曰：「里有新喪乎？」曰：「有之，屠者，瘞矣。」夜三鼓，登其墳，出屠之屍，咒而起之。須臾甦，聲音舉動巴也。夫婦拜謝起，已失叟所在，遂歸。

一日，屠之婦某遇巴於市，遽前抱之，泣。妻叱之，遂起相爭。鄰里環視，屠貌而巴聲，彼此不辨。鳴于官。官質婦：「汝夫何業？」婦曰：「奕。」質某，某曰：「屠。」命之屠，惶遽不知所爲；命之奕，居然國手；遂判歸巴妻。諺云：「屠人軀，奕人魄；見豬却走，見棋無敵。」後巴亦遁去，不知所終。

讓狀頭

唐安人黎鼒，兄弟同學，鼒才高，年又少，以鳳樓自負。兄置之。一日入場，偶失記，以問兄，兄哂曰：「阿弟平日自矜聲譽，今乃爾耶？吾與汝角爾。」鼒憤曰：「今年讓兄狀頭」，即謝病出。夜三鼓至其家，門既閉，宿廊下。母夢中聞神告曰：「何不令進士入。」驚起，聞門外鼾聲，以火燭之，鼒也。呼醒，叩以故，鼒以訴之。既入，即明燈讀書。母哂曰：「偶有所觸耳，鴻心不戢，安見不兵先而弩末乎？」鼒拜曰：「毋識之，請自今以始，晝夜攻苦。」明年果成二甲進士。

一榜兩元

阮廷柱，青池月盎人也，與貢士武登龍齊名。有地師者過登龍先塋，曰：「適觀月盎阮家墳，來科必出一榜魁。此地亦龍頭中選，其期當在早晚。」衆哂曰：「安有一榜而兩元者？」。至期，春試，阮廷柱會元，登龍名在第二。入拜鄭府，王見登龍俊偉，命立位進士上。辰稱廷柱文元，登龍貌元。

海人

茄福，下邳人。漁於海，見二牛鬥海岸，夯之，躍入水沒。視地上有落毛，取呑之。自是履水如飛，恆數日伏海底不出。

適元人來侵，陳舟師入瀠寧海口。官募有能虜者，漁請往。潛身艘底，手鐵錐穴之，三日夜沉艘無計。虜大驚。後網得之，問其衆多少。曰：「尚數十百人，匿某港之某處，我導之前，可盡得也。」如其言，縛以行，立之船頭，忽挺身跳入水去。旋聞船尾有聲，大呼曰：「某在此。」虜驚視，一人立海面攢射之。須臾海大風，波濤洶湧，水中千百頭並出，如魚龍亂舞，久之不見。虜相嘆曰：「何海人之神也！」遂馳去，一州以安。

髯公

張孚說進士家居，性曠達。一日，野服飲於肆，縣尹過之。衆皆斂手立，公獨儼然。尹大怒，呼至前，將重懲之，視公美髯，意其諸生，乃免。公仰笑曰：「嗟乎！髯公之不可少也。」拂衣去。

人以告，尹大驚，下馬及於道，鞠躬喘息，幾無以自容。公徐笑曰：「何所見而倨予？何所見而勞汝？」扶之起。

尹歸後，屢以爲意，終善遇之。

四男讞父獄

清華人某，少貧落魄。之山南，傭於天本村翁家。翁以女見而悅之，遂與通。某既逃，女有娠，期月生一男。之海陽，娶安陽女。之京北，娶良才女。之山西，娶石室女。各生男一。歸老於清。後四男長成，不知父所在，從母姓，俱登莫朝進士。

某年，八十餘，適以事繫於京獄。時天本人爲都御史，副都僉都及監察則安陽、石室、良才三男。

一日廷讞，明其寃，出之。問老人年幾何？得幾子？答云：「少歷四鎭，贅於外，俱有所生，然久矣不相聞識。」詰其詳，以婦姓及子年對。四人相視愕然，下堂抱之泣，則獄中人即堂上老也。遣人迎母至乃復合。

事聞于朝，莫王授以三品銜，賜几杖，開第于京。四男各以其官，晨夕〔奉〕焉。

夢榜

阮克敬，京北超類青堆人。負文譽，屢試不第。夢天榜放，第一名范惟玦，敬名次之。後數年，至確溪訪戚，因帳於鄉。鄉有老嫗攜一童拜請受業。問其名，曰惟玦，姓曰范。

敬驗與夢符，且視童雋穎可愛，教之讀。數年學大進，遂與敬同舉於鄉。對策大庭，謂玦曰：「汝遜吾一籌。」諾。敬忽腹大痛，不能執卷。自念龍首有屬，強之或致不祥，痛頓止。既而臚傳：第狀元師榜眼。果如夢告。

惜鷄埋母

宜陽人丁某，素橫。家有一鷄閗物也，甚愛之。飢食而寒衣，夜中必視鷄乃寢。一日，將出，呼婦云：「善視吾鷄，生死當相徇也」。無何，婦治饌於廚，鷄適來，投之以物，應手踣。婦走以告母泣曰：「夫歸，必不吾赦也，請先之。」母止曰：「無傷也；譬吾斃之，彼縱暴，何所施乎！」俄丁自外來，及庭問鷄安善否？母善其辭，且哀之，丁勃然。須出門去，穴祠樹旁，擕母往，將生埋之。婦請代，不可。忽天大陰雨，雷轟然，斃丁於祠而暴之道，背上大書「惜鷄埋母，罪惡不容」八字。朱跡宛然，觀者咋舌。

玉皇旨

眞福蔡舍人阮熾，家素貧，賣油爲業，常往來清華。

一日，至東山關，天暮矣。視山頂一神祠，奔之宿廊下。

夜將半，聞空中有聲；一神車馬而過，聲於祠曰：「往乎？」辭云：「貴人在坐，未便相陪；如有所聞，請俟道左。」四更乃返，神出迎之，及祠曰：「玉皇有旨，册黎利爲安南皇帝，瑞原藍山人也，許以申年申月申時起兵，十年而天下定。」言訖辭去。

天既明，熾遂杖策入藍山，見黎太祖，虎眼而龍軀，居常數百人侍。聞熾言，是歲起兵，戮柳擒黃，兩都大空。既即位，熾爲開國元臣。

金牛

僧空路居荷澤寺，精於術，常飛錫遊海外名山。

有異國王得奇疾，醫之不效，聞僧名遣之。行空中須臾至，跪王前，手摩其腹，病俄起。王問所欲，僧請青銅一囊。導之取，凡數千餘觔乃足。

辭歸。至普賴寺，鑄一鐘，三月成，懸之高樓，一擊聲聞萬里。忽金牛自其國至，奔樓下。王遣求之，牛乃沒入浪泊湖，湖在昇龍。

足下圈

甲狀元海，其母文江公論人也。幼孤貧，年四十餘不嫁。店於路，飲食行人。有過客遺金一囊，母呼還之。客感謝，言當酬以吉地。母笑曰：「吾無堂上膝下，得此爲？但得一生衣食足矣。」

客乃掘床下一壙向背如法，囑之曰：「百年後以此爲歸也。」置之。無何，風雨將半，有人求宿，遂與交，須臾氣絕。母因其壙遂掩之。是夜有娠，至期生男，左足有朱圈一。自後家亦漸豐。兒數歲，戲於河上。鄖薊商船過之，愛其美，賺入舟中歸養之。兒遂爲富人子，延師教讀，年二十餘，成進士，官于朝。

母自失兒，號泣幾不欲生。捨家求之，三十年不得。一日，丐於京，至一所，甲第連雲。短牆下貴人方跣足，視之，朱跡宛然，大驚，遂丐以前。門者叱之，母伏地大號。聲達於貴人，貴人呼之入，詰其故。泣曰：「小人有子，幼而失之。物色四方，以足爲誌。偶過此，爲閽者所辱。」貴人平日微聞人言商非其父也，至是大驚，入後堂細問之，果母言相失之日，適與貴人年符。告以父墳，使門下客占之，曰：「狀元宰相生人也。」益以爲信。

母辰（時）年七十餘，及迎養之。常往來鄖、論二地云。

龜女

鄖薊公未遇辰（時），客長安。偶行江畔，見一人得一龜將烹之。公贖歸於庭下。一日，自外歸，見一女從龜中出，視之，絕代姝也，升堂灑掃。公遽前取龜藏之。女不得已，乃曰：「妾南海夫人之女。偶與姊妹輩出遊，假形於龜，爲漁子所得。蒙君高義，然亦夙緣也。」遂與爲夫婦。

無何，謂：「與君處此，耳目實多。妾居不遠，能一省吾母乎？」公❶曰：「吾方讀書，恐妨晨夕。」女曰：「第往，妾處亦有先生，乃前朝梁狀元。」公聞言，大異，乃去。龜女忽不見。袖之至江，龜躍入水，公尾之。行數武，見宮殿，青衣出迎。須臾至，夫人上坐，宮鬟四侍女。入拜曰：「郎來也。」夫人大喜，遂命開筵，待之如子婿禮。

數日，至場，見先生方危坐講易。問曰：「子何來？」公具以對。先生曰：「觀子神清骨爽，名下不虛。昨謁帝君，子名在狀元籙矣。」公遂歸。

居無何，訴於夫人，請歸試，約日復來。笑許之。

女置酒泣曰：「遂與君訣矣」。

既試，名在第一。至高香謁梁狀元祠。後數於江邊求之，女卒不至。

【校勘記】

❶ 此處應有「公曰」兩字。

禮師❶

禮師阮氏，至靈傑特人，儀容絕代。有相者見之，云：「一鏡照三王」。性敏慧，幼為男裝，從師讀。十餘歲應莫科，名在第一，師亞之。莫主見其貌美，詢之得其實，遂入後宮。

莫亡，竄山中，爲黎兵所俘。謂之曰：「若曹致吾於輦下，當有厚賞。」衆從之，果蒙寵愛。上既崩，出家某寺。後皇召之入宮，使授諸貴人書。每有顧問，輒援經義以對。詔令下皆妃手裁，號曰「禮師」。

【校勘記】

❶ 一作「禮妃」。

紅霞

紅霞美人，錦江平牢人，小字阿點，進士阮卓倫之妹。幼聰慧，於閨中聞兄誦讀，輒能暗記成篇。兄奇之，授以書。善屬對。一日，稠人出對曰：「白蛇當道，季拔劍而斬之」，美人應聲云：「黃龍負舟，禹仰天而嘆曰。」滿堂嘆服。十餘歲，博通子史，辰（時）稱班、蔡。性好恢❶諧，尤工詩。著有傳奇新譜行世。

【校勘記】

❶ 「恢」當作「詼」。

金鏤河

金鏤河有水神廟，甚靈。

一年大水，河堤崩，珊郡公奉命修築。舟至廟前不進，若有阻之者。公怒詈曰：「神在此，不能庇一方，使洪水爲災。又逆天子命，其何以俎豆爲？」忽大波中湧出數百船，陣列而進。公命射之，煙燄蔽天，須臾不見。

翌日，江中大風，波濤洶湧，如萬山傾塌，伏聽之，有甲馬刀戟之聲。天晚風定，魚鼈浮水面甚衆。堤旣成，神亦無靈。

鷄讞

山西督同阮公邁，明於獄，衆皆神之。

道經一村，聞婦人詛罵聲。呼之前，以失鷄對。大怒，云：「鷄値幾錢，乃爾肆ㄖ！」命村人拏之，皆勉應。

次至一人，詈且拏，面幾腫。公笑曰：「擒之。亂其物，復欲虎其人，狠哉賊。」其人惶恐即服罪。

影父

南昌張生妻武氏，容行兩絕，伉儷甚篤。陳末，占城之役，生隸於兵。女有娠，及其生男，甫周歲，兒善啼。女輒指壁上影曰：「汝父也」，左右之以樂兒，兒乃不啼。

無何師解。生至家，女適不在。撫兒，泣不從。詈曰：「豚犬兒生不識父。」兒曰：「公吾父耶？吾晨辰（時）亦自有父。」生驚詰之，曰：「父每夜來，行坐與母俱，啼哭不吾問，母父之，而吾父之也。」生素多忌，驟信之，日以惡聲相加。女無奈，仰天長號，曰：「生不見諒於吾夫，死何所歸乎！」遂投黃江。

生自是鰥居，空房冷燭。兒忽指壁上影曰：「父又來矣。」生乃悟，搥胸大悔。設醮於江邊祭之。女甚靈。土人立祠於泮水。

前生

馮狀元，失其名。赴京辰（時），遇一叟於旅店，視之，掩面哭。公駭，致問。嗚咽久之，乃曰：「一子幼聰，教之讀，數行並下。十三歲，府試冠軍。不幸死矣。適見長者音容酷肖。視其頰，朱痣宛然。偶念吾兒，不覺失聲耳。」馮大驚，隨之歸，檢其遺文讀之，皆公平日所作，字亦符。問其死之年，則公生之日也。恍然乃悟，迎叟至家，父事之。

虎僕

清華人某，家貧，以賣堝爲業，常往來清、寧間。一日，至疊山，迷失道，天已暮矣，無所投宿。沿山而西，二更許，見一叟，倚松樹，立月明之下，鬚髮皤然。

某前問道，叟曰：「子入山林深矣，此間並無邨落。寒舍不遠，就我一宿，何如？」。某喜謝，尾之行。

樹木蔽天，似無人跡，大恐，齒戰有聲。叟以手前指曰：「至矣。」傴僂而入，室甚暗，折松脂枝燃之，一窟也。叟曰：「食物偶缺麞一股，客能飽乎？」遂煨以進。某飢不暇擇。食已，藉茅而寢。

中夜，寒甚，覺有人以衣覆之者，亦遂冥然。

天明，起，聞鼾聲如雷。視其旁，老虎臥焉。駭而奔，虎已覺，呼之曰：「若視而身！」。某自顧，則斑其尾，而鋸其牙，亦虎也。腹餓甚。虎招之曰：「從我可得食。」自念已虎矣，復何所畏，從之。

半里許，一兔起於前。虎躍而搏之，裂其半以與某，燒之食。

虎於是教以起、伏、奔、驟之法，日以爲常。久之，令某曰：「日數獸供吾盤飧，不受命者，爪牙從事。」某敬諾，四出搜求，唯見人則避。有所得輒以獻，餘乃及己。虎高臥窟中受養，殆若主僕然。

一日，尋食至一峯，叢祠古石，似所曾經，徐視之，村後山也。馳而歸，遇某戚於途，呼而就之。某大奔，聲於鄉曰：「虎！虎！」群鑼鼓攻之，上山伏。

夜半循路歸至家，伏窗隙窺焉，見妻方抱子，衰服哭繐帳前。自念身爲異物，不覺涕下。倦而臥，天明乃復上山。心緒徬徨，無意得食。卒遇虎，無以應。大怒，搏之云：「豎子餓而翁耶！」遽前剝其衣，劃然脫奔而去。某驚顧，面目如初，逡巡歸。

妻大驚云：「失某已年餘矣。」鄉人環集，告以故，且曰：「堝吾置之某溪之側，不信盍往取諸。」如言得之，葭莩生其上矣。

某常言：「爲虎辰（時），寢食如之，但不猒心耳。」後亦無他。

海鶴

一賈人結夥航海，舟泊島中，偶上岸。須臾風起，舟遂解纜，賈望洋痛哭。

久之，覺饑火中燒，上山覓食。山甚童，無所得。視古樹上有鳥巢，探其遺菓啗之，得不死。天既暮，見一玄鶴橫海東來，集樹巢。賈遂衣其下宿焉。鶴朝飛夕返，積食頗多。賈漸與馴。時騎鶴游山頂。

月餘，乃掇長藤自縛於鶴身上，飛至一處，花木翳天。鶴乃下。賈自解其縛，尋路而西。

半日許，見一古寺，叩其門久之，一僧杖而出。告以故，爲設齋飯。食已，復行二十餘里，始見人民城郭，乃南掌國也。訪途而歸，凡數月始至家云。

落星公主

南眞筵禮村前一大溪，莫辰（時），有星從紫微垣中直落溪前，化爲石，浮水面。數日，村中一少婦忽仆地云：「我天女也，侍玻璃殿誤碎玉杯，今謫於此。」村人大驚，爲立祠于溪邊，曰：「落星公主廟。」祈請多效。

賣柑尚書

青池某公，少貧賣柑。家數口，惟柑是仰。性豪曠。

一日，於途遇老叟睨之，笑曰：「佳菓能一惠我乎？」，公即傾器跪奉之。叟悉碎之，啗其一。公曰：「盍不飽？」撫其腹曰：「飽矣，子之德也，吾頗解青烏之術，能富貴人。若第言所欲，余爲汝致之。」公曰：「吾幼不讀書，記吾鄉有所謂尚書者，華第而肥田，出必騶從，但得之，吾願足矣。」叟即掘父塋，遷之，曰：「棄而業傭於都城。某月某日某時立於東門之某湖上，見有黃冠而繡衣者，負以走。如吾言，願可得也。」

公從之，至京，爲人汲水於湖上。至期，鄭府災，王獨出，見公呼曰：「來！來！致我于湖中之高樓，吾當官汝。」公以尚書請，頷之。

須臾火熄，百官備駕迎王歸。公再拜曰：「曩時之言，王忘之乎？」遂授以尚書銜，賜采邑，開第于里。

山鬼

柴山下，樹木叢翠。鬼白日常出祟人。

有農民薄暮經其處，忽一鬼癯而長，攔手於途，牽之左，又小鬼二，牽之右。卒乃置之高樹之巓，縶其膊，環而守之。

家人失農，沿路求之。至樹下，仰目農若無所見。農欲呼之，而口噤。腹大饑，自念死於鬼矣。

數日，山寺鳴鐘，長鬼曰：「和尚施我矣，汝守之，吾往即來，得食，當以分汝。」農睨二小鬼在旁，欺其弱，毆之，遂下，蛛絲、雀糞蒙衣殆徧。

家人閉門守之。不言，不寐，常披髮作鬼狀。藥之半年乃復。

羅漢山石

阮公致耀，石河、丹制人。村有羅漢山，山上一石，夜聞書聲。其父夢有人自羅漢山來，願爲翁後，覺而生公。石上之聲寂然矣。

公自幼不火食，日啗芭蕉數果。年十四、五，父母逼之食，乃從命，然或日一食，或十餘日一食。顏色秀潤，至老不改。性質而慧。舉鄉薦，宰某縣。公廉，民愛之。

晚年家居，隨口言人吉凶，無不奇中。家奉文昌帝君，壁上一聯云：「風骨千年羅漢石，精神萬卷帝君書。」年九十餘，卒。河靜人爲予言之。

范華堂

范華堂先生，文名振世，善奕，稱國手。

一日，有叟求見，狀甚異。公與之奕，連負數局論文，亦博洽無比。公驚服。叟忽曰：「今日之會不可不醉；君謀酒，我具殽。」公喜諾。叟趨出良久，携一囊入，索大盤，取囊中物置其上，乃一蒸熟小兒也，呼與共飽，公驚縮。叟笑自啖之，頃刻盡，辭去。使人尾之，出門數武，忽不見。相傳以爲怪事。

按，道書：「人參、枸杞千歲，皆爲人形，食之不死。」公豈有仙才，而緣未至歟？

何榜眼

何公宗勳，安定、金城人。幼辰（時）受業進士某先生，赴塾必渡江。有祭冥官者，投紙船於江，順流而下。公見之，呼曰：「相公有命，船且止。」船忽不動，泊於蘆葦江間。

公既行，沿岸諸村邑人、畜大疫。具牲以禱，神附人言曰：「官船過此，相公戒且止。食缺故求之鄉村。如欲我去，必得相公之命」。

衆以爲先生也，往求之。先生愕然良久，知爲公，召戒之曰：「汝慢神，亟送之，無爲民患。」公唯而出，復向江中呼曰：「相公有命，船可去。」言訖，風吹船動，倏忽不見，人畜遂安。先生以是益奇公。有三女，於弟子擇二貢士爲壻，將以少者字公。

一日，講罷，令三人留塾抄書，爲置食，人各飯一器，鹽一器，鷄蛋一器而已。二貢士取蛋細分之，既飽尚存其半。公甫就坐，即以一箸横貫其蛋，入口吞之，既乃雜鹽與飯而食。頃刻盡之。二女在簾中觀之，皆失笑，嘲季女曰：「吾妹得此佳壻，他日傾產不足其餔也。」季女泣，訴於先生。先生曰：「若輩無知，此生前程非二貢士不能及，我亦遠遜之矣。」卒贅公。既長，拔魁甲，位至台輔。

阮巡撫

阮公勵，安樂、中河人，舉進士，爲廣平布政使。

辰（時）鄉中一豪，知公先墓大吉，竊開其上，入先骸掩之。未幾，豪家口相繼死亡。不得已，詣公謝罪，請遷之。公坦然曰：「地果吉，不妨與君共之。堪輿家言：『有殺必有發。』君既遇殺，安知不從此發跡耶？」豪以爲然，遂止。

後公爲巡撫參贊軍務，討山西流賊。賊陰求公先墓發之，得豪所葬者，投之江。公先骸卒無恙。

白進士

白公冬溫，金榜樂場人。少舉進士，官於朝。中年罷歸，放浪山水間，終日舉杯醉色。有以詩文詣者，公應口成篇，令其人執筆錄之。未及竟，再問，即不復記憶，更爲一篇與之。辰（時）人比之青蓮（李白號青蓮）。

所居土墻茅屋，坐臥惟一榻，客至自若。人有問：「先生年幾何矣？」公率爾曰：「君不知乎，老夫與闔人同庚。」客曰：「公年尚待問，何況貴闔。」聞者絕倒。

陳制科

陳公輝積，壽昌勇壽人，少舉制科，爲海陽學使，知辰（時）事不可爲，謝病歸。終日兀坐如癡。

舊友潘廷評爲河內布政使，過之，公向壁坐迫之，面癡笑而已，終不接一語。後挈家流寓民間，敝衣蓬首，以灌園爲業。雖至寒餒，妻子無惱容。有鄉宦數人，與馬詣其室，見環堵蕭然，一老者持揷（鍤），開土植菜於庭前，以爲園丁也，求爲通白。既知，爲公，驚謝。公從室舍揷（鍤）入室，坐問來意。衆曰：「先夫子易簀，遺命迎先生書其主，敢以請公。」曰：「老夫不出門久矣，以主來，或能如命。」衆拜而出，嘆曰：「不意千載之後，復有長沮，桀溺。」

公卒辰（時），年六十餘。

兵債

丙戌三月，衆合謀將襲愛州城。某舉人聞之，奮臂而往。途遇一人，誘之曰：「我將攻城，不用兵械，若能從我，進止一如吾令，得城後，賞汝五緡」。其人諾，乃授以一小箚，令攜之。舉人褒衣博帶，從容而進。頃之，衆謀洩，奔潰。舉人亦逃。其人追問之，無以償，走匿山谷間。友人見之，笑曰：「昔岳武穆破兀朮以八百兒郎，人稱其能以少擊衆。今君乃以一人攻城，且無兵械，殆過之矣」。究之，人力不能四氣和，使東漢功臣轉爲晚唐債帥，可哀也夫！

僞節

某官諂事權貴。一日，在上官座，語及河內某氏得旌表事，氏淫婦也，以辰（時）宰遠親得冒賞。某官忽拱手向上曰：「國法至公，某氏今爲節婦。下官他日亦必入忠烈祠。」滿堂鬨然。

嗜烟鳥

某甲畜一鳥，甚馴。常吃烟藥，試向其口呵之，日數次，鳥遂嗜烟。

放出求餌，雖數十里外，須臾必返，集某臂上，得呵烟一口，乃喜躍飛去以爲常。

人謂：「鳥亦有癖。」

秦吉了

鄉人某養秦吉了❶，語甚警慧，善伺主人意，使之通信問，百里外，皆能如命。

一日晨起，鳥呼：「某！奴夜夢爲虎所搏，殆非吉兆。」某笑置之。

是午，遣往鄰家借針，久之不至。忽見一貓攫鳥踰屋而走，鳥遙顧主人，呼曰：「奴厄於貓，針在東牆棗樹上，可往收之。」某驚起，救之不及，向樹間求之，果得針。蓋鳥自鄰家返，見棗樹多子，串針於葉上而食之，遂爲貓所得也。聞者皆爲嘆惜。

【校勘記】

❶「秦吉了」鳥名。

阮總督

總督阮公登階官北寧辰（時），某總該總缺，東村里長甲謀得之，途過副總某居邑，日暮矣，數人起叢薄間，刺甲死。其僕驚呼，走數里外，回顧見副總與數人持兵立其處，遂以告官。公意副總不得代，故甘心於甲，遂擬決。

無何，江船遇寇，捕一惡少至，嚴鞫之，呼曰：「等死耳，誣服不如從實。水寇之事我無之。惟某年、月、日，與西村里長乙謀殺甲於某處。」公愕然，拘乙至，即吐實。蓋乙與甲爭爲該總不得，怒要甲於途而刃之。副總聞呼救聲馳而至，不意爲僕所告也。公深以爲悔，日齋醮解之。

後公子衍舉進士，官於外，勦流賊，賊皆公舊時部民，感公惠，見衍旗號輒散走。同事者疑之，令易旗，賊遂突至，殺之。既知其謬，具禮以葬，哭之哀，人以爲枉殺無辜之報。

叛臣

戊子咸豐（清文宗）帝在廣西山分，依小臣張某。

某與侍衞阮某洽，合謀引外兵至，以帝爲遷於遠海。

後張某爲廣西領兵，屯山分，衆襲之，梟其首。阮某爲北平領兵。獄囚叛，獨殺某，合城無恙。衆論快之。

德魚（二則）

德魚出南海，有力而仁，能救人於風浪中，背負大舟不傾。舟在癸巳三月，益通官船自京師駛往清化。夜過廣平津分，風濤大作，檣、桅（栀）俱折。舟在水上若浮瓜然，衆號泣待死。俄見海面而雙燈對炤❶，辰（時）遠近。船忽不動，若有負之者，徐徐而進，如行小江內。頃之遽止，衆莫測。遲明視之，乃在思賢海口沙洲上。海人云：「燈蓋神光，舟則德魚所負也」。

副榜阮君廷聞在行，言其事：「是年冬，乂安船戶某自京師北返。舟出順安海口，即遇風，有德魚負之，得不溺，浮游海面三日夜。余辰（時）搭洋船由海陽南駛，過見之，舟中皆合掌遙拜，洋人即取長繩擲舟上，使繫於後而行。頃之繩斷，相去甚遠。洋人後回船救之。如是者三。進抵沱灢汛詢之，舟中共三十餘人，風浪中失手死者半。」某語人曰：「載官物，瀕危者三次矣，皆賴德魚之免于患」。

【校勘記】

❶「炤」者，「照」也，避諱也。

賞僧

咸泰年間，設齋旣畢，禮部奏請賞諸僧「富」、「壽」、「多男」銀錢各一。上覽之，硃筆抹「多男」二字，命易以他錢。

金鴨

秀才阮惠，東山同舍人，初業農奴某晨牧於野，見二鴨走田間，毛色極黃，以杖擊之，斃其一，納草蕢中，歸置之牛圈下，將俟無人，烹食之。俄而腹痛，疾走歸其家。天忽大雨，入夜不止。阮見奴不來，自起飼牛。見草中有光燦然，啓視，得黃金一器，狀類鴨，即收之，更殺一鴨置其處。明晨，奴急來，視鴨猶在，喜挈之去。阮以是買田、糴穀，不數年，富甲一郡，捐銜至太僕寺卿。念奴力，辰（時）賙之，得小裕。此嗣德年間事。

御筆

咸泰初年，某知縣丁父憂，以賄求上官爲具疏，極言：「縣繁劇，某廉幹稱職，請準伊回貫治喪三月，仍赴蒞，以舒民瘼。」上覽奏無語，但以筆改「月」字爲「年」。中外驚，相語曰：「天子明斷，不用繁詞，只一字，伊全疏皆爲畫餅矣。」小人枉自用心，終不能逃天鑒，可發一粲。晝地爲餅，虛而無實也。

淫孽

某知府奢而淫。食必數千錢。嘗寓清商家。商以事歸香港，某因與其婦通。未幾，商復來，至海陽聞其事，以書寄婦，詐言事冗，未能離港。某喜，仍留婦處。是夜，商掩至，擒某於臥內，扭其腹皮，以鐵杖擊之。某死而復甦。良久，商曰：「且放汝，三日後必死。」某既歸，痛頓止。靜養至四日無恙，乃椎牛致客。席未半，忽仆地呼痛而絕。

神譴

縣人某，善敕勒之術，能約束鬼神。一日過陳登村，神甚靈。某結印取之以歸，至余邑祠外，神大呼：「故人救我！」忽大風起祠旁高樹間，掠某而過，翻其笠，某不覺以手按之，印解，爲神所擊，立斃。

一門兩卿

前黎辰（時），左清威吳公某壯年不羈，家漸落。兄某舉進士，知某府，挈家往依之。寓於府門外，出入與奴隸俱求微利以自給。衆皆笑之。兄素友愛，每食必分諸公。一日，庖人忘之，公念其侮己，毆撻交至。歸寓，怒猶未解，婦詢知其故，哂曰：「君與此輩人何加？賴兄貴故能虐之耳。」公遷怒曰：「兄以嫂氏能養故讀書取高位；汝不能養我，無怪我之賤也。」婦激之曰：「我能養，君能讀乎？」公曰：「此極易事。」婦喜，立誓以堅之，即去寓，以兄所給者散之貧乏，空手歸里。斗室一燈，婦織而公讀，相戒廢業者有責。一夕，公倦而假寐，婦以木尺投之，使驚覺，誤中其鼻，血大溢。公坦然無語。數年後，學大成，聯捷進士。後與兄同辰（時）爲尚書。辰（時）稱一門兩卿。

黎左軍

國初，左軍黎公文悅威名振主。旌麾所至，賊多不戰自潰。嘗夜臥，侍者見一白虎行室中，懼不敢聲。俄而公覺，虎即不見。晨起散髮默坐，以手據案，是日必有斬戮。軍行過某山，有虎殺人，公勒兵圍其三面，一面迎地方諸神位守之，曰：「煩諸兄相助，無縱暴畜爲民災。」既而虎狂奔，若有驅之者，遂就擒。居常養虎爲玩。一日忽脫圈出，蹲於庭，公微語曰：「虎出。」軍士在門外聞之，越牆入，爭先扼虎，復擒之，納圈中，寂然無聲。其軍令之嚴如此。

公既卒，葬嘉定本貫。官吏過者必下馬，息金鼓。某年，總督阮德活按部至墳前，驕倨自若，是夕病作，言動失常，營門防衞甚密，忽於中堂得木棍一，不知所自來，衆皆咤懼。布政阮居仕聞之，曰：「彼罪人（公歿後以事干議）何能爲祟？」言訖亦病，頃之皆不起。石碑鄉買公舊舍爲神宇，忽附人言曰：「此將軍居室，吾何德以當之，必遷我于左。」鄉人如命。其靈蹟如此類甚多，不可縷述。

城中虎

慶和地多虎，阮公為布政辰（時），嘗獨坐。一物自榻下出，徐行牕廡間，有文斑然，驚顧之，虎也。日入後，城中虎眼放光，與燈燭相亂。但不肆暴，人亦安之。公夫人語其事。

鬼呼

嗣德年間，清化有土民某，犯小罪，上官置之重辟。後每入夜，空中有聲大呼曰：「極寃，靜察之！」或在城中旗臺下，或在城外南郭，哀而厲，令人髮豎。官吏為設齋醮，不效。先丙戌之亂數歲，聲忽然寂然。

天變

嗣德壬午冬，日青色，人仰視之，眼不瞬。余試以掌接其光，皆成藍色。乙酉十月二十一日入夜，流星如雨，或自東而西，或自南而北，光彩四射。至更深乃止。余辰（時）在蓮溪別業見之。試定眼觀一宿，有光飛出，而其星如故。餘皆然。明年愛州兵起，驩，演亦不靖。死者無算。

詩將

前黎辰（時），范公廷重爲將軍，以功封爵。後避謗，謝官皈禪。自題其像云：「禪心寧愛髮，男面故留鬚。」卜居西都城外，鑿地爲湖，四面環以園圃，中起高樓居之。壁上有聯云：「固不如山而壁，泉而池，雲水超然塵境外；惟庶幾牖可風，庭可月，菊松自在故州中。」咏花木云：「別有菁華酬月露，豈無莕（蒼）勁抗風塵。」風流氣節，可想其爲人。過龍頷渡，有句云：「煙深不見魚翁跡，山勢擎秋落酒杯。」餘佳句甚多。余年前搜得其集，置那山書屋。

阮贊理

阮公高，武江革彼人，鄉薦首選，官布政使，後爲贊理。告歸，授徒於余縣金江邑。有武弁某求進，告公有異謀，引敵兵掩之。公適不在館，門人要諸途以告，請避之。公曰：「彼失我必虐求於民。吾不忍以一身貽數百人患。」遂從容歸館。敵擁之入羅城，坐公於庭，責之曰：「汝叛乎？」公正色曰：「吾向有包胥之心，以事不可爲，棄官臥林下久矣。小人以我爲奇貨，故有是語。然義不可辱，當使若輩知吾心。」言訖，以手爪掐其腹，出腸數尺，擲於地，顏色不變。辰（時）觀者如堵，皆掩面驚走。敵扶公入靜室，藥之稍安。後數日卒，自斷其舌而死。遠近哀之。

鯉魚墳

國威公諱孝哲皇帝第子❶，累立戰功。年三十餘卒，葬承天雲英社。嘉隆年間，上出幸，過其處，有術士扈從，奏：「此地生人當極貴。」辰（時）公子四人皆官於朝，上諭令遷之。奉命開墓，見棺下一泓清澈，鯉魚二頭，色甚異，游泳其中。乃放鯉於江邊小橋下，名其橋曰：「龍橋」，葬公於他處。是日，四子所居皆發火，上聞之，立命有司新其第。公裔孫某言之。

【校勘記】

❶「諱」字下及「第」字下，原卷有闕字。

安南國古點列傳

汪娟校點

安南國古跡列傳 出版説明

此書撰者姓氏與時代無考。全書計收錄有龍眼如月二神傳等一十二篇越南地方神明之傳記。其中除香山峒記與奇童問月傳外，其餘十篇，龍眼如月二神傳及夜叉王傳之事跡亦見於嶺南摭怪卷二，其餘士王仙傳等八篇亦見於嶺南摭怪卷三中；且並見於天南雲籙及越甸幽靈集中。文字有異同。

今所得見之安南古跡列傳爲法國亞洲協會圖書館藏抄本，編號 b15。此書計二十一葉。每半葉十行，行十四字。字大而工整，與南國異人事跡錄編號相同，字體亦同，顯係出自同一人之手，當亦爲黎貴奉所抄。封面題「安南古跡列傳」，有目錄，目錄首題「安南國古跡列傳」。每葉中心有「古跡列傳」四字。此次整理，因無他本可資參校，僅依 b15 號抄本加以迻錄，校點排印，其第十一篇香山峝記多爲喃字，茲試譯爲漢文；而第十二篇奇童問月傳全爲喃字撰寫，故缺而不錄。

安南古跡列傳

書影

安南國古跡列傳

龍眼如月二神傳

夜足王傳

士王仙傳

乾海門三位夫人傳

龍爪傳

貞灵二徵夫人傳

洪聖大神王傳

明應安所神祠傳

大灘都曾石神傳

神珠竜王傳

香山崗記

奇童問月傳

龍眼如月二神傳

黎朝

大行皇帝天福元年辛巳宋太宗命
將軍侯仁保孫全興等將兵侵南國
至大灘海門
大行皇帝與將軍范巨倆領軍就屠
虜江以拒宋軍对壘相守
大行皇帝夜三更時梦見二神來拜
于江上曰臣二兄弟一名張吽一名
張喝前事吳先主常以征伐削平逆

安南國古跡列傳

龍眼如月二神傳

黎朝

大行皇帝天福元年辛巳，宋太宗命將軍侯仁保、孫全興等將兵侵南國，至大灘海門。大行皇帝與將軍范巨倆領軍就屠廣江以拒宋軍，對壘相守。大行皇帝夜三更時，夢見二神來拜于江上曰：「臣二兄弟，一名張吽，一名張喝，前事吳先主，常以征伐，削平逆賊，以有天下。至南晉，後主失國，丁氏聞臣兄弟之名，召之，臣等守義不屈，鴆酒而死于此。上帝憫臣兄弟之功，遂嘉其忠義之節，賜臣等名爲神部官將，統領諸思兵。今臣等見宋兵侵入境內，爲我生靈之苦，故臣兄弟來見，願與帝共擊宋兵，以拯生靈。」帝驚悟，謂侍臣曰：「此天遣神人輔我也。」即召群臣來告，以盡誠信，淨手焚香于御艘前，帝祝曰：「神能輔朕，成此功業，朕即贈封血食，萬世無窮。」王遂殺牛牢置祭，乃賜衣冠、金銀、錢財、馬象之物而焚化之。至夜三更時，帝又夢見兄弟二神人，共著所賜衣冠、貴物，來前拜謝。後夜三更時，帝又夢見一人領取白衣部，使思衆，自平江而南出；一人領取赤衣部，使鬼衆，從如月江而北下，共就宋賊營以驚之。十二月十三日夜三更，天氣昏暗，暴風疾雨大作，宋軍驚潰，迯走散亂，如見人形容在營中空，上聞，高聲吟曰：「南國山河南帝居，皇天已定在天書，如何逆虜來侵伐，汝等行看取敗虛。」宋軍聞此，自然潰爛走散，相攻相殺，名自奔迯。帝生擒宋軍不可勝計，宋軍退還本國。

大行皇帝回車，獻捷于太廟，宴飲士卒，封賞功臣，追封二神之功：一曰「却敵大王」，立祠廟于龍眼三岐江，使昌江、平江之民，一一奉事以祭祀之；一曰「威靈大王」，立祠廟于如月近沿江，使如月沿江士民，一一奉事以祭祀之。有國血食，萬世無窮，今猶有祀（之也）。

夜叉王傳

昔王古傳，南越甌貉龍君之外境有妙嚴國，國王號夜叉王，一曰長鳴王，二曰十頭王，其地接狐獼精國王曰十車王；太子徽姿之妻，名曰白淨；后娘容顏秀麗，世所罕有。夜叉王見而悅之，乃率兵攻狐獼精之國，而擒得白淨后娘。后娘乃歸告于夫徽姿，徽姿怒之，乃領總貔貅之衆，彌山塞海盡爲平路，攻破妙嚴之國，主取白淨后娘而還。蓋狐獼精乃獮猴之精也，今占城國種是也。

士王仙傳

按三國志，王姓士名奕，蒼梧廣信人。其先魯國汶陽人也，遭王莽，避居于此，至漢桓帝以爲日南太守。王少時遊學漢京，治左氏春秋，舉孝廉科，拜爲尚書郎，以公事免，後舉茂材賢良科，除爲亟陽，會獻帝遷爲交州太守。値漢末三國鼎立，士王營清城（龍編城也），獻帝聞之，賜王璽書，俾督七郡，統領交州太守如故。王乃遣吏官張旻奉往詣漢京修職貢；漢帝復下詔，拜安遠將軍，封龍安亭侯。至吳王孫權，加封爲左將軍，幷子三人皆拜爲郎中，及貢方物，吳王輒厚加賞賜，以答慰之。又拜王弟一領合浦太守（欽州是也）鮪領九眞太守（廣州是也）。王體貌寬厚，虛謙待人，漢之名士避亂者多往復焉；我民皆呼爲王。漢之袁徽與尙書官荀彧致書略云：「交州士府君，旣學問優博，又達於從政，處於大亂之中，保全一方，三十餘年，邊疆無事，民不失時。雖竇融之守河西，何以加之？況王之弟，並已列侯，分守雄長，出則車騎清路，當時貴重，威震百蠻，彼尉陀不足踰也。」王壽九十歲，在位四十年，尤善於調變方氣，敎訓人才；洎薨入葬于內地，數至晉末，凡一百六十餘年，爲林邑人開破王墓，遂見其全體不壞，面目如前生時，爲之大懼，乃復埋葬如故。世傳以爲王得仙道云，遂立祠奉事。唐時咸通三十年，高駢往平南京，遇于境廟，見一異人，容貌秀麗，衣冠嚴雅，遮路相接；高駢悅之，延至墓下，與語三國時事，出入相送，倏然不見。高駢謂之神人，村人指示南京乃士王仙墓所，高駢嘆息良久，遂吟詩云：「自魏皇初後，將來五十年，唐咸通八載，幸遇士王仙。」遠近州縣之人，凡有祈禱，悉彰靈應。陳朝加封「善惠威加靈大王」，至今爲福神也。（今廟在超類社縣青湘社隴廛村，及嘉定縣三栖社，二祠皆上等神也。）

乾海門三位夫人傳

按本傳，夫人姓趙氏，南京公主也，母子三人，夫人貴子也。陳李宗紹寶元年，屬宋端宗，播遷海島，帝以病殂，御史文天祥兵敗，陸秀夫張世傑等爲大將軍，立端宗弟帝昺爲嗣君。未幾，文天祥被執北行，世傑、帝昺次州于崖州，元張弘範以兵襲之，宋師大敗。秀夫手抱帝昺，沉溺于海，世供亦溺死，宋兵死者十餘人。夫人母子三人，援得木板，漂到海外岸上佛寺，饑困無所寓聊。寺僧見之可憎，與之飲食。居得數日，夫人皮膚撫完，容儀奇異，寺僧心悅之，處生慾淫，因夜間求通于夫人，夫人守節，拒之甚嚴。僧寺悔悟慚愧，乃出于海外，投身而死。夫人母子將立于海岸上，謂曰：「吾母子幸賴寺僧養育，得全生。今僧欲求通于我，而我守節不聽，僧乃慙收投身而死，吾何以生爲？」母子檜僧，乃投身于海而死，夫人娣妹亦隨焉。僵屍飄盪到我國之演州乾海門，棲泊邊岸，海人見其身體無所虧朽，且其屍自僵流至此岸上；海道險惡，不知幾千里，而存衣服，容貌宛然如生人，皆驚異之，以爲神靈。於是海人相率封葬，立祠奉事。凡有遠近之人，船行此處，或遇風波危迫，篤心懇禱呼吸之際，遂果得平安。至今隨處海門，爲立祠廟以奉事之，此南海福神最靈也。舊俗里人不知，以淫戲諵神，何其謬哉！宜痛治戒之，上旌表之爲正直之神也。

龍爪却虜傳

按史記并世傳，帝姓李，諱佛子，前南帝之族將也。前李南帝居太平縣，王素有奇才，仕不得志；又有并韶者，富於詞藻，梁吏部蔡樽除爲廣陽門即，韶耻之，遂與賁還歸本鄉。因有刺史蕁詰暴橫，相結豪傑，俱起兵出龍城。林邑入寇于日南，賁命范修擊九德，破之。乘勝自稱南越帝，改元天德，國號萬春，皇帝凡八年也。時越王姓趙，光復本鳶州人，爲前南帝左將軍，其州鳶有巨澤，周廻不知其數，賁亡，王乃收散兵二萬餘人聚于澤中，即一夜澤也。甫及一年，懇禱得神人授龍爪瑞，使揷兜鍪以向賊，賊皆驚散，斬得賊將楊孱，梁軍退還。王入據龍編城，更詔還祿螺、武寧二城，自號南越國王，乃分國割界于神州而共治，南帝據烏鳶。後南帝子雅郎求娶趙王女，名杲娘，使成歡喜，嘗私語與杲娘曰：「昔吾兩父子爲仇讐，今成婚姻，甚不善乎。」因問杲娘曰：「父何靈術，却我父兵？」杲娘以眞心對，不覺其意，竊取龍爪兜鍪示之。雅郎潛謀易得，乃私語杲娘曰：「吾今割愛，歸省其父居處，如何萬一不虞，或有賊到，汝父不勝，若何奔，汝以錦褥鵝爲表道，吾善相助之。」而南帝率賊兵頓至，王初不之覺，督兵持兜鍪以待賊兵，益進而知勢屈不能御。王遂携女子而南奔，賊皆繼踵，王大怒，即呼：「龍爪王何在，而不能助我乎？」忽見龍爪指示王曰：「女子落鵝毛表跡，乃是賊也。」王乃是拔劍斬之，女子落水流去。王騎馬奔至小鴉海口，阻水路窮，再見黃龍畫水爲道，引王從之，水乃復合如故。南帝進到，湛然望洋，遂還。越王在位二十三年，國人以爲驚異，後於大鴉海口立祠奉之。南帝旣追越王，乃還螺城及武寧城二處，封兄莊爲太平侯，守龍編城，封大將軍李晉鼎爲安寧侯，守烏鳶城。南帝在位三十九年，威靈大振，爲隋將劉戶滅之，後民立祠于小鴉海口，以奉事焉。

貞靈二徵夫人傳

按史記，二徵夫人，姓本雄氏，姊名側，妹名貳，峯州麓冷人也，交州雄將之女也。初女嫁於朱鳶縣人施索爲妻，有勇力，能總決事務。時交州刺史蘇定貪暴，州人苦之，姊怒，乃率其妹擧兵逐定，陷攻交州，以至九眞、日南、合浦等郡皆應之，遂略定嶺南六十五城。自立爲越王，始稱徵姓焉，建都于烏鳶城。蘇定奔還南海，漢光武聞之，遂貶蘇定，遣將軍馬援、劉隆等將大軍擊之。至諒山，夫人二姊妹拒戰逾年，後見馬援兵強力盛，恐不能支，遂退保禁溪，卒徒走散，夫人勢孤，遂陷沒于陣。或云登希山州人憎之，創立祠宇於喝江門，以奉事之，人民凡遭突殃，有所祈禱，丕顯其神靈。李英宗時遭逢大旱，王命威淨禪師禱雨，感應，一日雨來，涼冷襲至於人。帝喜觀之，忽然而睡夢見二人，戴芙蓉冠，著綠衣、朱帶，駕鐵馬隊，隨雨而遇。帝怪問之，神人答曰：「妾乃二徵夫人姊妹，奉帝勅命以行雨也。」帝乃諄勤請益英靈，王乃舉手止之，忽然應夢勅封修造廟宇，備禮厚之。復亦托夢于上，請立祠于古來鄉，上從之，勅封「貞靈二夫人」。陳朝時加封「威烈」、「勝制」、「純貞」、「保順」各美號字，今褒封香火無窮也。

洪聖大神王傳

按史記王傳，王姓范，名巨倆。昔黎太宗時，爲都護府，且多疑獄，士師不能決，擬立神主於祠獄，要欲彰著神靈，痛塞姦詐者，乃薰浴焚香，請告上帝。是夜夢見一朱衣使者，稱爲上帝，口勅賜范巨倆爲都護府獄訟盟主，上顧問天使曰：「是何人耶？典何職局？」使者曰：「黎大行皇帝有臣范太尉，爲臣盡忠於君，逮至世人曰帝君勘校有君，補南臺中司，隸以舊秩，命典按人間疑獄主者。」言訖，不知所之。上覺寤，召問左右宰執，皆對曰：「此善人也，即武安州牧會范占之孫，參政范蔓之子，都尉范瀛之弟。范占佐兵吳王，有開國功臣，加封『銅甲將軍』；范蔓佐南吳王，榮陞參政，都護范瀛于丁先皇；范巨倆佐黎大行皇帝有勤勞，官陞太尉。」皆譽言也，上深然之，褒封爲「洪聖神王」。上夢見神王，具冠服、袞冕，趨庭拜聞，一如生時儀臣。

上異之，命人撰文鐫石爲記，以顯其靈異之神也。

明應安所神祠傳

在丹鳳縣安所社，今東安縣坐所社亦奉事焉，祀典靈祠上等神。

按杜善史記，王姓李，名服蠻，古所鄉人也。李太祖幸遊至古所，渡望見山川秀氣，有感於心，索釃酒酹之，曰：「睽觀此方，山奇水麗，苟有人傑地靈神祇者，受吾明享。」既而此夜夢見神人，高大碩美，稽首拜謝曰：「臣本鄉人，姓李名服蠻，佐李南帝，爲將以忠烈得名，授杜洄一帶水江，民乃居焉。民皆樂古，迨率之民曰，天帝嘉其忠直，更加職如故。臣常累次領兵攻之，思破逆賊，多年于茲，今遇陛下愴惘，臣已守職旦夕也。」既而嘆曰：「天下遭曚昧，忠臣匿姓名，中天明日月，孰不見其形？」言訖，倏然而去。太祖驚寤，具以夢事告御史大夫梁任之，曰：「杜神要顯立祠廟，重修形像之處耳。」上命群臣置環玟，命匠人建立祠廟，塑像形狀一如夢中所見，加封爲「一方福神。」歷至陳朝元豐年間，韃靼入寇至境，馬蹶不進，有驅馬入於村中，村人恃神威力，率衆拒戰，大破虜黨。韃靼之國，終不敢窺。至重興元年，北虜入寇，到處皆焚盪屋廬，遂經鄉邑，皆駐于此祠，如有防護者，秋毫無所犯，逆賊悉平。上乃加封「誕安明應」美號四字，今尤顯顯赫赫其神靈也。

大灘都魯石神傳

大灘祉在嘉定縣，石在江，起於神廟之左，祀典上等神。

按杜善本傳記云：王姓皐諱魯，乃安陽王之良臣輔佐也，俗號都魯石神，其亦本於神名石龍之精也。昔高王之時，平南詔後，巡幸武寧州，到地頭處，夢見異人身長九尺，石貌凌層，椎髻簪刀，束褐束帶，來謁高王。高王問曰：「爾乃何等神？」神曰：「皐魯昔輔安陽王，用爲將軍，嘗有却虜大功，被貉侯譖，罷之。既沒，上帝憫其忠臣，命賜一帶小江山，管領都將軍及南詔征討，寇盜、稼穡之事，皆暗知之，爲一方福神也。今既以明王剷平逆賊，宋宇泰然，撫至本部，若不告謝，非禮也。」高王怪問：「貉侯何事？」相疾曰：「幽明之事，不可漏泄之。」高王重請，答曰：「安陽王即金鷄之精，貉侯乃白猿之精，某乃石龍之精。鷄與猿相合，與龍相尅故也。」言訖，倏然而逝。高王夢覺，編記丁寧，語及僚屬，而自吟詩曰：「美矣交州地，悠悠萬載來，言笑能得失，終不負靈臺。」又吟詩曰：「百越奠區宇，漢定山川，神多皆助順，唐家景福延。」又吟詩曰：「南國山川勝，龍神入地靈，州民休蹙額，今又見昇平。」歷代加封美號，至今香火奉事，赫赫如也。

神珠龍王傳

世傳神王乃美龍之精也。昔有烘路捍嬌人，姓邵氏，一名決，一名善射。兄弟入海捕魚爲業，時遭異物，若木狀然，長三尺許，其色如鳥卵，隨潮流上。二人接至，夜間忽聞卵中有聲自語，二人驚懼，投卵中流，避船就到州泊宿。夢見一人來，謂二人曰：「乍緣東海龍妃，誤與美龍交，恐東海王覺，寄與爾等守護，勿令他觸犯，彼之長成，必能福汝，無憂患也。」二人相覺，以語相告，忽然見二物之木已附船邊。二人異之，載歸至布轉鄉，木從船中忽躍出上岸地。二人意欲居之，乃立祠焉，命工刻木作像，奉事感應，時號「龍君」。先朝遣侍臣入海求珠，徧告海口，所獲稀少，鄧氏子孫所得甚多，差官借問其故，鄧氏具以實告。差官乃奉朝命，備禮以祭之，由是獲珠玉勑褒封賜號「神珠龍王」。歷代加封美號，至今大有顯績靈應。或有奸人，懷怨咒咀，亦害及良人者，爲可娛也。

香山崗記

蓬萊瀛海何須到，奇境祇在小村中。世人之不識香山妙處者，亦無非一些傖夫俗物。

初登小舟而騁望，惟見滿目之青山。溯清流而漸上，恍漁父之入桃源。澹然斜暉，蓊鬱深樹，綠水青山，重疊相映，正聞鳥囀林中，又見舟漾波上。樵夫巖巔自攀，漁翁小橋時過。前山後山，獨余居于其間。遙見灘頭牧豎，三五成羣，半沒半浮，嬉水爲樂。當斯時也，詩思逸興，俱寓于山水中矣。

暫停桂櫂，徐賞風光，山形水色，盡在余眼，覽不移時，愈覺其幽深無及。目中諸山，曰傘蓋、曰公鷄、曰象山、曰仙山，連綿相繼。未知仙家何處，誰爲指點迷津。忽見通瀛洲之天橋，白石皜皓，苔痕蒼蒼，俗念塵心，見此頓棄。又見林杪雲深，古刹半隱，不知天佛寺，竟疑蓬萊山。行之賞之，目不暇給。樹旣擁翠，山更簪青，此峰方過，彼峰又逢，清流如帶，繚繞漫瀠。有仙腳山、洗寃溪。白湍漱石，直掛天際。天工美景，倍增妙趣。詩云：「花腳風聲天欲雨，人聲谷應石能言。」昔舉首觀天，惟覺天小，今獨步天頂，復小人間。余每登一頂，旁視鄰山，恆以爲主峯之在即，孰知攀巖度壑，艱險備嘗，及至也，始知其又非是。如是者忘其凡幾。凌高歷峻，絕頂之終至。當此際，口誦南無，心滌萬慮，幷青梅嫩子老梅香茶之品，亦渾然焉忘味。是可謂處眞景中，方知眞味也。

紫林鶯歌燕舞，綠叢女伴尋梅。已度三關清泉，仍回首凝眸，留顧不已。只言去路尚長，不意石屏仙洞。引領四顧，萬壑煙嵐，百形千狀，咸集畢現，倉猝之間，曷能辨其眞僞。所見如衣架、如銀樹、如金樹、如錢囤、如米庫，更有如觀世音菩薩者，妙相天成。觸處無不爛縵奇瑰，巧匠丹青，安能足此。俯視石梁下，清漪拍岸，屏風山影，直逼佛庭，猿嘯鷹啼，客心爲驚。鐘乳滴露，夜幽冥而苦永；潭影搖虛，水清冽而甘醇。巖穴深杳，若有上天入地之路藏焉。余今見此，則知斯處南天第一雄筆之名，信不爽哉。

仙境於人，固非難求，必先推翻心頭魔障耳。詩云：「欲到香山不可約」。人悟此理即神仙，不到香山非好漢。

南國異人事略錄

汪娟 校點

南國異人事跡錄 出版說明

此書撰者姓氏與時代無考。全書計收錄有范子虛事業師傳、李翁仲降生傳、董天王降生傳、楮童子遇仙容夜澤傳、海陽人阮仲播敍情傳等五則膾炙人口的越南古代異人事跡。

在收錄的五則異人事跡中，范子虛事業師傳事跡亦見於嶺南摭怪續類中的范子虛事師傳；李翁仲降生傳事跡亦見諸嶺南摭怪李翁仲傳，天南雲籙李仲翁傳，人物志李翁仲……等；董天王降生傳事跡亦見於嶺南摭怪董天王傳，天南雲籙董天王傳；楮童子遇仙容夜澤傳事跡亦見於嶺南摭怪一夜澤傳，天南雲籙一夜澤傳。南國異人事跡錄篇幅較其他各書爲長，文字亦有異同；而海陽人阮仲播敍情傳一則，故事極具傳奇性，且爲嶺南摭怪等書所未錄，凡此當是各據傳說加以撰寫之故，頗具參考價值。

今所得見爲法國亞洲協會圖書館藏抄本，編號 b15。此書計二十四葉。每半葉九行，行十四字。字大而工整。封面題「南國異人事跡錄」下雙行作「內共貳拾張全集」，另行有「黎貴奉寫」四字，每葉中心有「南國異人事跡」。此次整理，因無他本可資參校，僅依 b15 號抄本加以迻錄，校點排印。

南國異人事跡録 内共貳拾四張全集

蔡貴奉寫

南國異人事跡目録、
范子虛事業師傳、
李翁仲降生傳
董知王降生傳、
褚童子遇仙容夜澤傳、
海陽人阮仲播敘情傳、
連上共五傳、

大南國異人事跡、

范子虛事業。師事跡、

李朝惠王時、子虛貫海陽省錦江縣

義閭社人、家中貧苦、移居河內省金

榜縣花封社。年少幼孤、樂道好學、從

師楊湛字公直、學習如訓、出意成章。

及公直卒、其子年幼、未知禮僕奉事、

子虛告其母曰、業師家貧子幼、我家

田土幾何、母曰、嚴父生時、遺子只有

田土六篙、子虛泣曰、請母以二篙賣
于村人、取錢以助事師、母感其言語、
亦泣而隨之、賣田二篙、淂錢三十貫、
子虛郎買辦棺槨圖物、以助喪祭于
師、又營室于師墓之側、日夜燈火奉
祀、至三年畢、子虛始回家鄉、日夜專
勤學習、追至甲子科八試、中預第三
場、再至丁卯科八試、預中第四場、至
本年十一月、子虛自家赴京師、到鎮

南國異人事跡錄

范子虛事業師事跡

李朝惠王時，子虛貫海陽省錦江縣義閭社人，家中貧苦，移居河內省金榜縣花封社。年少幼孤，樂道好學，從師楊湛字公直，學習如訓，出意成章。及公直卒，其子年幼，未知禮儀奉事。子虛告其母曰：「業師家貧子幼，我家田土幾何？」母曰：「嚴父生時，遺子只有田土六篙。」子虛泣曰：「請母以二篙賣于村人，取錢以助事師。」母感其言語，亦泣而隨之，賣田二篙，得錢三十貫。子虛即買辦棺槨圖物，以助喪祭于師，又營室于師墓之側，日夜燈火奉祀。至三年畢，子虛始回家鄉，日夜專勤學習。迨至甲子科入試，中預第三場。再至丁卯科入試，預中第四場。

至本年十一月，子虛自家赴京師，到鎮武寺，遇夏日大暑，子虛入寓于寺內，忽見業師公直儼坐于內堂。子虛大懼驚惶，伏地泣拜曰：「業師之棄世歸陰已七、八年矣，不知何由，業師復到于此？」師曰：「子虛有義於我，故我感其恩義，出見告之。」子虛叩頭大泣曰：「師之歸日，弟子家中貧迫，難以爲禮，今日見師，且忽逢空手，將何以爲禮？」師曰：「我生時居陽世，平生公平正直，及卒，玉皇上帝用我爲判官，兼掌貢舉職事。」子虛問曰：「師知臣命事業如何？」師曰：「今予未知，弟子回家，至來年十二月二十八日，弟子又來至本寺，我即告之。」子虛拜謝頃刻間，不見師坐，遍尋無見踪跡。

子虛回家，日夜思量，信如其言。至後年是日，謂母曰：「母在家，子往京師。」子虛即往，至寓所，買辦炊鷄酒肉一盤，齊整清潔，遞到鎮武寺前，已見業師公直與弟子已列坐。子虛即稽首而拜，具酒餚一盤進之，師、弟子共坐飲食。師告曰：「脫我衣冠付弟子，我以弟子衣衣之。」公直乃以手衣提之再三，子虛昧目，子虛從公直同升于天庭。頃刻間忽至，見南曹、北斗衙班列坐，望見衣紫衣官，坐其上，外南曹、北斗坐于左右，餘皆分班列坐，公直亦坐于下，論察天下德行文學之士，題名出榜。上進桂陽人陳泰，優文學。南曹曰：「陳泰有文學，無德行，且父母無德，不可。」又進西姥人，有文學。南曹曰：「西姥人以文學驕人，且其妻不肖，不可。」又進安樂人范公平，優文學，且祖宗積德，妻有賢行，可居第一，是爲狀元。又進鳳山人阮曰賢，有文學，祖宗積德，行兼全，可居第二，是爲榜眼。又進上賢人王文校，文學少有，陰德多，可居第三，是爲探花。三魁姓名，會論已畢，迨至上福縣人楊校，文學雖少，且父母及妻俱有賢行，家貧樂道，可居第四，是爲黃甲。前後進舉中格登榜，共得四十人，着名登榜。判官公直乃進花封人子虛，有文學可取。南曹曰：「子虛以文學驕人，不可。」公直曰：「子虛年幼狂言，雖有驕人，未有害人。」紫衣官曰：「子虛孤幼，母有德行，且有義於事師，亦可恕罪，置之下第。」即粘子虛姓名在四十人之下，乃掛榜於天門。右官北斗曰：「子虛有行義，若寘之下榜，恐有乖次。」紫衣官曰：「我以白字加之，則黜之下榜，何乖之有？」至明年戊辰科，二月，子虛應會試。子虛入第一場，試卷欠「經義」二字，場官點閱，見疵而掛卷。得三、四夜，公直應夢，告欽差官曰：「有今科進士，何掛之下？」乃知天卷，讓榮進素，定不可格言。後子虛歷登顯官，果至贊治翊運功臣，特進金紫榮祿大夫，玉帶金魚，參從吏部尚書兼掌六部御史臺，事貞國公，贈太宰，封「忠貞大王」，爲花封上等神。生得男子三人，二子居花封社，一子還居義閭社。范文峻之祖，范文煥之高祖，果繼箕裘，紹家風，譜傳萬世之子孫，猶有修業焉。子慮年至四十三歲，始得顯達。易曰：「積善之家，必有餘慶。」詎不信歟！茲傳記以行于世，使後之君子，耳聞目見，心受神領，庶幾亦得折桂看花，揚名顯後之一助云耳。

李翁仲事跡傳

雄王世季，李翁仲貫河內省慈廉縣瑞香社。姓李諱仲，身體長大，高二丈三尺。慓悍殺人，罪累至死，雄王赦之，不忍加誅。歷至安陽王，時秦始皇將兵侵我國，安陽王以李翁仲身貢納秦。秦始皇得之甚喜，任之，仕至司隸校尉。始皇兼併天下，使李翁仲將兵十萬，鎭守臨洮，聲振匈奴，不敢侵塞。秦始皇封李翁仲爲輔信侯，使歸南國。

至後年，匈奴再侵犯塞，始皇復令召李翁仲，不肯行，隱在山林淵澤間，始皇深責之。安陽王藏隱李翁仲久而不得，詐言李翁仲已死。秦始皇遣使來問：「何由而死？」安陽王以瀉泄而死對。使者回國，馳奏始皇，謂李翁仲瀉泄而死。始皇又遣使往安南國驗之，李翁仲遂羮粥澆於地中，以爲實跡。始皇遣以屍載歸北國，李翁仲遂自殞，使者以斂其屍，遂納于秦。始皇以爲奇異，乃鑄銅爲像，號爲「李翁仲」，建立廟堂，置于咸陽金馬門外。腹中容數十人，潛形搖動，遣精兵十萬餘人，常守祠像，匈奴以爲生，不敢犯塞。

歷唐時，趙昌爲交州阯都護，趙昌夢見與李翁仲講春秋左氏傳，唐王與趙昌遂立祠廟以供祭祀。迨至高駢平南詔之時，焚香祈禱，以靈助順，再重修廟宇，建立木像，號「李校尉」，祠甚莊嚴，今在慈廉縣瑞香社，珥河大江邊，相去京城西十五里。

董天王事跡傳

雄王時，董天王貫北寧省仙遊縣扶董社人。天下泰和，萬民富庶，殷王見南國無朝覲之禮，舉兵托以巡狩，而欲侵其國。雄王聞之，召群臣謀其攻守之計，時有方士進言：「攻戰之策，莫如求貉龍君以相助之。」王從其言，遂築壇場，持齋戒，焚香致拜祈禱，置金銀幣帛於壇中，群臣致敬三日。忽見大風雷雨，有一老人，高九丈餘，面方耳大，鬚眉皓白，坐於岐路，談笑戲遊，歌吟舞蹈。人皆見之，知其非常人也。有鄉人入告于王，王親行拜之，迎入壇內，進酒食，老人飲食而不言語。群臣就前拜問老人曰：「吾聞今有北方之人，欲來攻戰，其勝負如何？」願其賜教。老人良久，取延壽祝卜，乃謂王曰：「三年之後，賊來到此矣。」王又問計於老人，老人謂王曰：「但嚴備器戒，精練士卒，爲國家計，且遣人徧求天下，誰人有奇才異藝，能破得逆賊，即榮封爵邑，傳之無窮。若得其人，則逆賊可平矣。」言訖，老人騰空而去，雄王乃知其龍君也。

比及三年，邊人急馳奏雄王，報有殷兵到境。王使人徧求天下，如老人所言。使者行至扶董鄉，見富家翁，年方十八歲，生得一男，已三歲矣，雖能飲食，不能言語，惟仰臥，不能起坐。其母聞使徧求，戲其子曰：「生得男子，徒能飲食，不能擊賊，以蒙朝廷之賞賜，以報父母之劬勞。」兒聞母言，即勃然曰：「諾！母呼使者到吾家，問使何事？」母大驚異，告諸鄉人曰：「子能言語。」鄉人亦嘉之，母乃召使者來。使者亦驚異，試問童子曰：「童子爲小兒，亦能言語乎，呼來何爲？」童子乃起坐，謂使者曰：「爾速回京告王，練成鐵馬高十餘丈，劍長七尺，鐵笠一件，將到我家，我破殷賊，王何憂也。」使者喜，速回京師，具以童子言奏雄王。王見而且驚且喜，曰：「吾無患哉！」群臣論曰：「一人擊賊，如何可破殷軍？」王怒曰：「此乃龍君助我，如前日老人之言，的不虛語，諸公何疑？」即命匠冶鍊鐵十五百斤，練成鐵馬、劍笠，將到扶董鄉童子家。母甚奇異，恐禍及身，憂恐告兒。兒大笑，謂母曰：「敢請酒肉甚多，與兒食之。」母答家貧，供給不足。鄉人聞其言，爲之殺牛宰猪，酒飯餅菓之物將至，盛陳酒饌。童子見之，大喜，一時間食之且盡。伸足而立，鼻嚏十聲，身長體大，高十八尺，餘衣裳不能衣，乃以蘆花葉結爲衣服，以蔽其身。手提鐵劍，乃躍上鐵馬，勵聲大喝曰：「我是天將！」踴躍長喝，馳走如飛，一瞬息間，到王殿前告王，指劍前行。王使官軍隨後，到于殷賊夾壘武寧鄒山之下，擊之。殷軍大驚，倒戈相攻，死于鄒山之下。官軍所到，殷賊走散；殷賊將士羅拜，呼曰：「天將神！」乞皆來降。天將破殷賊，軍士已平，騎鐵馬行至安越縣寧朔山，天將乃脫衣騎鐵馬，白日升天。

雄王思念其功勞，無以報之，雄王即令建立董天王廟于本鄉，賜田一百畝，與父母晨夕祀事之需。殷王歷至二十七王，共併六百四十四年，不敢加兵侵擾邊塞，四方聞之，各相畏服，歸附于雄王。至後李太祖肇興，天下安平，萬民樂業，每有事必就靈廟祈禱，屢有靈應，再贈爲「冲天王」，其立祠廟在扶董鄉建祖寺側是也。

夜澤楮童子與仙容事跡傳

雄王時，夜澤在興安省東安縣。雄王傳至三世，王生一女子，名仙容媚娘。年生十八歲，容貌秀麗，不願嫁夫，好行遊戲，樂遊天下。帝愛而許之，每年二、三月間，裝載船艘，浮遊海外。

時在江邊楮舍之鄉，適有鄉人名楮微雲，生得男子楮童子。父子之性，本是慈孝，家被火災，財產空盡，止存一布袴，父子出入，更相換服。及至父病，父謂楮童子曰：「父有命故，全身而葬，留袴與爾服，庶無愧耻」。至父故時，楮童子以袴歛父身而葬。

楮童子在無以蔽身，而加以饑寒尤甚，計無奈何，乃就江邊望商賣船下水，立行乞食，復持竿釣魚，以養其身。頃刻間，不意望見仙容船艘適至，聞其鐘鼓管籥之聲，見旌旗蔽日，歌管喧天。楮童子驚怖，無所逃遁避脫以蔽其身，因見沙洲有蘆樹叢，希疎三、四株，乃隱避身於叢中，以手掘沙成穴而藏身，復以沙覆其身。頃刻之間，仙容船至，乃駐于此，行遊洲上，乃命群臣以帳帷幔幕，圍其蘆叢，遂乃沐浴。仙容入帳幕中，解衣裳沐浴，乃灌水而沙自流散，露童子身。仙容驚之，認之良久，始知童子。仙容曰：「我本不願嫁夫，今已相遇此人，身皆裸露，是天使然也。汝急起與我沐浴。」仙容乃賜童子以衣裳服之。遂與童子下船，飲食宴樂，隨從之人皆以爲嘉會奇逢，古今罕有。童子具道其所以然，仙容嗟嘆，結爲夫婦，童子固辭，從者馳奏雄王曰：「仙容不愛其身，不遵吾訓，巡遊道路，下嫁貧人，是天與汝。自今以後，汝不得回國以見我面。」

從者復來到仙容遊所，直陳其事。仙容聞之，不敢歸國，遂與童子開市肆，立鋪舍（今琛市）。外國商賣敬慕仙容、童子爲主，有商賣船客人告仙容曰：「貴人出金一鎰，今年賜家人子弟，與商人同出海外諸國，買各貴物，明年得息十鎰。」仙容心喜，謂童子：「我夫婦是天使然，富貴是天所與。」楮童子乃取金一鎰，同與商人出海外，買貴物將回以爲生活。

楮童子遂與商人同行販買，船遊行到海外，有山名稷圍山，山上有小庵，商人泊船扱水，楮童子登遊庵上。庵上有僧，僧名曰佛光法師，傳法與楮童子。楮童子乃留，聽受傳法；童子乃付金與商人，往買貴物，旬日回還至庵，迎我同歸。禪師乃賜楮童子一杖一笠，曰：「靈通亦在此矣。」童子領取回家，具以僧翁道告仙容。仙容覺悟，遂廢鋪舍，夫婦相尋遊方，求師學道。夫婦同行，日暮未到鄉村，遂宿途中，立杖覆笠以自蔽。夜至三更，自然天造地設，城郭樓臺，珠宮玉殿，鳳閣龍樓，廊座府庫，廟社金銀，錦帷綉幕，金童玉女，將士侍衞，羅列朝廷。明日，夫婦相見以爲驚異。各持香花、珍寶之物，進獻稱臣，又有文武百官分軍宿衞，別成一國。

雄王聞聲，以爲女子作亂，雄王率軍擊之。官軍相至近國，新立國官軍，請楮童子、仙容、命軍禦之。仙容笑曰：「非我所爲，是天使然。生死何敢奪父命，順受其正，任其誅戮。」時軍官新集，乃驚走散，獨舊隨與仙容同處。軍官駐蹕于自然洲，猶阻大江，日已暮，未及進軍。至夜半，天起大風，揚波拔木，官軍大亂。仙容、童子、群臣、部衆、城郭、樓臺一時拔起，飛去升天，其地皆空，畢成大澤。明日，人人望之不見，遂建立祠堂，時至祭祀。名其澤曰一夜澤，名其州曰自然洲，號幔蹰洲，其市曰河琛市焉。

後至前李南帝，與梁兵相拒，南帝命光復爲將以拒之。光復率其衆，衆居於此澤，其澤深廣泥濘，難於行止，光復用獨木船，以便往來。未諳所居，迷失處所，光復藏軍於此，賊不知其所在。夜諳三更，以獨木小船擊之，刼取糧食，梁兵屢失其機。三、四月間，梁兵不知其處，難與交戰。梁兵嘆曰：「上古謂一夜澤，信矣。夫今乃留之，夜常逃去。」會侯景作亂，梁召陳伯先還香山，遺裨將楊孱擊之。光復齋戒，設壇場於澤中，焚香致拜，虔禱祈來報助。忽見神人，乘龍來下壇中，謂曰：「我於升天處，威靈在上，汝能誠心祈禱，故我來助，以平禍亂。」遂以龍爪授光復曰：「以此掛在兜鍪冠上，每有賊侵，以此向面賊，賊皆驚惶走散。」神人說罷，復升上天。光復聞得神助，氣力增倍，歡聲大振，奮身交戰。光復斬得梁將楊孱于陣前，梁兵大敗，乃退還。光復聞李南帝已殂，遂自立為趙越王，立城于武寧山是也。

海陽人居士阮仲播敍情

且夫天地之於萬物，雖有雷霆之怒，而發生之意，實行乎其間。父母之於衆子，雖有鞭朴之威，而鞠育之恩，實存乎其內。是以衆子之有罪，未嘗不呼天地，呼父母者也。

士猥以儒生，本從學業，詩書負十年之積，未嘗筆陣吐鋒芒，單瓢甘一己之貧，自倚衡門頤性命。田經園史，半畝生涯，糗飯麗衣，一生淡薄。怒目西山無盜賊，百般縉胄，起義憑令主之詔書；多心東土有緣師，一陣風波，勤王鼓男兒之義氣。時未遇，嗟乎已矣，功不成，無可奈何；休將人意論英雄，悵惟府輕黎之運。正是天心開宇宙，賀龍湖啓聖之期，橫山開百二之基，珥河瑩半千之水。

六月龍城遺將，周宣王征玁狁之期，五年馬上揮戈，漢高祖滅項秦之會。生民塗炭，今日息肩，童子嬉遊，康衢鼓腹。幽草曝來天眼照，回四十年不到之春，和風帖得地塵寬，拘三十道無依之子。討亂除殘西僞局，太平酒酌舊君杯。賢冠羽箭榮花，快覩滿城之車馬，谷虎澤龍吟嘯，會來四顧之風流。寒谷知春，窮廬生色。士夫負棟樑大器，有路披漢殿之襟，書生慚文墨全才，何地鼓齊門之瑟？四征恨未勞於汗馬，一旦難自效於攀龍。寸土中幸遇皇風，持把五絃歌舜日，四海內咸孚帝德，敢將尺霧障堯天？忽來天數之艱難，遇促愚心之狂悖。不覺昭臺何處出，妄語迷天下之人心，寧知貴德被欺人，惑言亂案前之客耳。白齒眞人未卜，潢江天子預謀，上天下地口難憑，幻出古遼之聖，窮谷深山何識得，弄成安子之僧。席前商護蓬矢桑弧，門外往來繩樞甕牖。忠屠乃武夫不學，膺將空大語之唇，廷堅於兵事未聞，乳尚臭妄言之口。好捨牧牛之將士，巧陳奪布之規謨。許多水步虛聲，無蹶馬殘舟之素具，一片詔書妄寫，未得皇名朱印之見眞。善提僧子，何忍欺人，愚蠢書生，翻成僭僞。酒盞茶杯之相會，群盲又引群盲，愚夫匹婦之笑談，一語復將一語。自作孽，慢將於意外，不容奸，事在於目前。

彼（台）忠何處得來，竊入潢池之顆，致愚等干常發見，牽來荷澤之群。後先密捉回調，酷受府屯之鞭朴，次第經申解納，羞含鎮所之枷杠。彊武軍押送於京城，司刑院付交於場所。却分自丹心於藥石，却爲忍辱之身，痛心無奈俯於鉗爐，爲屈求生之足。誣惑責昭臺之無行，輕薄非（台）武之不仁。恨彼誇寸舌之雄，甚磨口賊，致愚越三司之案，何等身寃？照幽自有天涯燈，洗垢仰憑海量，若聲罪而誅乎僭僞，已甘萬死不須言。然恤刑何論於青災，曾記一生猶幸免。

河南天子，量及無辜，北闕尊翁，政行不忍。以峒物無知而能感，蝦蟆鳴遠動於天庭，即民不情哭而見哀，孩提語乞憐於公所。周家宰難心於藥石，商頑民有意於龍蛇。寒風三月居周，既示必誅之戒，雨露一朝處宋，次昭不殺之仁。場中蘇暗淡之花，庭前洒腐枯之草，況出入有人來擁護，這般殘疾復何爲？苟夕朝思政播寬容，願作蹶儒還自在，望治世從輕之典，覩太平不用之刑。口裡啼呼，庭來吐草，法中寬恕，調自乾霜。孤兒轉作依兒，尊翁是重生之嚴父，墨筆換來朱筆，尊翁爲再世之南曹。洞開赦過之門，引入自新之路；應地檻拘之箭，夷吳尤悔於桓公，巾車遏馬之巴，馮異不忘於光武者也。

國立中央圖書館出版品預行編目資料

越南漢文小說叢刊. 第二輯／陳慶浩、鄭阿財、陳義主編. --初版. --臺北市：臺灣學生，民81
冊；　公分.
ISBN 957-15-0461-0（一套：精裝）

868.357　　81005761

越南漢文小說叢刊 第二輯

筆記・傳奇小說類 第四冊

⑫南天珍異集
⑬聽聞異錄
⑭喝東書異
⑮安南國古跡列傳
⑯南國異人事跡錄

主編者：陳慶浩 鄭阿財 陳義
出版者：法國遠東學院
本書局登記證字號：行政院新聞局局版臺業字第一一〇〇號
發行人：丁文治
發行所：臺灣學生書局
台北市和平東路一段一九八號
郵政劃撥帳號〇〇〇二四六六八號
電話：三六三四一五六
FAX：三六三六三三四
香港總經銷：藝文圖書公司
地址：九龍偉業街九十九號連順大廈五字樓及七字樓
電話：七九五九五九五

中華民國八十一年十一月初版

86802-4

ISBN 957-15-0461-0（一套：精裝）
ISBN 957-15-0465-3（精裝）